이제는
문화코드로 풀어보는
한국인의 내적 갈등

문화전쟁

Cultural Evolution 이다

문화코드로 풀어보는
한국인의 내적 갈등

이제는 문화전쟁이다

초판 인쇄 | 2018년 8월 20일
초판 발행 | 2018년 8월 22일

지은이 | **최인수**
펴낸이 | **김기호**

펴낸곳 | **한가람서원**
등록 | 제2-1863호
주소 | 서울특별시 중구 마른내로 72, 504호
전화 | 02-336-5695 팩스 | 02-336-5629
전자우편 | bookmake@naver.com
홍보마케팅 | 김덕현

ISBN | 978-89-90356-44-4 (03190)

• 이 책은 한국출판문화산업진흥원 2018년 우수출판콘텐츠 제작 지원 사업 선정작입니다.
• 이 책의 국립중앙도서관 출판시도서목록(CIP)은 서지정보유통지원시스템 홈페이지
  (http://seoji.nl.go.kr)와 국가자료공동목록시스템(http://www.nl.go.kr/kolisnet)에서
  이용하실 수 있습니다.(CIP제어번호 : CIP 2018023561)

이제는 문화전쟁이다

문화코드로 풀어보는 한국인의 내적 갈등

Cultural Evolution

최인수 지음

한가람서원

c.o.n.t.e.n.t.s

인간은 불완전한 존재다

"너 정신을 어디에 팔고 다니니!"

자식이 엉뚱한 짓을 하고 다니면 부모가 호통을 친다. 우리는 지금 정신을 어디에 쏟고 있는가. 무엇을 생각하고 있는가. 이건 희극판인가 하면 비극 같고, 비극판인가 하면 희극 같다. 선진국인가 했는데 후진국이고, 아직도 후진국인가 하면 선진국 같은 행태도 보인다. 과도기적 현상인가 하면 본질문제 같고, 본질문제인가 하면 지엽문제 같다. 구체적으로는 우파인가 하면 좌파 같고, 보수인가 하면 진보 같다. '영광의 나라'와 '태어나지 말았어야 할 나라'가 엇갈린다. 어지럽다. 웃을 수도 울 수도 없는 나라가 돼 있다. 그러면서 나라는 기운단다. 아우성은 높아진다. 모든 사단은 불완전한 인간들이 자신은 완전한 인간으로 착각, 자기중심적 독선에 빠져 독주(獨走)하면서 오만에 빠지는 때문 같다.

개별 사안으로 눈을 돌려본다. 판사? 검사? 언론인? 교사? 전문직? 학생? 지성인?…. 이성이 제대로 작동하는가? 제 기능을 해서 신뢰받는 이들이 얼마나 되는가? 모두 중심을 이탈, 확고한 부문이 없는 것 같다. 나라도 흔들리고, 국민도 흔들린다. 민주주의는 방황한다. 온갖 이매망량(魑魅魍魎)이 난장(亂杖)의 춤을 추는 난장(亂場)이 펼쳐진다. 우리는 어디에 서 있는가. 우리는 어디로 가고 있는가. 몸을 가누지 못할 정도로 현기증이 난다. 사람들의 얼굴엔 웃음이 사라지고, 증오와 분노로 검게 탄 얼굴에서 질러대는 괴력의 함성이 거리에 넘친다. 긴 눈으로 보면, 우리의 좌표는 어디인가. 세계에 비춰지는 코리안은 스마트한가 어그리한가.

한국인은 팔면조(八面鳥)? 지도자라는 사람들은 항상 싸움질이고, 노동자들은 산업전사도 됐다 귀족노조도 됐다 한다. 거리에선 촛불과 태극기가 대립한다. 촛불도 아름답고, 태극기는 숭고하여 둘 다 필요한 존재인데 거리에 나서면 대립한다. 정당은 이합집산을 반복하고, 지성인들은 간교한 혓바닥을 놀려 도대체 그 뜻을 짐작하기 어렵다. 정치인이건, 노동자건, 교육자건, 언론인이건 지독한 독선·독단·독주·독점에 빠져 고슴도치같이 앙당그린다.

각종 범죄가 넘친다. 오래전 외국 철학자가 지적한 '자연상태', '만인의 만인을 향한 투쟁'의 사회가 되고 있음인가. 그 야비하고 천박한 세계에 빠졌음인가. 그런 자탄이 나온 지도 한 세기를 넘는다. 왜 이렇게 사는가. 인생은 좋은 일 하며 웃고 살기에도 시간이 부족한데 항상 소리 지르고, 욕하고, 싸우며 사는가. 무엇인가 생각이 잘못됐고, 사로(思

路)가 꼬였기 때문일 것이다. 가치관이 얽히고, 목적의식이 삐뚤어졌기 때문일 것이다.

자신을 돌아볼 필요가 있다. 대한민국은 하늘에서 뚝 떨어진 나라가 아니다. 역사적 맥락 속에 존재한다. 오늘의 대한민국을 알려면 과거의 조선을 알아야 한다. 조선인은 무엇을 어떻게 생각했는가. 그 사유(思惟)의 맥락에서라야 우리 자신을 알 수 있다. 단순히 호사가적 온고지신(溫故知新)의 차원이 아니다. 맥을 찾아야 한다.

반짝 햇볕이 드는가 했는데 다시 먹구름이 몰려온다. 지금 여러 부문에서 과거로 돌아간다는 소리가 나온다. 사고방식과 행태가 그렇다는 것이다. DNA 탓인가. 운명의 굴레인가. 그 굴레를 벗을 수 있는가. 벗으려면 어떻게 해야 하는가. 우리의 위상은 우리가 만드는 것이다. 저절로 이루어지는 것도, 남이 만들어주는 것도 아니다. 우리가 할 탓으로 추락할 수도 있고, 비상할 수도 있다. 요만한 위상이 그대로 지속된다는 보장도 없다. 세상은 항상 변한다. 앞으로 우리는 어떤 좌표를 그려갈 것인가. 우리에겐 항상 운명의 선택지가 놓여 있다. 무엇을 선택할 것인가. 그에 앞서 우리 자신을 앎이 필요한 것 같다.

이 책은 관조의 고개 언덕에 올라선 한 추요(芻蕘)의 방론(放論)이다. 우리 문화의 키워드(유교, 자기중심주의, 정직, 질투, 집단행동)를 따라가 반추해 보는 것이다.

출판의 기회를 제공해주신 〈한국출판문화산업진흥원〉의 '우수콘텐츠' 선정에 감사드리며, 또 출판의 수고를 해주신 〈한가람서원〉의 김기호 사장을 비롯한 여러분에게 감사를 표한다.

1장

조선은
유교(儒敎)국가
인가?

우리의 정체성은?

도덕국가의 추락

조선은 자타가 인정하는 유교국가다. "우리나라는 유(儒)를 숭상하고 도(道)를 존중하므로 뭇 어진 이가 배출되었고, 사람마다 정자(程子)·주자(朱子)의 가르침을 따르고, 집집이 공자(孔子)의 가르침을 전해 왔습니다."(한국고전번역원의 《조선왕조실록(朝鮮王朝實錄)》, 이하 《실록》. 헌종 6년. 1840.1.30. 집의 김정원(金鼎元) 상소) 그러나 그것은 변질되기 시작했다. 그는 이어 말한다. "그러나 중엽 이래로 국가에서 배양한 자가 영명(榮名)·이록(利祿)을 벗어나지 못하였는데, 조정에서는 또 서로 당을 나누어 각각 독립하여 국론을 주장하는 자가 늘 승벽·자만·원망·탐욕의 사의(私意)로써 몰았으므로, 점점 발전하여 오늘날에 이르러서는 우물쭈물하여 용납받는 것으로써 자신을 보전하는 장책(長策)으로 삼고, 시비를 가리지 않고 남을 따르며 양덕(良德)이 없는 것을 세상을 살아가는 묘방으로 삼고 있습니다."

지금도 한국이 유교문화권에 속함은 이론(異論)의 여지가 없다. 성균관과 향교에선 봄가을로 석전제(釋奠祭)를 지내고, 관혼상제는 유교식이 많고, 충효를 비롯한 유교적 가치의식이 살아 있다. 학계에선 그 이론을 새롭게 풀이해서 이 어지러운 세상의 정신적 구원자로 활용하려는 사람들도 많다.

그러나 일상에서 공맹을 말하면 코리타분한 사람으로 취급받는 것도 사실이다. 세태가 그렇게 바뀐 것이다. 공맹을 5백 년 이상, 아니천여 년 이상 떠받들고 살아왔는데 왜 맥없이 허물어졌을까. 그 가르침이 우리의 정신 속에 고착되지 못했음인가. 의식화 뿌리가 깊다면그렇게 쉽사리 허물어지지 않을 것이다. 결국 유교는 우리의 정신적뼈와 살과 피가 되지 못했음인가. 민족주의 사학자 신채호(申采浩)는 유교가 조선에 와서는 '유교의 조선'이 됐고, 일본에 가서는 '일본의 유교'가 됐다고 했는데 그 반대가 아닌가. 우리에게 유교는 무엇인가.

대표적인 사례 한 가지만 짚어본다. 조선이 떠받들던 공맹(孔孟) 사상은 충효(忠孝)가 기둥이다. 그러나 철학자들이 보는 공자사상은 인(仁)과서(恕)가 두 기둥이다. 둘 다 개념 정리가 어렵지만 요즘 말로 간단히풀어본다면 '사랑과 용서'다. '사랑과 배려', 인간애로서의 상대에 대한존중과 배려가 묻어난다. 바로 민주주의의 평등으로 통할 수 있는 사상이기도 하다.

그 인(仁)과 서(恕)의 의식화나 행동화를 구체적으로 검증하기는 대단히 어렵다. 단지 몇 가지 개념을 추출해서 상식적으로 대비해보면, 인의 개념은 명확치가 않다. 공자는 인에 대해 묻는 제자에 따라 각기 설명이 다르다. 맹자(孟子)는 대장부(大丈夫)를 7가지 항목으로 잘 정리해서 설명했지만, 공자는 제자 별로 중점 실천해야 할 내용에 초점을 맞춰 설명한 것이다. 그러니까 포괄적인 개념은 그런 각각의 설명을 종합해 보는 수밖에 없다.

인(仁)은 공자사상의 몸통(體)이고 서(恕)는 그것을 실천하는 도구(用)다. 그런데 그 가르침이 세상에 퍼지도록 하기 위해 조선은 어떤 노력을 했나. 당시의 교육은 지식인 지도층에 머물렀으니 보통사람으로서야 공자의 가르침을 직접 접할 수는 없었다. 그들은 지시에 따를 뿐이니 의식화도 지식층을 통해서 간접적으로 이뤄졌을 것이다. 뜻도 모르고 의식(儀式)을 통해서, 혹은 지도층이 자기 편의대로 각색했을 것이다. 충성이 복종으로 규정화된 것이 대표적이다. 문제는 지도층이 그 근본정신을 어떻게 받아들이고, 그 실현을 위해 어떤 노력을 했는가.

유교가 이상 혹은 국시(國是)로 돼 있다면 왕조 내내 일관된 태도를 견지했어야 할 것이다. 당시에도 국시란 말이 있었다. 《실록》에 〈국시(國是)〉란 단어가 4백87회나 나온다. 《실록》엔 아니지만 윤선도(尹善道)는 〈국시를 논한다(論國是)〉는 글까지 지었다. 상소(上疏)용이었던 것 같다. 그 외에도 〈논국시(論國是)〉라는 글이 10편이 있다.*

◎ 이 기사 건수 통계는 정확지 않다. 각 키워드에는 인명 지명의 수가 포함돼 있다. 그것을 걸러내지 못했다. 앞으로의 통계도 마찬가지다. 또 한문과 한글에 따라 건수가 차이가 난다. 〈檀君〉은 89건인데 〈단군〉은 142건이다. 단군은 하나이니까 문제가 없지만 여러 가지 한자로 쓰이는 단어는 한글의 경우 참고하기 어렵다.

그 뜻이 문제인데 '국시' 다음에 '정해졌다', '주장했다', '지킨다', '고 집한다', '유지한다', '좇는다', '어지럽힌다', '바로잡는다'는 말이 이어짐을 보면 현재의 의미와 같아 보인다. '베푼다'는 조금 다른 의미 같기도 하지만 국정방향을 세우는 일임에는 틀림없었던 것 같다. 그러나 그게 개별 사안을 가지고 논하는 경우가 많아서 큰 의미의 국시는 아닌 것 같기도 하다.

조선의 국체와 관련되는 국시라면 유교, 성리학인데 그 실현방안은 무엇이었을까. 공자의 중심사상인 인(仁)이 어떻게 작용했을까. 《실록》에 〈인도(仁道)〉는 22건이 나왔고, 〈서도(恕道)〉는 아예 1건도 나오지 않는다. 〈천도(天道)〉는 68회, 〈인도(人道)〉 61회에 불과하다. 인(仁)자는 1만8천여 자나 되지만 서(恕)자는 6백자가 채 안 된다. 이들에는 인명, 지명까지 포함돼 있어 공자의 〈인〉이나 〈서〉가 얼마나 될까는 정확지 않다. 중국 송나라 학자 장자(張子)가 인도(仁道)를 설명해놓은 책 《서명(西銘)》이 1천1백61건이나 나옴을 미루어 보면 논의를 많이 했음은 틀림없을 것 같다. 공자, 맹자의 직접 가르침보다 석학의 해석을 통해서 배우려 했음을 알 수 있다.

직접·구체적 실천방법은 관리 등용의 조건을 통해서다. 공자의 커리큘럼은 '주례(周禮)'를 따르는 것으로 6예[六藝 : 예(禮), 악(樂), 사(射), 어(御), 서(書), 수(數)]다. 예학(예의범절), 악학(음악), 궁시(활쏘기), 마술(말타기 또는 마차몰기), 서예(붓글씨), 산학(수학)이 그 내용이다. 그 실천항목으로 육덕[六德 : 지(智), 인(仁), 성(聖), 의(義), 충(忠), 화(和)], 육행[六行 : 효(孝), 우(友), 목(睦), 인(姻), 임(任), 휼(恤)]이 있다. 태종(太宗, 재위 1400~1418)때에는 의정부에서 '예전에 육덕(六德)과 육행(六行)으로 만민(萬民)을 가르쳐서 빈례(賓禮)로 서울에 올려보냈습니다. 원컨대, 이제부터는 비록 재능이 칭도(稱道)할만한 것이 있더라도 불효·불목의 행실이 있으면 일체 모두 물리쳐 버리소서' 하는 진언이 보인다(1409. 7. 19).

그러나 〈육예〉는 《실록》에 64건밖에 나오지 않는다. 〈육덕〉은 32건, 〈육행〉은 30건. 그에 비해 의복에 관한 기사는 2천7백1건, 복식은 1백50건이나 된다. 정신보다 형식에 관심을 쏟았던 것 같다. 반면 〈충효〉는 3백43건이 나온다. 교육문제보다 충효의 문제가 훨씬 중요했음을 알 수 있다. 문신의 경우 활쏘기, 말타기, 수학 등은 소홀하거나 배우지 않은 것 같다.

참고로, 세종(世宗. 1418~1450)은 과거시험의 논제(科題)를 직접 출제하기도 했다.*

◎ (세종 5년 1423.3.28). "인사가 아래에서 감동되면, 천도는 위에서 반응하게 되니 이것은 고금 자연의 이치이다. 경서와 사서를 상고해 보건대, 혹은 그 반응이 있기도 하고, 혹은 그 반응이 없기도 하니, 그것이 그렇게 된 이유를 얻어들을 수 있겠는가. 봉황이 와서 희롱하고, 바다에서 물결이 일어나지 않고, 보정(寶鼎)이 나온 것은 모두 상서(祥瑞)이고, 9년의 물과 7년의 가뭄과 부시(不恵)에 화재가 난 것은 모두 재이(災異)인 것이다. 이것이 모두 감응이 있어서 온 것인지, 감응이 없이 자연히 온 것인지. 창린(蒼麟)·백록(白鹿)·천서(天書)·지초(芝草) 등은 의심할 만한 상서인데, 송(宋)의 진종(眞宗)은 거의 태평 세상을 이루었으나, 조(趙)의 석륵(石勒)은 마침내 나라가 떨치지 못했으니, 사건은 같은데도 성함과 쇠함이 다른 것은 무슨 이유인가. 내가 왕위를 계승한 이후로 태조·태종의 서업(緒業)의 중대ㅈ함과 이를 지키기가 어려움을 우러러 생각하여, 만분의 일이라도 보답하기를 희망하여, 이른 아침부터 밤늦게까지 부지런히 한 것이 대개 몇 해가 되었다. 그러나, 하늘과 사람의 이치에 어두워, 시행하는 즈음에 그 적당함을 얻지 못하였다. 금년에 수재와 한재가 서로 잇달아 일어나고, 근년에 와서는 흉년이 거듭 들어서, 백성들이 고향을 떠나 흩어지게 되고, 평안도 강원도의 두 도가 더욱 심하니, 이런

일이 오게 된 것은 무슨 까닭인가. 오사(五事)의 실책이 있었던가. 혹시 교조가 사리에 어긋났던가. 혹은 유사(有司)들이 봉행할 제 한갓 실속은 없이 형식만 잘 꾸며서 성심으로 백성을 사랑함이 없었던가. 혹시 백성들이 원망이 있는데도 내가 미처 듣지 못했던가. 재이를 변하여 화기를 띠게 하는 그 방법은 무엇인가. 흉년을 구제하는 정사를 강구하여, 창고를 열어 백성을 구제했는데도 백성이 굶주린 기색을 면하지 못한 것은 어떤 이유인가. 백성들로 하여금 굶주림으로 울면서 호소함이 없게 하고, 들에는 버려둔 송장이 없게 하는 방법은 어디 있을까. 평안도와 함경도는 야인과 이웃하여, 여러 번 경보가 있었으니, 두 도에 저장된 곡식을 만일 흉년 구제하는 데만 다 써 버리면, 뜻밖의 변고가 발생하였을 때 장차 무엇으로 군량을 준비하겠는가. 경(經)에, '중(中)과 화(和)를 〈사람으로서〉 다하면 천지도 그 자리를 정할 것이며, 만물이 양육된다.'고 하였으니, 이 도리를 다한다면, 재이도 소멸될 수 있고, 태화한 세상도 기약할 수 있을 것인가. 나의 대부들은 경술(經術)에 통달하여, 정치하는 본의 대체를 잘 알아서 말을 할 만한 시기를 기다린 지가 오래되었을 것이니, 마음에 있는 것을 다하여 대답하라. 내가 장차 친히 볼 것이다."

끊이지 않는 개혁 시도

우리 역사에서도 개혁시도가 끊이지 않았다. 문제는 그 잣대가 무엇이었느냐이다. 한 나라나 왕조의 문제가 아니라 민족의 관점에서 변함없는 뼈대 한 가지가 있었는가. 그런 국시가 있었는가.

개혁은 신라시대부터 조선까지 '시무(時務)'라는 이름으로 시도됐다. 시무책은 개혁책이었다. 신라 말 최치원(崔致遠)은 쓰러져가는 나라를 살리기 위해 '시무10조'를 상소했으나 받아들여지지 않자 가야산에 숨어버렸다. 그 아들 최승로(崔承老)는 고려조에 '시무28조'를 올렸는데 그 내용이 대부분 지금도 전해진다.

조선에서 《실록》엔 〈시무(時務)〉에 관한 기사가 2백97건이나 된다. 〈시폐(時弊) 361〉를 지적하고 강국부민술(强國富民術)을 제시했다. 지금으로 치면 부국강병책이겠다. 개혁은 국정의 영원한 과제다. 문제는 그

것이 얼마나 시의적절한 것이냐일 것이다.

고려 시대 정습명(鄭襲明. ?~1151)은 김부식(金富軾), 임원애(任元敱), 최자(崔滋) 등과 함께 시폐십조(時弊十條)를 올렸으나 들어주지 않자 사직하였다. 선왕의 유지를 받들어 의종(毅宗)의 잘못을 간하다가 왕의 미움을 샀고, 또 김존중(金存中), 정함(鄭諴) 등의 무리로부터 비방을 받자 약을 마시고 죽었다. 개혁은 목숨을 거는 일이었다.

조선에서 시무책은 태조(太祖, 1392~1398) 때부터 나오기 시작했다. 《실록》의 시무책 1번 기사다. 인재의 천거·음사의 폐지·부채 노비의 방면 등 5가지를 도평의사사에서 올렸다. "우리 조정에서는 양민과 천민의 법이 매우 엄격한데, 양민 가운데 부채를 갚지 못한 사람을 영구히 노비로 삼으니 매우 이치에 맞지 아니합니다."(1392.11.17)

숙종 때 이조 판서 최석정의 차자(시폐 10조목). "1. 양전(量田)은 차례로 정돈하되 어사를 파견할 필요가 없이 수령으로 하여금 맡아 단속하라. 2. 여러 궁가(宮家)에 세금을 면제시켜 주는 것은 실로 편방(偏邦)의 잘못된 규례이니, 한번 지난날의 규례를 변경시켜 그들로 하여금 법대로 세금을 바치게 하라. 3. 백성들은 전역(田役)은 가볍고 신역(身役)은 무겁고, 또 피곤한 백성들이 신역을 피할 소굴과 간사한 서리가 이익을 독점하는 전대가 되고 있는데, 각양의 사속(私屬)과 각 고을의 봉족(捧足)은 각기 숫자가 남아돌아 아전들이 간사한 짓을 하고 있으니 혁파하라. 4. 대동법이 시행된 지 오램에 따라 폐단이 생겨서 심지어 해서(海西)에서는 각기 사대동(私大同)을 마련하는데, 고을마다 규정이 달라 경중이 같지 않으니 한 도가 대동이 되도록 고치라. 5. 해마다 세금으로 받아들이는 것이 13만 석에 불과한데, 종묘의 경비와 백관의 봉록이 3분의 1을 차지하고, 3분의 2는 군사양성 비용으로 삼으니 병액(兵額)을 줄여 경비가 풀리도록 하라. 6. 공물에 대하여 값을 지급하는 대동법은 해마다 기근이 들어 저축한 곡식이 부족하여 수요를 충당할 수가 없어 주인들이 원통함을 호소하니, 공물의 원액에 따라 종수를 헤아려 감해주라. 7. 재해 전지에 대한 일은 본 고을에 위임하고, 경차관(敬差官) 답험(踏驗)은 한두 고을을 추첨하여 책임을 면하는 데 불과하니, 각 도에 실결(實結)을 나누어 정하라. 8. 곡식의 수량은 한정되어 있는데 굶주린 백성의 수는 헤아릴 수 없이 많으니, 죽을 쑤어 먹이는 것도 어려워 굶주린 백성들은 모여들면 전염병이 생기게 되고 흩어지면 도적이 되며, 진휼을 맡은 관리와 하례(下隸)들의 부정 피해마저 있으니 백성을 가려서 양식을 지급하고 가격을 줄여 곡식을 내어 팔라. 9. 흉년에 구휼은 관에서 미곡을 풀어 시중의 가격을 공평하게 하라. 10. 대내(大內)의 수리하는 가미(價米)가 3천 석이나 되니 잠시 보류하라. 궁가와 귀근(貴近)의 집안에서 검소와 절약에 힘쓰도록 하라.”(1697. 1. 15)

시무책이 올라오면 대개 왕들은 “묘당에서 의논하여 처리하라”고 했다. 공의(公議)를 중시한 때문인지, 책임을 미루는 것인지는 알 수 없다.

시무책들은 다양한 명칭으로 논의됐다. 개혁(1,209)이 가장 많은 편이다. 〈혁신 176〉, 〈유신 235〉, 〈시무(時務) 297〉, 〈폐정(弊政) 97〉, 〈병폐(病弊) 48〉, 〈쇄신(刷新) 17〉, 〈개선(改善) 3〉 등. 대부분 단위사업에 관한 것들이다. 정신적인, 총론적인 것은 잘 안 보인다. 기둥을 갉아먹는 쥐만 잡으려고 하다가는 집이 쓰러지는 것을 모를 수 있다. 그것은 안목의 문제이기도 하다. 나라의 정신이 이완돼서 백성이 '모든 것은 내 마음대로다' 하는 풍조가 만연되면 생활현장에서도 사고가 빈발할 수 있다. '그래도 해서는 안 될 것이 있다'고 다잡으면 긴장돼서 사고가 덜 날 수도 있다. 조선은 어느 편이었나.

'암행어사'로 유명한 박문수는 영조(英祖, 1724~1776)에게 상소했다. "근래 조정안에는 위로 대신에서부터 아래로 서관에 이르기까지 하나도 지성으로 나라를 위하는 사람이 없으니···. 나라에서는 비록 인족(隣族)의 폐단을 진념하고 탐오의 관리를 엄격하게 단속하려고 하지만 끝내 그 효과가 없으니···. 조정에서 끝내 국사에는 전념하지 않고 도리어 당론만 일삼고 있는 까닭입니다. 조정의 신하 중 재국(才局)으로써 임용된 자는 전포가 있었음을 듣지 못하였고, 간관으로써 임무를 삼은 자는 간쟁이 있었음을 듣지 못했으니, 어찌 지금 사람이 옛사람만 못해서 그런 것이겠습니까? 다만 위에서는 격려 권장하는 일이 없고 아래에서는 탄성갈력(彈誠竭力)하는 일이 없음에 연유한 것입니다. 예로부터 사람을 씀에는 귀천에 얽매이지 않았으나, 우리나라에서는 중세 이래로 편당이 사(私)가 되어 오로지 세록지인만 뽑아 쓰고 초야에서 구하지는 않았습니다. 간혹 먼 지방 사람을 쓰는 일이 있기는 했으나, 임용된 사람은 아부한 무리들에 불과하였기에 절조 있고 정개(貞介)한 사람은 수치스럽게 여겨 나오지 않았으므로, 나라에서는 끝내 현사를 얻어 조정에 두지 못하였으니, 이는 전형을 맡은 자가 덕망 있는 이를 좋아하고 재능 있는 이를 추천하는 정성이 없었던 것입니다. 전하께서 만일 성심으로 칙려(飭勵)하셔서 전일에 구하지 않았던 인재를 구한다면, 반드시 군자들이 만족하며 찾아드는 효과가 있을 것입니다. 예전 세종과 문종의 시대에는 경학하는 선비를 극선(極選)하여 고문의 자리에 두고 자주 인대하여 치도(治道)를 강론하고 물러갈 때는 촛불을 잡고 보내주었으며, 때로는 깊은 밤에 친히 직소에 납시어 혹은 옷을 벗어 친히 덮어 주고 혹은 등을 어루만지며 면유(勉諭)하였으므로 은권(恩眷)이 천고에 뛰어나셨으니, 이때를 당하여 신하가 되어 어떻게 지성으로 감격하지 않을 수가 있었겠습니까? 그러기에 아는 것은 말하지 않은 것이 없고 말한 것은 따르지 않은 것이 없었던 것입니다. 지금 전하께서는 직언을 들으려 하지 않으시니, 군신들도 전하의 뜻을 거스를까만 두려워하고 있어 상하가 서로 도리를 잃고 있습니다. 이렇게 하여 1년, 2년 지나게 되면 나랏일이 장차 어떤 지경에 이르겠습니까?"(1730.12.8)

탄핵(彈劾)으로 지고 새고

《실록》에 나타난 국정논의의 주제를 보면 이들의 관심이 어디에 가 있었는지 알 수 있다. 조정에서 주로 논의한 관심사는 〈탄핵〉이 3만5천35건, 〈역적〉이 7천9백12건에 달한다. 또 탄핵과 비슷한 〈논핵(論劾)〉이 5천3백84건, 〈역모〉는 1천4백93건, 〈모반〉 1백66건, 〈대역(죄)〉 1천11건, 〈고변〉 8백86건, 〈모함〉 2천4백45건에 이른다. 당쟁과 역모에 몰입돼 있었던 셈이다. 유교의 이상을 펼치는 정신과제 같은 것은 비중이 낮았다.

　임금별 탄핵을 보면 태조는 7년 동안 1백36건. 연간 거의 20건의 탄핵 논의가 있었던 셈이다. 《실록》마지막의 철종은 12년간 1백58건, 연간 10건, 매월 1건의 탄핵논의가 있었다. 예송(禮訟)의 중심인물이었던 송시열(宋時烈)에 관련된 기사는 총 3천9백34건인데, 탄핵에 관련된 〈송시열+탄핵〉기사는 5백82건. 본인뿐 아니라 그의 사후, 제3자가 거론한 것까지 포함해서다. 관직에 있던 40여 년 중 상당 기간을 탄핵에 휘말렸던 것으로 보인다.

탄핵으로 빚어진 참상은 〈능지처사〉 2백91건, 〈참형〉 1천7백92건, 〈사사(賜死)〉 4백52건, 〈교형(絞刑)〉 5백52건, 〈부관참시〉 48건으로 나타난다.(탄핵 관련만이 아니고 총 건수) 이것은 인명수가 아니고 기사 건수다. 기사 중엔 반복기사와 복수의 인명이 포함되어 있어서 정확한 통계를 잡을 수는 없다. 이밖에 〈유배(流配)〉 6백83건, 〈도배(徒配)〉 2백58건. 이것은 벼슬하는 사람의 일이고, 이름 없는 연루자를 합하면 추측도 어렵다. 천 명 이상 처형한 사화(士禍) 옥사(獄事)도 있었단다.

중요한 것은 이들의 행태다. 조선 5백 년을 통해 몇십 년마다 반복된 사화(士禍), 옥사(獄事), 환국(換局), 탄핵의 당쟁은 잔혹했다. 얼마나 많은 사람들이 잔인하게 죽었는가. 그래서 인재는 고갈됐고, 그 결과로 나라는 쇠약할 대로 쇠약해져 결국은 망했다. 거기다 대형의 외침도 몇십 년마다 반복됐다. 조선의 백성은 그야말로 환란 속에서 산 것이다. 안에서 죽기 살기로 싸우니 단합하지 못하고, 단합하지 못하니 외침을 받으면 처절하게 깨졌다.

이런 상황에서 공자의 인서(仁恕)정신이나 맹자의 인의(仁義)의 정신은 보이지 않는다. 그런 정치를 실현할 수 있는 군자나 대장부를 지도자로 쓰지도 않았다. 소인배들이 출세게임에 목을 맸다. 백성은 도탄에 빠지고 결국 나라는 허물어졌다. 싸우다 힘이 딸려 패한 것이 아니다.

공맹의 정신은 변질됐다. 원시(原始)유교의 순수성을 조금이라도 유념했으면 그렇게 잔혹하면서 비겁하고, 비열하면서 잔인한 살육의 정쟁을 벌이지는 않았을 것이다. 그들은 공자를 숭배는 했어도 그의 사상을 따르지는 않은 것이다. 이런 나라를 유교국가라고 할 수 있을까.

물론 기독교국가라고 예수의 가르침을 다 따르고, 불교국가라고 석가모니의 자비심을 다 실천하지는 않는다. 그러나 그것을 정신적 지주로 삼아 그 방향으로 가지 않나. 그 잣대로 국정을 재단한다. 조선 지도층은 너무도 잔인했다. 도저히 인서(仁恕)의 나라라고 할 수 없을 정도였다. 정치지도자들 사이에 공자의 화이부동(和而不同, 화목해도 생각은 다를 수 있다), 화이불류(和而不流, 화목해도 부화뇌동하지 않는다) 정신을 조금만 유념했으면 그런 피비린내가 진동하는 당쟁은 하지 않았을 것이다. 다른 세상을 배우려는 학파를 사문난적(斯文亂賊)으로 몰아 죽이기까지는 하지 않았을 것이다. 그 성향이 지금까지 전승되어 학계는 배타적이고, 정계는 저렇게 진흙탕 싸움을 계속하는 것 아닌가. 우리 지성의 전반적인 풍토가 그렇지 않은가. 너무도 초라하고 비인간적인 지성의 한계를 보여줌이다.

우리의 지도층은, 우리의 지성인들은 무엇을 생각하고 살았나. 우리의 문명은 도대체 무엇인가. 세계 지성계에서 우리는 어디에 위치하고 있는가. 너무도 초라하다. 조선 말 우리 지성계 일각에선 동도서기(東

道西器)라고 우리 정신의 우위를 지키려고 했다. 서양세력이 동양으로 몰려올 때(西勢東漸), 일본이 화혼양재(和魂洋才)의 깃발을 들고 저항하면서 받아들이려는 자세를 본뜬 것이었다. 중국도 이를 모방해서 중체서용(中體西用)의 기치를 들었다. 그러나 이는 세계대세를 모르는 소치였다. 눈치 빠른 일본은 잽싸게 탈아입구(脫亞入歐)의 태도로 전환, 선진국이 됐다. 우리는 말만 많이 쏟아내며 서로 싸우다 망했다.

인치(人治), 법치(法治), 덕치(德治)

지도층의 공인의식과 공심(公心)도 그렇다. 기독교와 유교의 리더십은 다르다. 모세는 하나님 여호와를 대신하여 공인의식이 투철하고 공심에 의해 움직인다. 공공의 이익과 룰을 지키는데 헌신한다. 공자의 군자는 자기수련과 절제, 자율의 높은 도덕성을 갖추고 지도자 역할을 한다. 함께 하며 앞장서서 이끄는 모세와 같은 지도력은 보이지 않는다. 지도해주는 것이다. 본을 보이고 '따라 오라'. 그래 공공의 룰이나 질서를 세우는 구체적인 일에 관심이 적다. 공동체의식이 적어 보인다. 유교는 자율을 강조한다. 수신, 수기(修己)의 자기 노력 여하에 따라 성인도 될 수 있고, 현인도, 군자도 될 수 있다. 자기책임인 것이다. 그러나 기독교는 무엇을 먹을까, 무엇을 입을까 걱정하지 말란다. 하나님이 다 준비해 놓으신단다. 죄를 지어도 하나님께 빌면 용서하고 구해주신다. 유교는 자율이 강조되고, 기독교는 의타성이 클 수도 있다. 우리는 그 다름과 같음을 잘 살펴 활용하면 지적 지평을 넓히는데 도움이 될 터인데 그 내용을 따지지 않고 그가 기독교도냐 유교도냐고 사람만 따져 친하거나 배척했다. 문화의 융합을 이루지 못한 것이다. 지금도 마찬가지다. 유교도 기독교도들이 이런 문제로 콘서트라도 열면 어떤 공감을 찾아내는데 도움이 되지 않을까.

통치의 경우, 도덕성만으로는 실효가 적다. 자율로는 부족하다. 인간은 그렇게 도덕적인 존재는 아니다. 실제로 왕들은 아첨배만 쓰다가 망하는 예가 많다. 위기가 닥치면 그들은 주군을 보호하지 않고 배신한다. 현재도 마찬가지다. 그들은 나라에건 왕에게건 충성심이 부족하다. 조선이 망할 때 여실히 보여줬다. 시험(科擧)을 쳐서 공인이 된 사람들은 공심이 부족하다. 그들은 출세가 제일의(第一義)다. 특히 군자의 도를 닦지 않고 출셋길에 나선 사람들은 공심(公心)이 희박하다. 출세를 위해 움직이는 지식기술자(테크노크랫)들은 공심(公心)이 적은 경우가 많다. 공동체 국가를 위해 해야 할 일과 하지 말아야 할 일에 대한 분별력이 적다.

공심(公心)은 공심(空心)이기도 하다. '나'를 비우는 마음이다. 우리 공인들에서는 전반적으로 그런 공심(空心)을 볼 수 없다. 그것이 그 자신과 자기공동체를 실패케 하는 원인이다. 실패한 공인들은 대부분 그 때문이다. 사욕(私慾)은 공인을 실패로 인도하는 안내자다. 조선에서도 공심이 강조됐다. 《실록》엔 〈공심(公心)〉이 2백10건이 나와 있다. 〈공인〉은 6건. 공심으로 공인의 자격을 잰 것 같다. 그러나 〈공심(空心)〉은 나와 있지 않다.

그런데 조선은 최고의 이상적 통치인 덕치(德治), 왕도(王道)가 어느 정도 이루어졌을까. 정적을 절멸시키려 피비린내가 진동하던 당쟁을 보면 덕치는 거의 없었다. 덕치를 하려면 최고의 엘리트인 군자와 대장부를 지도자로 써야 하는데 없어서 쓰지 못한 것인지 있는데도 쓰지 않은 것인지, 지도부에 군자와 대장부는 거의 보이지 않는다. 통치가 부실해질 수밖에 없었을 것이다. 실제로 교육도 군자와 대장부를 기르기보다는 출세기술을 가르치는데 치중했다. 군자의 덕을 갖추는 힘든 수련의 길을 피했다. 그들은 당쟁에선 승리해도 오래가지 못했다. 승리한 진영은 비대해지다가 세포처럼 자체 분열하여 또 그들끼리 사생의 결투를 벌였다. 동지의 배신은 원한이 더 깊다. 원한이 쌓여 복수혈전을 반복, 썩은 시체까지 파내어 난도질을 했다. 그러면서도 군자인 척하니까 위선, 사이비가 된다. 국가는 국민의 공동운명체가 되지 못하고 사분오열, 증오와 반목, 분노와 분열의 나라가 되어 결국은 허약해질 대로 허약해져 망했다. 군자 대장부가 좀 있었다면 그런 욕된 역사를 살지는 않았을 것이다. 그것도 조선은 유교국가였나 하는 의문이 드는 한 원인이다.

민주주의가 되면 그런 악습 폐습에서 벗어날 수 있지 않을까 기대됐으나 빗나갔다. 오히려 민주주의를 오용, 자기자유의 극대화 절대화로 '자기 멋대로' 자기이익만 추구하니 야만의 상태로 떨어져 영국 철학자 홉스의 저서 《레비아탄》의 '자연상태'로 추락해 가는 듯하다. 조선말의 상황을 '자연상태'로 풀이한 학자들이 있으니 이런 상태가 한 세기 이상 지속되는 셈이다.

좌우 보혁 대결로는 그 탈출의 길을 찾기 어려울 것 같다. 백범(白凡)이 말한 '좌우대립은 혈통(민족)의 바다에 일어나는 일시 풍파'일 수 있다. 똑같이 사적 탐욕만 추구하는 사람들이 엎치락뒤치락 정권을 교체해도 그들의 행태는 같다. 현란한 속임수가 횡행한다. 각 부문의 지도층에 공통적이다. 양 진영에서 억울한 패배자만 늘어나고 인재만 고갈시킬 뿐이다. 관건은 공심이다. 공심이 투철한 지도자가 공동체를 이끄느냐. 최근의 정변은 현대판 사화(士禍)라고 한다. 사화는 음모와 사술(詐術)과 간계(奸計)를 총동원한 간지(奸智)의 쟁투다.

유교의 이상인 덕치는 말조차 없어졌다. 그 자리에 법치가 들어섰는데 인치의식이 은밀하게 계속 작동한다. 원래 덕치는 인치다. 덕치가 타락하면 패덕을 낳는다. 인치가 타락하면 덕치도 법치도 안 된다. 인치가 간지(奸智)와 짝하면 민주주의가 사행(蛇行)을 하게 된다. 법치의 개념 자체가 위태로워지고 있다. 우리는 지혜의 선용보다 오용 악용에 능하다. 법을 얼마나 잘 피하는가. 최근의 '언론 사화(士禍)'도 그 한 예다. 지성의 보루여야 할 언론과 양심의 보루여야 할 법조(法曹)가 타락한 순간, 이 나라의 양심은 불타버렸다. 편을 갈라 상이한 법의 잣대를 들이대는 상황에선 법치도 죽고, 민주주의도 죽는다. 인치 속에선 공의도 인의도 대의도 살지 못한다. 민주·인권·자유·평등·박애의식이 자라지 못한다. 원초적 생존투쟁이 치열하게 펼쳐질 뿐이다. 세계문명사에 비춰보면 이게 어느 시대, 어느 단계의 상황일까.

법 운용을 보면 동일한 사건에 대한 판단이 정반대로 갈리는 예가 많다. 사실 인식과 판단, 법의 정신을 보는 눈이 다르기 때문이다. 그래서 원님재판을 지양하고, 판사, 검사 따로에 3심제까지 두고 있다.

그러나 간당(奸黨)에는 무용이다. 더 근원적인 시각은 사람을 처벌하느냐, 행위를 처벌하느냐다. 사람을 처벌함은 인치고, 행위를 처벌함은 법치다. '죄는 미워하되 사람은 미워하지 말라.' 법의 인치적 운용은 일제 시에 극심했다. '불령선인(不逞鮮人)'으로 낙인찍히면 법조문이 문제 아니었다. 걸 수 있는 법조문을 다 뒤져 처벌했다. 지금도 그 유풍이 남아 있는 것 같다. '별건(別件)수사'가 그렇단다. 이념 때문에 법리 해석이 극 대 극으로 갈림은 법치가 후진의 늪에서 허우적댐이다. 지금도 판검사들은 공동체의 원칙을 지키는 법치보다 사람을 잡는다는 태도가 강해 보인다. 법을 사적 동기로 사용하는 법조인이 있다면 법치의 배반자다.

어느 시대건 한 나라의 운명은 그 지성의 현명도에 의해 결정된다. 우리는? 대중은 현명하기도 하고, 암매하기도 하다. 집단사고(思考)와 지성은 얼마나 현명한가. 그들의 멘탈리티는 이성적으로 작동하는가. 정치는 진정한 보수도, 진실된 진보도 없고, 자리를 다투는 간당(奸黨)만 활개친다. 출세 탐욕으로 찌든 간지의 잔당들이 위선의 탈춤을 춘다. 조선 당쟁처럼 복수혈전의 난장이 펼쳐질 조짐이다. 그러나 영원한 승자는 없다. 피를 쏟다가 다 망했다.

우리에게 민주주의는 새로운 문화다. 새 문화를 도입하려면 패러다임을 바꿔야 한다. 정의와 불의, 공익과 사익, 진리와 거짓, 정직과 부정직, 대의와 소의(小義), 자유와 부자유, 선과 불선(不善), 평등과 불평등, 신뢰와 불신의 분별…로. 그래서 밝은 이성이 작동, 지혜가 빛을 발하면 민주주의가 선용되어 밝은 세상이 올 것이다.

민주주의의 토양, ①자유

비문명인(야만인)에게 '민주주의는 좋은 정치제도이니 너희가 도입하면 새로운 세상이 열릴 거야' 한다고 좋은 세상이 열리는 것도 아니고, 민주제도가 기능을 하게 되는 것도 아니다. 민주주의는 그것을 수행할만한 지적, 문화적 토양이 축적돼 있어야 기능할 수 있다. 입으로 '민주화' '민주화' 한다고 민주화가 되는 것은 아니다. 문제는 민주화의 개념이다. 전통의식과 지식으로 그것을 소화할 수 있을까. 우리는 '민주화'를 열망, 민주주의의 문 앞에는 선 격인데, 민주주의의 키워드들을 어떻게 이해하고 있는가. 전통문화 속에도 그런 용어들이 있다. 《실록》에 〈자유(自由)〉는 18건, 한글 〈자유〉는 6백25건이나 되지만 동음이어가 많아서 〈自由〉로 찾으니까 대폭 줄어든 것이다. 〈자유〉 외에도 실질적으로 자유를 뜻하는 단어도 많았다. 자유(恣睢, 거리낌 없이 사람을 노려봄), 자폭(恣爆, 제 멋대로 날뜀), 방종(放縱, 거리낌 없이 자기 마음대로 행동함), 종리(縱氣, 마음 내키는 대로), 종방(縱放, 마음대로 함), 종탈(縱脫, 예의에 구애됨이 없이 행동함), 종사(縱奢, 제멋대로 사치한 것), 종담(縱談, 생각나는 대로 지껄임), 방임(放任, 되는대로 내버려 둠), 방념(放念, 개의치 않음), 종람(縱覽, 마음대로 구경함), 유제(踰制, 재도나 규범을 벗어남), 자방(恣放, 제멋대로 놀음), 방자(放恣, 원하는 대로), 자천(恣擅, 방자하게 제 주장대로 함), 자의(恣意, 제멋대로 하는 생각), 나사(恣肆, 제멋대로 하는 면이 있음), 불기(不羈, 구속을 받지 않음), 자행(恣行, 방자한 행동), 자정(恣情, 제멋대로 굴다), 자욕(恣慾, 멋대로 욕심을 부림), 종횡무진(縱橫無盡), 자유자재(自由自在), 자유분방(自由奔放), 주유천하(周遊天下), 유유자적(悠悠自適), 신출귀몰(神出鬼沒)…. 자유와 유사한 의미의 말들이다.

우리나라에서 '자유'라는 말을 처음 사용하기는 ㄴ신라 말의 최치원
(崔致遠, 857~?. 桂苑筆耕集). '바다 갈매기(海鷗)'라는 시 속에 '세상 밖을 벗
어나서 자유롭게 출몰하니(出沒自由塵外境)'라는 한 구절을 넣은 것이다.
그의 '자유'의 뜻은 갈매기가 아무런 거리낌 없이 하늘을 나는 그런 행
동의 자유를 의미했다. 시적(詩的)자유라고 할 수 있다. 우리의 자유란
그런 의미로 근세까지 이어져 내려온 것 같다. 서양에서는 '자유'가 논
구의 대상이 되어 그 개념을 규정하고, 특히 정치사상이 되면서 치열
한 연구의 대상이 됐지만, 우리의 자유는 시인이 노래하는 수준에 머
물러 있었다.

'자유'는 고구려에서도 쓰였던 것 같다. 《환단고기(桓檀占記, 太白逸史)》
의 고구려국본기에 성기자유(成己自由)라는 말이 나온단다. 그 문맥은
연개소문이 뜻을 얻어 나아갈 길로(蘇文 旣得志 行萬法 瑋公之道) 성기자유
(成己自由, 자신을 완성해 스스로 행한다, 자유자재로 행한다)를 들었다. 자유뿐
만 아니라 개물평등(開物平等)이라는 말까지 나온다. 지금의 민주주의에
서 쓰는 뜻은 아닐 것이지만 용어 자체는 있었다. 《환단고기》 자체가
위작논란에 쌓여 있어 사실 여부는 알 수 없다. 위작이라면 그게 만들
어지던 때(조선 후기)에 '자유', '평등'이라는 말이 쓰이고 있었음은 확실
할 것이다. 최치원의 자유보다는 인간적이다.

조선에서의 '자유'는 '몸을 마음대로 움직인다'와 같은 육신의 자유,
신체의 자유였던 것 같다. 태조는 '자유자재(自由自在)'로 활을 쏜다'는
식이었다. 지극히 상식적인 의미다. 그 '자유'가 신체의 자유에만 국한

된 의미는 아니다. 왕에 따라서는 자유로운 의사 발표, 토론, 다수결의 방식을 취하기도 했다. 고전번역원의 고전번역서에는 자유라는 말이 2천1백42건이나 나와 있다. 문인들이 자주 썼던 것으로 보인다. 고려~조선조 때 고봉(高峰, 1350~428)의 '초야에 돌아와 보니 자유롭기만 하네(田舍歸來頗自由)'도 그 하나다.

육신의 자유 이외에 '부득자유(不得自由)'라는 말도 보인다. 대개 이러저러하지 않으면 자유를 얻지 못한다는 뜻이다. 이 자유는 아주 본질적이고, 누구나 당연히 누리고 사는 의미로 보인다. 지금의 기본권 같은 의미도 있는 것 같다. 자유는 당연히 누리고 사는 것인데, 그것을 얻지 못하게 한다 함은 큰 제약이 돼서 큰 형벌일 수 있을 것이다.

좀 더 나가서는 '동정(動靜)의 자유(태종)', '자유스럽게 논하라. [세조(世祖, 1455~1468)]'는 언론의 자유도 보인다. 그러나 그 의미를 정치하게 규정, 구체화가 안 돼 제도에 녹아들게 하는 수준에 이르지는 못했다. 자유 자체의 개념화에는 이르지 못했다. 제도화는 서양이 먼저 한 것이다. 그들은 자유의 개념을 규정하고, 구체적으로 분류, 법에 명시한 것이다. 그 결과 우리는 민주화가 안 돼 서양의 민주주의를 수입하게 되었을 것이다.

민주주의의 토양, ②평등

예수의 황금률(黃金律)['누구든지 남에게 대접을 받고자 하는 그대로 너희도 남을 대접하라.'(마태복음 7-12. 누가복음 6-31)]은 평등사상의 근원이라고 한다. 더 직설적으로는 '서로 종노릇 하라(갈리디아서 5-13)'는 것도 있다. 우리는 그런 직설적 표현보다는 일시동인(一視同仁) 같이 추상적이다.

우리는 전통적으로 평등을 이르는 말이 많다. 대개 균(均)자, 등(等)자, 동(同)자, 평(平)자, 일(一) 제(齊)자가 들어가는 말들이다. 균등(均等), 균일(均一), 균평(均平), 균당(均當), 균제(均齊), 균분(均分), 등균(等均), 제일(齊一), 제동(齊同), 사해동포, 사해형제, 만민평등, 사해평등, 만물제동(萬物齊同), 대동, 동등(同等), 동일···. 넓게는 우리의 건국이념인 홍익인간(弘益人間)도 그에 포함될 수 있다. '널리 인간을 이롭게 하라'. 이때 '인간'은 모든 인간을 '함께', '똑같이'라는 뜻을 함축할 것이다. 우리는 예부터 균배의식이 뿌리 깊어 보인다. 그러나 성경에서처럼 '옷이 두 벌 있는 사람은 옷이 없는 사람에게 나눠줄 것이오(누가 3-11)'라는 식의 구체적인 교훈은 없다.

《실록》에 〈평등〉은 76건이 나와 있다. 평등을 일시동인의 의미로 사용한다. 천도(天道)는 '누구나 차별 없이 사랑한다'는 추상적 의미다. 세종은 '평등하게 사랑하는 덕화를 너희 무리와 함께 즐기려 한다'는 식으로 말했다. 대개는 왕이 베풀 때의 이야기다. 정조에 이르러서는 평등이 근대적 의미를 담게 된다. 그의 행장을 기록한 전지 가운데 있는 말이다. "법이란 누구에게나 평등한 것이어서 비록 임금이라도 감히 마음대로 못하는 것인데 하물며 명령을 받아 움직이는 관리들이겠는가."

평등이란 사전적 의미로 '권리, 의무, 자격 등이 모든 사람에게 차별 없이 똑같음'이다. 그런데 그게 사안에 따라, 성격에 따라서는 다른 말로 표현된다. '동등'(등급 정도가 같음), '균등'(고르고 가지런해 차별이 없음),

'균배'(고르게 나눔), '공평'(치우침이 없이 공정함), 등가(等價), 등분(等分)도 있다. 균로(均勞)도 있다.

평등은 두 가지로 나눠 볼 수 있다. 하나는 공자의 서(恕)사상이다. '나'가 '너'를 '나'와 똑같이 대우하는 것이다. 자기가 원하지 않는 것을 다른 사람에게 시키지 않는 것이다. 또 하나는 제삼자가 둘 이상을 똑같이 대우한다는 것이다. 나와 너만이 아니라 그도 똑같아야 한다. 결국 공동체 전체의 문제가 된다. 부모가 자식을 똑같이 사랑하는 것이나, 하나님이 모든 인간을 똑같이 대우하는 것이나, 국가가 모든 국민을 똑같이 대우함은 같은 유(類)다. 우리 헌법도 '모든 국민은 차별받지 않을 권리를 갖는다'로 구체화한다. 그러니까 전자는 나와 너의 문제고, 후자는 제삼자(국가)와 '나', '너', '그'의 문제다. 이 서(恕)는 혈구도(絜矩道)로 발전한다.

'같은' 것과 '똑같이' 대우하는 것은 다르다. 등질(等質)은 자연조건 등 내용이 같다는 뜻이고, 동등은 똑같이 대한다, 대접한다는 뜻이다. 동등한 대우의 근거는 동질에 둘 수도 있으나 대우는 인위적인 것이다. 자식은 능력이나 태도에 차이가 나지만 부모는 똑같이 대우한다. 대우는 기회균등이나 분배평등 같은 것이다. 기회균등은 출발점에서의 동등한 대우이고, 분배평등은 골인 지점에서의 동등한 대우이다. 전자는 원인의 측면이고, 후자는 결과의 측면이다. 그 차이는 엄청나다. 정치체제가 자유민주주의와 사회민주주의로 나눠짐도 그것이다. 그것을 이념으로 만들어서 세계는 둘로 갈라져 피 터지는 싸움을 했다. 특히 우리는 그 첨병이 되어 남과 북이 피 흘리는 전쟁을 했다. 이제는 그것이 경제적 평등(분배)에 관심이 모아진다.

그런데 하나님은 한편으론 동등을, 다른 편으론 차별을 보이기도 한다. 민주주의는 하나님이 인간을 똑같이 창조했다는 전제에서 출발하는데 실제로는 차이가 많이 난다. 육체적으로나 정신적으로 능력에 차이가 많이 난다. 이념은 그 차이를 인정하느냐(자유민주), 않느냐(사회민주)로 갈라지기도 한다. 그러면서도 평등은 모두가 지향하는 목표다. 나도 남만큼 누리고 대우받으며 살고 싶다.

그러나 '너도 나만큼'은 인정하려 하지 않는다. 나는 우월을 추구한다. 100% 평등은 없다. 평등을 갈구하지만 완전한 평등을 이루기는 불가능하다. 나의 평등은 인정받으려 하고, 너의 평등은 인정하려 하지 않기 때문이다. '나'는 평등과 우월을 동시에 추구하는 모순된 존재가 되고 만다. 한 면은 우월, 다른 면은 평등의 투구를 쓴 야누스 같은 존재인 것이다.

우월은 달성하면 희열을 주고, 평등은 안정과 감동을 준다. 인간은 그 희열과 감동을 추구하며 산다. 우월을 달성하려면 경쟁을 해야 되고, 평등을 추구하는 사람은 곁눈질로 눈치를 본다. 희열을 더 중시하는 사람은 자유경쟁 편에 서고, 안정을 중시하는 사람은 연대(連帶)와 투쟁의 편에 선다. 평등은 실질적인 문제다. 이루면 감동을 준다. 감동은 큰 힘을 발휘한다. 이뤄질 수 없는 것을 이룰 때는 작은 것이라도 눈물을 흘리게 된다. 감동을 받으면 무슨 일이든 한다. 옛이야기지만 병사는 자기 발의 고름을 입으로 빨아 짜주는 장군을 위해 자기 목숨까지 바친다.

평등의 문제는 물질이냐 정신이냐, 공동체냐 개체냐, 정치냐 경제냐에 따라 복잡한 관계가 된다. 위에 설명한 혈구도나 황금률은 나와 너의 관계문제니까 현대적 평등개념과는 좀 다르다. 너와 나의 관계는 한편으론 예(禮), 또 한편은 법의 문제가 된다.

공자는 관용의 사상을 폈지만 현실적으로는 차등을 인정하지 않을 수 없었다. 그는 인간을 성인 현인 군자 선비(士) 보통사람(庸)의 5등급으로 나누었다. 《사기(史記)》의 사마천(司馬遷)은 아예 '천하에는 등급이 있고, 사물은 불완전하게 만들어진다(天下有階 物不全乃生也)'고 했다.

이상한 것은 조선이다. 공자는 경제도(經濟道)를 강조하고, 무위이치·유위이치(有爲而治)로 통치의 묘를 살려서 백성을 가르치는 일(敎民)뿐만 아니라 백성을 부하게 만드는 일(富民)에 힘써 특히 세금을 줄이고(減稅), 분배균형을 맞추려 했다. 국가나 가정이나 가난함을 걱정할 것이 아니라 균등하지 않음을 걱정해야 한다(不患寡而患不均 不患貧而患不安)고 했다. 그가 관직에 올라서는 3개월 만에 상인들이 부정계량기를 사용하지 않게 될 정도로 실무적인 일에도 관심을 쏟았다. 조선의 공맹신도들은 그 정신을 실천하는 데는 소홀했다.

단지 조선의 정신풍토는 용어의 개념화, 의식화면에서 자유 평등이 민주주의를 꽃피울 수 있는 정도는 아니라고 해도 기초 자양이 담긴 토양이 조성돼 있었음은 틀림없을 것이다.

문화가 문제다

조선을 설계한 정도전(鄭道傳)은 민본사상을 바탕으로 했다지만 《실록》

엔 한 마디도 나오지 않는다. 그가 역신으로 몰렸기 때문일 것이다. 맹자의 〈위민(爲民)〉, 〈여민(與民)〉도 나오지 않는다. 민본사상 때문에 민주주의의 토양이 마련돼 있다는 설은 공식적으로는 긍정하기 어렵다. 그러나 학자들 사이에서는 퍼져 있었던 같다. 많이 논의된 터라 지식인들의 의식에 미친 영향은 컸을 것 같다.

민주주의의 행태면도 살펴볼 필요가 있다. 민주주의는 공론(恭論)과 중의(衆議)를 통해 중의(衆意)와 중지(衆智)를 모으는 제도다. 대의(代議) 같은 제도화가 아니라도 상대를 존중 배려하는 마음이 있으면 '당신 생각은 어때요?' 하고 물어본다. 원시적 민주주의인 셈이다. 그런 식으로 타인의 의견을 존중하고, 나아가 중의(衆意)를 모은다면 민주화를 하기에 수월할 것이다. 그렇지 않고 자기중심에 매몰돼서 자기자유, 자기이익 극대화만 추구한다면 민주주의는 제도화를 아무리 잘해도 소기의 목적을 달성할 수 없을 것이다.

현재 공론(公論)이라는 말은 있어도 공론(恭論)은 없다. 그러나 옛날엔 공의(共議)라는 말이 있었다. 공의(公議)도 있었다. 현재보다 언어의 사용이 정치했던 것으로 보인다. 공의(共議)에서 공론(恭論)을 유추해볼 수 있을 것이다. 그럼에도 되돌아보면 고질적인 자기중심 기질이 공의(共議) 공론(恭論)을 방해해서 중의(衆議)를 모으는데 서툰 것이 아니었을까. 문화가 문제다.

문화는 새가 알을 낳는 것처럼 탄생할 수가 없다. 살아온 관습과 의식의 맥 속에서 서서히 이루어진다. 민주주의는 우리가 새로 도입하는 새 문화다. 민주주의 새 문화가 활착하려면 전통문화의 맥과 원만히 연결돼야 한다. 그 과정에서 화합이냐, 저항이냐로 갈리게 된다. 정계에서는 '민주 회복' '민주 수호' 구호를 외치곤 했는데 웃기는 일이었다. '민주주의를 해본 적도' '민주주의를 잘하고 있지도' 않는데 '회복' '수호'는 가당치 않다. '민주주의를 배워서 제대로 하자' 해야 옳았다.

또 우리 전통문화는 대화문화가 아니라 명령문화다. 유교는 현자가 미숙한 자에게 가르치고, 그에 따라 힘 있는 자가 약한 자에게 명령하는 인치가 발달했다. 그러다 보니 극도의 자기중심주의가 돼서 "세상은 '나'가 중심이다." 해서 평등이 어렵다. 대화는 평등한 관계라야 원만할 수 있다. 상대를 나와 똑같이 인정, 존중해야 가능하다. 인간관계가 주종관계인 데서는 민주주의가 어렵다.

이에 비해 서양은 대화문화다. 고대 그리스 현인들은 대화를 즐겼다. 소크라테스, 플라톤의 대화록은 한 주제로 책 한 권을 이룬다. 우리나라에서도 원문으로 번역된 플라톤의 《국가》는 7백 페이지 책 한 권이다. 그런 대화록이 17권이나 된다고. 현대 대학생들도 그것을 읽고 교양을 다진단다. 로마 원로원은 토론의 장이었고. 그 대화문화가 민주주의의 토양이 됐을 것이다.

우리 같은 인치문화에서는 대화가 어렵다. 정치에서는 승패만 있을 뿐이다. 그 승패는 죽고 사는 문제와 직결된다. 투쟁이 가멸차질 수밖에 없다. 자리는 하나인데 둘이 겨루면 2당, 4명이 겨루면 4당이 된다. 옛날 《붕당론(朋黨論)》의 지적이다. 지금도 그 영향인가, 정권마다 대화 공존이 아니라 승패의 대결이다. '정적은 절멸(絕滅)을!' 민주사도들이 더하다. 말과 실이 다른 것이다. 그들은 '나 중심'으로 옳은 소리를 쏜

아낸다. 그러나 일리(一理)다. 그 일리를 모으면 합리가 될 듯한데 실제론 모으지 않고 치열하게 싸운다.

유교는 군신(君臣)관계에서 뿐만이 아니라 일반의 인간관계에서도 절대적인 충성을 요구한다. 주인과 종 혹은 머슴의 관계는 명령과 지배의 관계다. 우리에게 충성은 절대명령이다. 대화가 어렵다. 그런 관계 속에선 지독한 증오와 원한이 자란다. 민주주의가 꽃필 수 없다. 억지로 민주주의를 하려니 발버둥 치게 된다. 민주주의는 하나님의 선물로 하늘에서 뚝 떨어지는 것이 아니다. 문화토양 속에서 비배관리가 잘 돼야 건강하게 잘 자랄 수 있다.

제도적으로 민주화 과정이 진통을 겪는 배경에는 문화가 있다. 문화에서 통치스타일이 나온다. 어떤 사람들이 나라를 리드해나가는가. 명징(明徵)한 이성의 작동세력이 주도하는가. 간지(奸智)세력이 주도하는가. 역사를 돌아보면서 가장 눈여겨봐야 할 초점은 당쟁에서 승리한 세력의 성격이다. 그들이 결국 세상을 주도했는데, 그들은 어떤 인간이었나. 한국의 셰익스피어라는 칭송을 듣는 조선의 대표적 시인 정철(鄭澈)은 정적을 치는 대장이 되어 천여 명 넘게 숙청을 했단다. 억울한 희생자도 많이 나왔다. 사실의 증거재판이 아니라 죄상이 엮어진 사람도 많단다. 그 희생자 후손은 지금도 저들과 결혼도 안 한단다. 조선 당쟁에서 승리한 사람들은 그런 인간들이 많다. 간지(奸智)가 승해서 간계(奸計)와 계략에 능한 사람들이 통치한 조선은 어떤 나라였는가. 사람들은 어떤 삶을 살았는가. 지금 당쟁도 비슷해 보이니….

정체성은 마음이다. 시스템도 마음에서 나온다. 노사문제도 마음의 문제다. 탐욕을 다스리지 않고 공정을 잊은 채 노사대타협을 백번 해 보아야 도로아미타불이 될 것이다. 백약(시스템)이 무효, 도로(徒勞)에 그치고 말 것이다.

우리는 정치문제나 노사관계, 교육, 경제문제에서 일관된 원칙으로서의 정체성이 있는가?

공자(孔子)의 인서(仁·恕)는 어디로

극기복례(克己復禮), 애인(愛人), 교언영색(巧言令色)

공자의 가르침을 모은 《논어(論語)》의 초장에는 인(仁)에 관한 설명이 3가지가 나온다. 하나는 극기복례(克己復禮). 자기를 극복해서 예(禮)에 맞추라는 것. 자기를 극복해야 예에 맞출 수 있다는 함의도 된다. 유교는 성선설, 기독교는 성악설을 바탕으로 한다는 설에 비춰보면 태도가 반대여야 한다. 자연상태의 인간은 선하지 않으니까, 인간다운 품격을 갖추려면 그 난 대로의 인간조건을 극복하라는 것이 아닌가. 여기서의 기(己)란 '나'이고 보면, '나'의 탐욕, 원초적 본능, 충동 등을 극복해야 한다는 것이다. 인간의 본성이 선하다면 굳이 극복할 것이 없다. 사실 성선설은 맹자의 가르침(孺子入井) 속에 나오지 공자는 뚜렷하지 않다.

조선에선 이 극기복례의 가르침을 실현하기 위해 어떤 노력을 했는가. 《실록》엔 〈극기복례(克己復禮)〉에 관심이 적다. 25건뿐이다. 공자의 핵심가치에 무관심했던 것이다. 외형문화에만 매달리고 정신적 가치는 외면한 것이다. 자기극복은 '하지 말라'는 금기·금지로 표시된다. 예가 아니면 하지 말라는 사물(四勿; 非禮勿視·勿聽·勿言·勿動 : 예가 아니면 보지 말라, 듣지 말라, 말하지 말라, 움직이지 말라)도 있고, 사무(四毋 : 意·必·固·我 : 억측하지 말고, 우기지 말고, 완고하지 말고, 자기를 내세우지 말라)도 있다.

《실록》의 〈극기복례〉 기사는 대개 왕에 대한 강의에서다. 이이(李珥)는 선조(宣祖)에게 "사람의 성품은 본래 선하여서 바로 순수한 천리(天理)이지만, 사욕의 가림이 되었기 때문에 천리로 회복하지 못하는 것이니, 만약 나의 사욕을 극복하여 제거한다면 그 성품을 온전히 할 것입니다. 안자(顏子)는 이치를 궁구한 것이 본디 밝아 천리와 인욕을 흑백처럼 분명히 보았기 때문에 바로 극기복례에 종사하여 털끝만 한 의심도 없었거니와, 지금 사람들은 전부터 한 궁리(窮理) 공부(工夫)가 없으니, 바로 극기하고자 하여도 어떤 것이 사욕이고, 어떤 것이 예라는 것을 알지 못하여 도리어 사욕을 천리로 여기는 자도 있을 것입니다 (1575.10.24)"라고 가르쳤다?

병자호란(丙子胡亂) 때 척화파의 영수였던 김상헌(金尙憲) 등은 차자를 올려 "공자가 이르기를 '하루라도 극기복례를 하면 온 천하가 그 인에 호응하게 된다' 하였는데, 덕화(德化)가 펼쳐지는 것은 이처럼 빠른 것입니다"(1624.9.13)라고 하여 왕이 극기복례를 실천하도록 강요했다.

숙종 때 김수항(金壽恒)도 "오늘날의 고질적인 폐단은 사의(私意)가 횡류하고 공도가 행하여지지 않는 데 있습니다. 사(私)라는 한 글자는 온갖 선한 일의 적(賊)이니, 성인이 치평(治平)의 도를 반드시 극기복례를 가지고 하셨습니다. 기(己)는 인욕의 사사로움이고, 예는 천리의 공변이니, 인욕이 이기면 천리가 멸합니다. 기강의 퇴폐와 용사(用舍)의 전도와 조정의논의 어긋남과 정령의 행하여지지 않음은 모두 공이 사를 이기지 못하는 데서 말미암습니다. 원컨대, 성상께서는 먼저 스스로 경계하고 두려워하여 다만 정령·사위(事爲)만이 아니라, 비록 한 가지 생각의 미세한 것이라도 반드시 대공지정(大公至正)의 도리를 보존하도록 하소서"(1684.7.12) 하였다.

한편 정조는 학자답게 "사욕을 억제하여 예를 좇는다고 한 것은 마땅히 복례를 복리(復理)라고 해야 할 것 같은데 이(理)라고 하지 않고 예라고 한 것은 무슨 까닭인가?"라고 물었다. 송덕상이 대답하기를, "복리라고 하면 대수롭지 않게 말하는 듯하여 공부를 시작할 곳이 없기 때문에 반드시 예자를 쓴 것입니다. 예는 곧 천리(天理)의 절문(節文)이므로, 보고 듣고 말하고 행동함에 있어서 모두 이로 말미암아 공부를 시작하는 것입니다"(1778.12.18)라고 했다.

그러나 정작 조선 치자들은 반대로 갔다. 암계(暗計)·기계(奇計)를 구사하며, 교지(巧智)를 겨루는 간지(奸智)의 경연을 벌였다. 그들의 무기는 암수(暗數)다. 극기복례는 예의, 마음가짐을 가리킴인데 문제는 무엇이 예(禮)냐는 것이다. 예는 예의(禮義)로 쓰이는데 사람 사이의 관계를 규정함에 따라 자연 예의(禮儀)에 주목하게 된다. 마음은 겉으로 나타나지 않으니까 겉으로 나타나는 의식(儀式)에 집중, 형식에 치우치게 되고 만다.

〈극기복례〉는 그 이상 국정담론에 오르지 않았다. 인의 실천에 적극적이지 않은 것이다.

또 공자는 인(仁)을 사람을 사랑하는 것(愛人)이라고도 했는데,《실록》의 기사는 15건에 불과하다. '경비를 절약하고 사람을 사랑하라(節用愛人).' 영조는 '계색(戒色)과 추성(推誠)과 애인'을 같은 급으로 사용했다. 《실록》의 〈애민(愛民)〉은 68건, 부정적인 의미로 사용한 〈교언영색(巧言令色)〉은 14건, 그 뜻을 '남의 환심을 사기 위하여 아첨하는 교묘한 말과 보기 좋게 꾸미는 얼굴빛'으로 새기며, 그런 잘못을 저지른 사람들을 거론, 경계하는 말로 썼다.

그들은 치자(治者)의 인(仁)을 말할 뿐, 그것이 보통사람들에게 퍼져 인의 세상이 되도록 하려는 구체적인 실천노력은 보이지 않는다. 인이 대중적 이념은 되지 못한 것이다. 인이 한국인의 인정에 영향을 미쳤을까. 쉽게 추정할 수 없다. 인정은 인정(仁情)과 인정(人情), 두 가지로 쓰인다. 인정(人情)은 사람이 원래 가지고 있는 온갖 욕망, 혹은 남을 동정하는 마음씨이고, 인정(仁情)은 보통의 어진 마음씨인데 안 나오는 사전도 있다. 《실록》엔 〈인정(人情)〉이 1천73건이나 나와 있지만 〈인정(仁情)〉은 2건밖에 안 나온다.

자기가 싫은 것을 남에게 시키지 말라(己所不欲勿施於人)

〈서(恕)〉는 공자가 명쾌하게 설명했다. '자기가 싫은 것을 남에게 시키지 말라(己所不欲勿施於人).' 그러나 《실록》에는 이에 관한 기사가 한 건도 나오지 않는다. 일반도서에는 약간 나와 있다. 《고전DB》에 32건이 나와 있을 뿐이다. 현대 철학자들은 서(恕)를 공자사상의 두 기둥 중 하나로 중요하게 생각하는데 옛날엔 왜 그랬을까. 공자의 수제자 중 한 사람인 증자(曾子)도 '선생님(공자)의 도(道)는 충서(忠恕)'라고 했는데….

퇴계(退溪)는 그의 제왕학(帝王學) 해설서인 〈성학십도(聖學十圖)〉 속에 〈백록동규도(白鹿洞規圖)〉에 독행(篤行)할 5가지 덕목 중 하나로 포함시켜 놓고 있다. 그런데 그것이 퇴계가 직접 그린 것이 아니라 주자(朱子)가 그린 것을 차용했다고 한다. 조선 학자들은 전반적으로 〈서(恕)〉의 의미에 큰 비중을 두지 않아서 그 실천에 관심이 적었던 것인가. 서는 다른 사람을 배려하고, 존중하는 정신으로 현대의 평등정신에 닿아 있는데, 조선에서의 경시로 현대의 민주주의 평등 실현에 좋은 영향을 미치지 못한 것이 아닐까.

서(恕)의 본체인 인(仁)이 조선에서는 어떻게 작용했을까. 《실록》에 〈인서(仁恕)〉는 36건(총 1백38인데 나머지는 인명 지명 등)이 보인다. 공자도 타인에 대한 배려와 존중은 예수에 못지않다. 그는, 인자(仁者)는 '자신이 서고 싶으면 남이 먼저 서게 하고, 자신이 무엇을 이루고자 하면 남이 먼저 이루게 하라(欲立而立人, 己欲達而達人)'고 했다. 그러나 그것은 보통사람의 이야기가 아니고 그가 이상적인 인간으로 설정한 인자(仁者)의 경지에 오른 사람이라야 가능하다는 것이다. 그 때문일까. 그런 타인 존중과 배려의 정신이 보통사람은 물론 지도층에도 스며들지 않은 것 같다.

서(恕)는 《대학(大學)》에서 혈구지도(絜矩之道)로 발전한다.

임금은 백성이 '윗사람을 싫어하는 태도로 아랫사람을 부리지 말 것이며, 아랫사람을 싫어하는 태도로 윗사람을 섬기지 말며, 앞사람을 싫어하는 태도로 뒷사람을 대하지 말며, 뒷사람을 싫어하는 태도로 앞사람과 상종하지 말며, 오른쪽 사람을 싫어하는 태도로 왼쪽 사람과 사귀지 말며, 왼쪽 사람을 싫어하는 태도로 오른쪽 사람과 사귀지 말라'는 품성을 갖추도록 하라는 것. 비슷하게 성경에서도 "좌로나 우로나 치우치지 말라(여호수아)"고 가르친다.*

◎ 혈구지도 : 所惡於上毋以使下, 所惡於下毋以事上, 所惡於前毋以先後, 所惡於後毋以從前, 所惡於右毋以交於左, 所惡於左毋以交於右. 此之謂'絜矩之道也.구지도 ;所惡於上毋以使下, 所惡於下毋以事上, 所惡於前毋以先後, 所惡於後毋以從前, 所惡於右毋以交於左, 所惡於左毋以交於右. 此之謂'絜矩之道也.

'혈(絜, 헤아린다)은 탁(度, 재다)의 뜻이고, 구(矩)는 방(方)을 만드는 도구 즉 곡척(曲尺)이다. 혈(絜)은 결(結)이나 혈(挈)과 같고, 구(矩)는 법(法)이다. 구(矩)를 혹은 거(巨)라 하기도 한다. 평(平) 자의 훈고(訓詁)이며 지선(至善)의 별명이다. 구는 명덕(明德)이 지선에 그치는 것이고, 혈은 신민(新民)이 지선에 그치는 것이다'에서부터 그 뜻과 기본 정신은 '혈구를 서(恕)의 일로 삼은 것인데, 혈구라는 두 글자는 평천하(平天下)에만 쓸 수 있는 것이 아니고, 성인이 인을 행하는 방법이기도 하다'고 했다. 혈구는 '너', '그'에게 동등한 대우를 하라는 평등정신이다.

〈혈구(絜矩)〉는《실록》에 45건의 기사가 올라 있다. 유교의 중심사상 중 하나인데 논의는 적은 것이다. 문제의식이 없기 때문일 것이다. 논의된 시기는 영조(英祖) 정조(正祖) 때. 그때 치국의 도에 관해 관심이 많았던 것으로 보인다.

세종 때도 경연에서 '정치하는 도리는 혈구도보다 큰 것이 없다(絜中坤)'고 했다. 또 '혈구는 인군(人君)이 나라를 다스리고 천하를 평정하는 도(道)다(李季瞵/연산군)', '치국평천하(治國平天下)하는 방법이다', '성왕(聖王)의 치평(治平)하는 대요(大要)(元景夏/영조)다'라고 했다. 평등의식이 잠재해 있는 것일까.

서(恕) 정신이 우리의 전통풍토에 깊이 뿌리내리지는 못한 것 같다.

맹자(孟子)의 인의(仁義)는 어디로

인의(仁義)가 없다

일본은 '인의를 모르는 O' 하면 큰 욕이라고 한다. 유교의 전통이 살아 있음이다. 지금은 모르겠다. 일본에서 사는 한 공(孔)씨는 '일본은 중국에서보다 더 공자의 사상을 잘 실천하고 있다'고 했다. 그들은 근대화 혁명인 메이지유신(明治維新)을 할 때도 산업화의 중심인물인 시부사와 에이이치(澁澤榮一)는 공자의 '부귀는 사람이 모두 원하는 바이나 도로써 구하지 않으면 안된다(富與貴 是人之所欲也 不以其道得之 不處也)'는 말을 경제철학으로 삼았다. 조선이 유교를 받아들이는 행태는 공맹의 가르침을 실천하기보다 편리한대로 받아들인 것 같은 것이다.

그런데 우리는 태종 2년, 승추부에서 올린 상소에서 인의가 활발하지 않음은 고려의 적폐 때문이라고 했다. "인의(仁義)·은신(恩信)·휴양(休養)·진려(振厲)한다는 일에 대해서는 잠잠하고 들리지 않습니다. 그러나 이것은 모두 전조(前朝) 말년의 적폐(積弊)가 아직도 다 개혁되지 못해서 그러한 것입니다."(1402.6.1) 그들이 말하는 고려의 적폐, 곧 불교 때문이라는 것이다. 그러나 그들 자신 인의가 무엇인지에 대해서는 논의가 없다. 다 아는 것 아니냐는 투다. 《실록》에 맹자사상의 기둥인 〈인의(仁義)〉가 나온 기사는 2백90건에 불과하다. 한 해에 1건도 안 되는 셈이다. 〈도덕〉도 5백59건, 〈예의〉는 많아서 3천8백39건이다. 사상논의는 적어도 인물은 많은 편이다. 〈공자(孔子)〉는 1천4백32건, 〈맹자(孟子)〉는 1천1백88건. 공자와 맹자를 묶은 〈공맹(孔孟)〉은 59건. 〈탄핵〉이나 〈역모〉의 몇십분의 1에 해당하는 비중이다. 국정논의의 주제는 정쟁이었던 셈이다. 현재도 국정보다 정쟁이다. 전통이 살아있음인가. 과거로의 회귀인가.

인의(仁義)는 맹자가 공자의 핵심가치는 인(仁)에 의(義)자를 붙여서 만든 것이다. 그가 양혜왕(魏惠王)과의 대화에서 '임금이 어찌 이익만 따지느냐'고 타박하고, 인의(仁義)의 왕도를 말한 이후 인의는 그의 중심사상이 됐다. 아니 유교의 중심사상이 됐다.

그러나 현실에서 실리와 대의는 항상 충돌한다. 그렇게 2천여 년을 내려왔다. 전략적 승리를 가르치는 《손자병법(孫子兵法)》이 현란한 기계(奇計)를 가르침에도 군자는 정정당당하게 싸워야 한다는 고고한 군주도 있었다. 송나라 양왕이 대표적이다(宋襄之仁). 그러다가 전쟁에서 지는 바람에 어리석음의 표상으로 놀림감이 되었음에도, 조선 중종(中宗, 1506~1544)때 유학자들은 똑같은 자세를 견지했다. 군자의 군대는 적과의 전투에서도 속임수를 쓰면 안 되고 정정당당하게 싸우기를 주장해서 관철시켰다. 대표적 개혁가, 조광조(趙光祖)도 그랬다. 재야 사학자들 중에는 우리의 선조라는 치우(蚩尤)가 중국의 황제(黃帝)와 건곤일척의 결전을 할 때 황제가 암수를 써서 졌다고 그 당당하지 못함을 비난한다. 결국은 전략 전술에서 졌다는 뜻이다.

그렇다고 우리 조선을 인의의 나라라고 할 수 있을까. 실제는 그 반대로 가서 잔인하고 야비한 당쟁으로 일관했으니. 인의는 하나의 이상일 뿐이다. 지금도 인의보다는 실리다. 어느 나라건 국익을 최우선으로 친다. 국정의 의사결정을 하는 기준은 국익이다. 왕도(王道)는 실천 가능한 이상이 아니다. 관념으로만 존재할 뿐이다. 정부(위정자)도 그렇고, 논객들도 그렇다. 정치는 명분을 따지기도 하지만 실익보다 명분을 앞세워야 한다는 주장은 설득력을 얻지 못한다. 명분이 이익에 밀린다. 국가도 개언도 마찬가지다.

'인의(仁義)의 군사가 오랑캐를 평정하니.' 옛날엔 군대도 말로는 인의의 군대라고 했고, '야인은 시랑(豺狼)의 무리이므로 인의(仁義)로써 감화시킬 수 없다'고 했다. 그러나 승패는 인의가 아니라 실력으로 났다. 이리와 승냥이 앞에 머리를 조아리니 인의는 설 곳이 없어졌다. 그보다 우리는 정말로 인의의 군대였을까. 도대체 인의는 무엇인가. 인의가 실현된 시대가 있었는가. 인의는 화석 같은 것인가. 맹자는 떠받드는데 정작 인의가 없다면, 왕도(王道)가 없다면 맹자는 허수아비가 된다. 허수아비에 절한 꼴이다. 공자도 마찬가지다. 인(仁)과 서(恕)가 없다면 공자는 허수아비다. 그저 허상에 절했을 뿐이다.

인의의 현대적 의미는 무엇인가. 지금은 실용주의(實用主義)시대다.

실용주의(Pragmatism)는 미국의 철학사상이다. 세계의 리더가 미국이고 보면 그게 주류인 셈이다. 이론(異論)이 있지만 대세가 되지 못한다. 그것은 승자의 학이 됐다. 세계 어느 나라나 마찬가지다. 사실은 옛날부터 국가는 국익을 제일 먼저 따졌고, 개인도 이익(私益)이 우선이다. 공자(孔子)는 소인은 이익을 추구하고, 군자는 대의를 추구한다고 갈라보았지만 지금은 평등의 시대다. 군자는 사라졌다. 옛날에도 군자는 극소수였고 소인이 절대다수인 판에서는 이익이 절대가 됐다. 이익은 균등을 원한다. 그리로 달려간다. 그 때문에 세상이 시끄럽다.

그런데 이익시대가 깊어지자 반론이 고개를 든다. 이익을 최우선으로 좇다 보니 황금만능, 물신주의를 낳았다. 돈이 말하는(Money talks) 시대다. 이익지상의 시대는 너무 드라이하다. '비인간적'이다. 세상에서 가장 귀한 존재(最貴)인 인간이 존엄의 가치를 잃어 비인간화된다. 문명의 시대에서 동물의 시대, 야수의 시대로 타락한다는 것이다. 그 폐해가 도처에 나타난다. 강상(綱常)범죄가 빈발한다. 이게 어찌 인간의 세상이냐는 탄식의 소리가 높아진다. 인간의 역사는 문명과 야성이 사이클로 교차하는 것이라면 지금은 야성의 꼭짓점에 이른 것 같다.

이제 다시 윤리를 찾는 소리가 높아진다. 야수의 경쟁에 비견되는 기업경영에서도 윤리경영의 소리가 높다. 우리는 무엇을 준비해야 할 것인가. 정부마다 정의사회를 말하는데 실현은 안 된다. 의지가 약하거나 방법을 몰라서 일 것이다.

왕도(王道)는 멀고

맹자의 인의는 왕도를 실현하기 위한 것이다. 인의를 살리는 통치가 왕도다. 그의 이상이고 유교의 이상이다. 그러나 많은 군주들은 왕도가 아니라 패도(霸道)를 추구한다. 덕치를 펴는 왕보다는 승리하는 패왕(霸王)을 꿈꾼다.

《실록》의 〈왕도〉기사는 2백87건. 어느 정도의 관심은 보이는 셈이다. 그러나 그 왕도는 맹자의 이상정치로서의 왕도, 인의의 정치로서의 왕도가 아니다. '강기(綱紀)를 세워 왕도(王道)를 높이고', '왕도(王道)가 공정(公正)하면 백천(百川)이 경리(經理)되어 맥락(脈絡)이 통하고', ' 군진(君陳)의 좋은 말과 좋은 계획으로 왕도(王道)를 빛나게 하였고', '왕도(王道)가 빛나려면', '왕도가 평이(平易)하니' 식으로 쓰임을 보면 맹자의 왕도는 아니다. 지금은 그 말의 의미가 전이되어 어떤 일이든지 모범이 되는 방법, 표준이 되는 방법을 뜻하기도 한다. '그 일의 왕도는 무엇인가', '그게 왕도다' 식으로. 간혹 그런 왕도의 실천방법을 논하기도 한다.

세조는 '왕도(王道)는 하늘을 몸 받고 백성을 사랑하는 것보다 더 큰 것이 없다'고 말한 바가 있다. 남구만(南九萬, 1629~1711)은 숙종에게 '내수사(內需司)를 혁파하는 것은 곧 왕도(王道) 중에 가장 큰 일입니다'라고 말하기도 했다. 그러나 왕도의 구체적인 실현방법을 논한 적은 거의 없다. 전반적으로 어떤 문제이든지 구체적인 실천방안에 대해서는 언급이 없다. 대개 명분에 치우치고 구체성이 없는 것이다.

조선 말, 최고의 논객(崔益鉉)이 고종에게 '요순(堯舜)의 정치를 하십시오' 했단다. 그러나 어떻게 하는 것이 요순의 정치냐고 하면 대답을 못했다고 한다. 고종은 얼마나 답답했을까. '나도 요순의 정치를 하고 싶다. 그 방법을 알려 달라' 그런 심정이 아니었을까.

지금도 그런 현상이 보인다. 많은 논객들은 결론으로 '현명한 방법을 강구하라'고 당부하곤 한다. 당국자는 '나도 현명하게 대처하고 싶다. 그 방법을 알려 달라' 그런 마음이 아닐까. 구체성이 없으면 공리공론(空理空論)이 되기 쉽다. 조선의 치자들은 도학자들이었다. 그들은 현실을 제대로 인식하지 못했다. 관념으로 살았다. 관념으로 세상을 보면 실효성이 있는 대책이 나오지 못한다. 환상 속에서 왜곡되기 쉽다. 조선을 '환상의 나라'라는 학자도 있다. 환상 속에선 왕도를 추구하는데 현실은 정반대다. 질곡의 세상이 된다. 질곡의 세상이 되면 점점 꼬이게 된다. 그 폐해는 약자들이 입게 된다.

《실록》엔 〈질곡〉기사가 38건이다. 세종 때 대사헌 신개(申槩) 등이 상소했다. "국맥의 배양은 백성의 목숨을 중하게 여기는 데 있고, 백성의 목숨을 중히 여기는 것은 형벌을 삼가는 데 있습니다. 한 사람이 허물없이 억울하게 죽어도 오히려 화기를 상하게 할 것이온데, 지금 평안도 평양의 백성은 강도로 거짓 모함하여 질곡에 얽매었고, 거듭 채찍으로 쳐서 마침내 목숨을 잃은 자가 10인에 이르렀으니, 어찌 화한 기운을 상하게 하고 국가의 원기(元氣)를 병들게 한 것이 아니겠습니까."(1431.6.13) 또 성종(成宗, 1469~1494) 때는 대사헌 윤계겸 등이 상소했다. "죄수는 차꼬와 수갑이 사지를 억누르고 굶주림과 추위가 핍박하여 질병으로 비명을 지르면서, 원성이 극에 달합니다. 이것이 어찌 소위 상세히 살피고 속하게 처리하는 것이겠습니까?"(1476.8.26)

정조는 그 대책을 하교했다. "해가 바뀐 뒤로 형조의 사수(死囚)를 동추(同推)한 것이 수차에 지나지 않으니, 경사(京司)가 이러하면 외방에 정식에 맞추어 거행할 것을 어떻게 감독하고 신칙하겠는가? 형조의 당상은 모두 승정원으로 하여금 지명하여 현고(現告)하게 하고 중하게 추고하라. 이 때문에 옥사를 구성하고도 완결되지 않은 무리가 해를 넘기며 살지도 못하고 죽지도 못하면서 질곡 사이에서 구르니, 어찌 화기를 범하는 한 가지가 아니겠는가? 외방의 완결되지 않은 무리는 각도의 방백이 순행을 끝내고 감영에 돌아오거든 모두 곧 사문(查問)하여 곧바로 놓아 보낼만한 자는 곧바로 놓아 보내고, 계품(啓稟)하여 완결할만한 자는 계품하여 완결하고, 이미 완결한 자 가운데에서도 의심을 일으킬 곳을 보았다면 또한 곧 사리를 논하여 장문(狀聞)하라."(1784.2.25.)

정신은 안 보고 외양만

관념으로 살면 정반대의 결과를 초래하기도 한다. 정신을 못 보고 겉만 보는 것이다. 유교를 숭상하면서도 공자나 맹자의 근본 사상, 가르침을 깨닫지 못하고, 겉모양만 모방하는 것이다. 공자에서는 인서(仁恕)의 정신을 보지 못하고, 맹자에서는 인의(仁義)를 보지 못하는 것이다.

문종과 단종 때 인서(仁恕)가 많이 논의됐는데, 인서를 어떻게 이해했을까. 《실록》에서 혈구(絜矩) 같은 문제는 그 개념을 자세하게 논하는데 인서(仁恕)의 개념을 자세하게 논하지는 않는다. 장례절차의 세세한 부분을 논한 데 비해 인서는 대단히 성근 것이다. 장례절차의 하나인 성복(成服)에 관한 기사는 5백74건이나 된다.

인서의 사전적 의미는 '가엽게 여겨 다른 죄나 허물은 묻지 않음', '어질고 너그러움'이다. 원래는 철학적 용어인데, 치죄할 때 쓰는 용어가 돼버린 것 같다. 겉만 보고 속을 안 봄은 기질적인 것이기도 하다. 멀리 보고 깊이 생각하는 사람도 있고, 눈앞만 보고 가볍게 생각하는 사람도 있다. 용어의 사용빈도를 보고 그 사람의 기질을 추측할 수는 없으나, 《실록》에 등장하는 〈심모(深謀) 2〉, 〈원려(遠慮) 55〉는 적고, 〈경박(輕薄) 96〉, 〈부박(浮薄) 153〉은 많다.

《예기(禮記)》엔 사람을 연령대 별로 특정해 놓은 것이 있는데, 20대는 약(弱)한데 성례(成禮)를 한다(弱冠), 30이 되면 장(壯)한데 결혼한다(壯有室)고 했다. 그게 민족적 기질로 나타나기도 해서, 2차 대전 후 맥아더장군은 일본사람을 12살 소년에 비한 적이 있다. 최근의 힐러리장관도 비슷한 말을 했다. 한 중국인은 우리에 대해 "어린애 같다"고 했단다. 산업화가 한참 진행되어 우리가 세계로 달려나갈 때, 미국의 어떤 언론은 '한국인이 달려서 온다'고 했다. '빨리 빨리'는 한국인의 표상이 됐는데 뒤집어 보면 '깊이 생각하는 사람'과는 거리가 있다.

대장부의 기질은 아무래도 중후, 장대, 확고, 의연의 편이다. 민첩, 경박, 신속과는 거리가 멀다. 태산이 무너져도 꿈적 않고, 폭풍이 몰아쳐도 의연하고 중후한 기상, 외모가 화려 찬란한 이미지와는 어울리지 않는다. 그러나 현대엔 외모가 중요하다. 어떻게 꾸미고 치장하느냐에 따라 운명이 바뀌기도 한다. 특히 여자의 경우 패션쇼는 하나의 산업이 되고 있다. '신사' 이미지도 그렇다. 화려하지는 않아도 최소한 단정은 해야 한다. 여기서 대장부와 신사는 또 갈라진다. 신사는 세세한 행동거지를 따지는데 대장부는 뜻(의지) 중시다. 그게 대장부가 사라져가게 된 이유일까. 물론 유학에서도 예의는 예절로 나타난다. 외모와 행동거지를 중시한다.

민주화 이후, YS는 민족정기를 바로 세운다고 일제(日帝)가 세운 중앙청 건물을 헐었다. 많은 국내외 전문가들이 그 건물의 건축미를 고려해서 헐지 말도록 간청했으나 그는 그의 뜻을 관철했다. 건물은 헐렸다. 건축물엔 상징성이 있다. 그래 의미를 갖는다. 그러나 그 상징성은 역사성을 갖는다. 평가와 활용은 그 때의 국민 몫이다. 민족정기를 세운다고 일제가 만든 건축물을 헌다는 식이면 어떤 건축물이든지 남아나지 못할 것이다. 그 정신에 반대하는 사람이 있을 수 있기 때문이다. 민족정기는 돌에 깃들지 않는다. 민족정기는 정신적 자산이다. 정신은 그 가치체계와 그 사람들의 가슴속에서 산다. 그의 의지에 따라서 살기도 하고, 죽기도 한다. 민족정기는 결코 건축물에 붙어살지 않는다.

민족정기는 민족의 얼이다. 문제는 무엇이 우리의 얼이냐는 것이다. 민족정기를 강조는 하지만 그 내용이 애매하다. 정작 그 얼을 세우는 노력은 소홀했다. 무엇이 우리의 얼이라고 누가 자신 있게 말할 수 있는가. 어느 지방(강원도 원주)에서는 수십 년 전에 얼심기운동을 추진했는데 자료의 수집 연구에 수십 년을 보냈으나 더 이상 진전이 안 된다. 지역단위로 얼을 세우는 일이 가능한지 의문이나 그런 의식은 높이 살만하다. 그런 일은 국가 단위의 사업이 필요한 것 아닐까. 중앙청을 허는 일보다 그 일을 먼저 해야 하지 않았을까.

동상은 좀 다르다. 독재자가 쫓겨나면 동상도 무너진다. 그런 수모를 당한 독재자가 많다. 그들은 수많은 동상을 세운다. 그러나 그 많은 동상을 매일 쳐다보면서 살 수는 없다.

경주 주변 산속에는 돌부처가 많은데 모두 목이 잘렸다고 한다. 불교에 반대하는 사람의 짓으로 추측된다. 현재도 그런 사람들이 있다. 한때 학교 마당에 세워진 단군상이 목이 잘리는 수모를 당했다. 절에 있는 탱화도 불에 타는 재난을 당했다. 민주국가의 국민으로서 적합하지 않은 마음 자세를 가진 사람들이 많은 것이다. 사람의 마음은 약해서 눈에 보이지 않으면 잊어버린다. 무엇인가 상징성을 갖는 물건에 의지하게 된다. 그래 만들어지는 동상도 많고, 부서지는 동상도 많다. 조선은 겉으로는 정신을 표방하는데 속으로는 물질이다. 이중적이다. 그래서 의식(儀式)에 치중한다. 관혼상제의 격식에 얼마나 많은 공을 들이는가.

군자와 대장부가 없는 지도부

사대부의 나라

정도전은 민본(民本)을 바탕으로 〈조선〉을 설계했다지만 백성의 나라가 아니라 사대부의 나라였다. 영의정, 좌의정, 우의정 등 높은 벼슬을한 사람은 〈경사대부(卿士大夫)〉라 하고, 양반가를 통칭해서 〈사대부가(士大夫家)〉라고 했다. 사대부는 양반의 별칭이다. 《실록》엔 〈사대부〉기사가 1천1백82건이나 나온다. 〈양반〉도 5백54건. 그에 비해 〈백성〉은80건. 〈국인(國人)〉이 1백15건에 불과하다. 조정의 관심이 어디에 있었는가를 짐작할 수 있다.

　최근 사극에서 '조선은 사대부의 나라입니다' 하는 대사가 나온다. 〈사대부의 나라〉라는 말은 〈양반의 나라〉라는 말이다. 그러나 《실록》에는〈사대부의 나라〉라는 말이 전연 나오지 않는다. 〈양반의 나라〉라는 말도 없다. 사대부의 나라, 양반의 나라란 그들이 나라를 좌지우지한다는 뜻을 나타내는 것이다. 그들이 주인으로 지배하고 백성은 따라야 했다.

그런데 사대부가 국정에 오른 문제는 공적인 것이 아니라 사적인 것이 많다. 가정(집안)문제, 부인, 첩, 제사 등이 주다. 국정 논의나, 그들의 임무 같은 공적인, 정신적인 문제는 거의 나오지 않는다. 노블레스 오브리제? 없다. 양반 국인 백성 모두 마찬가지다. 그런 문제는 〈천심(704)〉, 〈민심(115)〉으로 나타난다. 민심을 중시했음은 백성을 중시했음이다. 태종 때 좌헌납(左獻納) 송희경(宋希璟)은 상소했다. "민심(民心)의 화(和)한 것이 실로 나라를 보전하는 방도입니다."(1409.12.21)

〈공의(公議)〉는 비교적 많이 이루어진 것 같다. 2천55건이나 된다. 공의는 대의(大義)를 세우려는 것이었다. 공의는 공인들의 의논을 거쳐 모이는 여론, 즉 공인들의 여론 같은 것으로 보인다. 태종의 처남 민무구 · 민무질 처벌 문제가 등장했을 때, 지평(持平) 조서로(趙瑞老)는 중국 소식(蘇軾)의 말을 인용하여 상주했다. "'대간에서 말하는 바는 천하의 공의(公議)에 따르는 것이 마땅하다. 공의가 찬성하는 바는 대간도 찬성하고, 공의가 반대하는 바는 대간도 반대해야 한다'고 하였습니다. 전하께서는 대의로 결단하여 민무구 · 민무질을 법에 의해 처치하여, 길이 후세에 남길 법으로 삼으소서."(1409.4.2)

태종은 처음엔 그 상주한 사람을 귀양보냈다. 그러나 후에 결국 처남들을 처형했음은 공의의 위력이 강했음을 보여준다. 앞의 상주는 '대개 법은 천하에 공평한 것이므로 사사로이 폐할 수 없는 것이어늘, 하물며 죄악이 차고 넘쳐서 일이 종사에 관계되는데, 어찌 전하께서 사정(私情)을 쓸 수 있습니까? 무릇 신하가 되어 불충한 것을 토죄(討罪)

하지 않으면, 그 죄가 같으니 어찌 위태하지 아니하겠습니까?'라고 강박하고 있다. 한편 〈공의(共議)〉도 9건이 있는데 그것 역시 공인들의 의논, 공인들의 여론 같다. 백성의 여론은 아니다.

인조(仁祖, 1623~1649)는 그 폐해를 통박한다. "이들은 나라의 존망은 도외시하고 명예만을 차지하려 하였으며, 같은 무리끼리는 감싸고 다른 무리는 배격하여 나라가 망하게 하였으니, 매우 가증스럽다. 그처럼 경박한 무리를 쓴들 무슨 도움이 되겠는가."(1639.3.25)

문제는 사대부의 능력과 품격이다. 공자는 보통 사람을 군자와 소인으로 나눈다. 이 인간의 등급과 사농공상(士農工商)의 신분의 등급은 다르지만 그 정신이 깔려 있는 것 같다.

조선은 태조 즉위(1391년) 3일 만에 사헌부가 기강확립을 위한 10개항의 상소문을 올렸는데 그 세 번째 항이 '군자와 친하고 소인을 멀리하라'는 것이다.*

◎ 사헌부가 태조에 올린 기강 확립 상소문 ; 1. 기강을 세울 것. 2. 상주고 벌주는 것을 분명히 할 것. 3. 군자와 친하고 소인을 멀리할 것. 4. 간(諫)하는 말을 받아들일 것. 5. 참언을 근절할 것. 6. 안일과 욕망을 경계할 것. 7. 절약과 검소를 숭상하는 일. 8. 환관을 물리칠 것. 9. 승니(僧尼)를 도태시키는 일. 10. 궁궐을 엄중하게 하는 일.

하윤(河崙)은 "군자가 지위를 얻으면, 소인이 물러가고 나라가 흥하며, 소인이 세력을 얻으면, 군자가 물러가고 나라가 망한다"고 하여 군자의 지배를 요구하고 있다. 지배계급인 사대부는 군자의 높은 도덕적 품격을 갖추도록 요구하는 것이다.

정종(1398~1400) 2년 맹사성(孟思誠)의 상소문엔 '사대부들은 일을 맡아 공을 이룰 것을 생각지 않고 뜻에 아첨하여 미쁘게 보일 것을 일삼으니, 정사를 잡은 대신도 또한 이것으로 진퇴를 시킵니다'고 했다. 그들은 군자라고 하기 어려운 대접을 받는 것이다. 그들의 평소 언행의 품위가 존경받을 수 없음이 곳곳에서 드러난다. '기강이 무너져서 사대부가 여러 처를 함께 데리고 살았으므로, 강상이 더럽혀지고 문란해진 것이 극도에 달하였다.' 항변도 나온다. '긴요하지 않은 일로 형장을 가하면서 이들을 노예처럼 대하니, 어찌 사대부를 대우하는 예절입니까?'

전반적으로 사대부니 양반의 품격은 떨어져 보인다. 더 중요한 것은 이들의 능력이다. 지도자로서의 경륜을 얼마나 갖추고 있는가. 중국의 춘추전국시대에는 지도자로서의 도덕적 품격보다는 능력을 더 중시했다. 공적으로는 명재상에 올랐지만 도덕적으로는 높이 평가받지 못하는 사람들도 있다. 생존을 건 투쟁의 시대라 국정운영능력이 첫째 조건이었을 것이다.

조선의 재상들은 어땠을까. 경륜 면에서 저들 명신에 필적할만한 업적을 남긴 사람이 있는가. 그런 명재상이 한 명이라도 있었으면 우리나라 운명이 달라지지 않았을까. 조선의 최고 명재상은 누구인가. 능력은 사실 평가하기가 어려운데 결과를 놓고 보면 국토 한 뼘 늘린 재상 없다. 최장수 영의정을 지낸 황희(黃喜)의 경우, 화합을 도모하며 원만하게 국정을 이끌었다는 것이지 영토를 넓혔다거나 어떤 정신적 가치를 쌓았다는 등의 공적은 없다. 말하자면 무사원만형? 절대왕권 아래서 요구되는 조건이 제한되었기 때문일 수도 있을 것이다.

도덕적으로는 어떤가. 도덕성의 기준이 문제다. 인격을 재는 잣대는 무엇인가. 지금은 인사청문회에서 보는 바와 같이 부정부패 여부를 중요기준으로 삼는다. 옛날에도 가난해서 비가 올 때 집안에서 우산을 쓰고 있다면 높이 평가된다. 그러나 그 청렴도가 첫째 기준이 돼야 하는가. 정부가 얼마나 가난했으면 정승을 그렇게 박하게 대접했는가.

반면 공직사회는 상대적으로 청백리가 미화됐다. 《실록》엔 청백리 기사가 모두 1백22건인데 성종(成宗) 때 처음 보인다(1483). 연산군(燕山君, 1494~1506) 때 헌납 최숙생이 청백리를 포상할 것을 청했다. "재물을 탐내고 횡포한 수령은 많고 청렴하고 근신하는 수령은 적어 굶어 죽은 백성들이 많은데… 재물을 탐내고 횡포한 수령은 많고 청렴하고 근신하는 수령은 적으니, 청백리를 포상하라"고 했다. 그러나 연산군은 대답하지 않았다(1503.2.11). 〈청렴〉은 90건.

그래도 이후 청백리 포상문제는 계속 나오고, 중종 때는 청백리 본인의 표창뿐 아니라 그 자손도 포상, 등용하라는 문제가 계속 등장했다. 그러나 '청백리(淸白吏)가 있다는 말은 듣지 못하겠으니' 하는 탄식이 나옴을 보면 청백리는 극히 적었던 것 같다. 조선 5백 년간 청백리는 2백여 명 남짓했다고 한다.

도덕성은 그 외에도 따져볼 사항이 많다. 공인은 충성심, 봉사정신, 정의감, 정직, 용감, 협동…. 음주운전, 성희롱 등도 주요 체크 포인트다. 그 내용은 시대에 따라 변할 수 있다. 왕조시대엔 충성심의 경우 불사이군(不事二君, 두 임금을 섬기지 않는다)이 절대기준이었다. 그러나 맹자는 불사이군의 백이(伯夷)와 하사비군(何事非君, 임금이 누군들 어떠냐)의 유하혜(柳下惠)를 똑같이 성인이라고 했다.

선비 품격의 바로미터는 문묘(文廟)에 배향되는 것이다. 공맹의 제사를 지내는 문묘(文廟)에는 우리나라 사람들도 비슷하게 모셔져 있다. 공자를 비롯해서 안자(顔子), 증자(曾子), 자사(子思), 맹자(孟子) 등 4성(聖)과 그 밑의 10철(十哲)을, 우리나라의 유현(儒賢)은 신라의 최치원 설총, 고려의 안유(安裕) 정몽주, 조선의 김굉필(金宏弼), 정여창(鄭汝昌), 조광조(趙光祖), 이언적(李彦迪), 이황(李滉) 등 5현(賢)을 비롯해 이이(李珥), 성혼(成渾) 등 18현(賢)이 모셔져 있는데 올려졌다 내려졌다 한 사람도 있다. 그들의 위상을 어떻게 평가해야 할까.

군자가 없다

공자의 군자에 대한 설명은 조건이 너무 많아서 어느 정도를 갖춰야 군자라고 할 수 있을지 판단하기 어렵다. 군자와 소인으로 나누어서 말하기도 하고, 군자의 절대조건으로 말하기도 한다. 군자는 주이불비(周而不比, 사람을 두루 사귀되 편을 안 가른다)하고, 소인은 비이불주(比而不周, 편을 짓고 화합하지 않는다)한다. 또 군자는 화이부동(和而不同)하고, 소인은 동이불화(同而不和, 함께 하지만 화합하지 않는다)한다. 군자는 유어의(喻於義, 의에 밝다)하고, 소인은 유어리(喻於利, 이익에 밝다)한다 등 수십 가지가 된다. 절대기준으로 군자는 호학(好學)하고, 신독(慎獨, 홀로 있어도 삼간다), 화이불류(和而不流) 등 많다. 기본은 인(仁), 서(恕), 애(愛)가 몸통이고 위의 조건들은 그 가지에 해당된다. 이 가운데 몇 가지 조건이나 갖춰야 군자라고 할 수 있는가.*

◎ 군자와 소인 대비

군 자		소 인	
周而不比	두루 사귀되 편을 안 가른다.	比而不周	편을 짓고 화합하지 않는다.
和而不同	화합하되 함께하지 않는다.	同而不和	함께 하지만 화합하지 않는다.
喩於義	의에 밝다.	喩於利	이익에 밝다.
坦蕩蕩	마음이 평정하면서 넓다.	長戚戚	슬프고 걱정스럽다.
和而不同	화합하되 같이하지 않는다.	同而不和	같이하되 화합하지 않는다.
泰而不驕	크지만 교만하지 않는다.	驕而不泰	교만하고 크지 않다.
上達	하늘의 덕에 닿는다.	下達	재리에 밝다.
懷德	덕을 사랑한다.	懷土	고향을 그리워한다.
懷刑	법을 두려워한다.	懷惠	은혜를 받으려 한다.
巨易而俟命	책임을 다하고 성패는 하늘에	行險而徼幸	위험한 일로 요행을 바란다.
中庸(時中)	중용(때에 맞춘다)	反中庸(無忌憚)	중용에 반한다.(기탄없다)
求諸己	자기에게서 구한다.	求諸人	남에게서 구한다.
賢其賢而親其親	어진이를 어질게 보고, 친족을 사랑한다.	樂其樂而利其利	즐거운 것을 즐기고 이익을 이롭게 한다.
固窮	곤궁을 참고 견딘다.	窮斯濫	거리낌이 없다.
不可小知而可大受	작은 재능은 없어도 큰일을 맡길 수 있다.	不可大受而可小知	큰일은 못 맡겨도 작은 재능은 찾을 수 있다.
三畏(畏天命, 畏大人, 畏聖人之言)	천명과 대인과 성현의 말을 두려워한다.	不知天命,狎大人,侮聖人之言	천명을 모르고 대인을 무시하고 성인의 말을 모욕한다.
學道則愛人	도를 배움은 사람을 사랑하기 위함	學道則易使	도를 배움은 사람을 쉽게 쓰기 위함

愼獨, 戒愼不睹, 恐懼不聞, 九思(視思明, 聽社聰, 色思溫, 貌思恭, 言思忠, 事思敬, 疑思問, 忿思難, 見得思義), 敬身(無不敬), 好學(食無求飽, 居無求安, 敏於事, 愼於言), 愼德, 誠意. 和而不流. 絜矩道

　문묘에 모셔진 이들은 아마 이익을 탐하지 않고 대의를 추구하며, 학문을 좋아하고, 몸가짐이 바름 등 군자의 조건을 충족할 것이다. 군자는 공자의 5등급 중 맨 위가 아니라 맨 가운데니 문묘에 배향된 이들은 그 이상의 인물들 같기도 하다. 성인·현인 급의 인물들이다. 그래 그들은 군자라고 부르지 않고 '18현(賢)' 같이 현인으로 부르는 것 같다.

　그런데 정승 판서 등 고위직에 오래 봉직한 인사들은 어떨까. 그들은 유형이 좀 다른 것 같다. 딱히 군자의 조건을 갖췄다고 보기 어렵다. 특히 그들 가운데는 죄를 범하여 귀양을 가거나 사형을 받는 사람들도 많다. 사후에 부관참시(剖棺斬屍)당한 사람들도 있다. 벼슬에 연연하지 않고 고사한 퇴계(退溪)나 평생 벼슬길에 나가지 않은 남명(南冥)처럼 호호탕탕한 소수의 인사들을 제외하고는 거의 그런 처벌을 받는다. 벼슬길에 오르고 귀양 한 번 안 간 사람은 거의 없을 것이다. 벼슬길은 귀양길이기도 한 것이다.

이들에 대한 처벌은 꼭 죄를 범한 때문만은 아니다. 그래 다시 불러쓰는 경우가 많다. 조선 5백 년 동안 내내 치열하게 전개된 당파싸움에서 진 사람들은 처절한 처벌을 받는다. 범법이 아니라 패배로 인한 벌인 것이다. 그 질곡의 삶을 살면서도 그들은 그런 야만적인 당파싸움에서 벗어나는 길을 찾지 못했다. 찾으려고도 안 했다. 복권 신원(伸冤)만 노렸다. 그들은 군자였을까. 진실로 그들이 군자였다면 어떻게 해서든 정치를 좀 다른 모습으로 바꾸려 하지 않았을까. 그들을 군자라고 보기 어려운 이유다.

상식적으로 군자는 학식과 덕행이 높은 사람이지만 그렇다고 다 벼슬이 높은 사람이 아니고, 벼슬이 높은 사람이라고 다 군자도 아니다. 벼슬이 높아도 간신(姦臣) 등 육사(六邪)도 있다. 문제는 어느 쪽이 많았는가인데 계량하기 어렵다. 승자라고 다 군자가 아니고, 패자라고 다 역적이 아니다. 현재도 과거의 당쟁을 닮아가니 역시 군자가 없기 때문인가.

《실록》의 〈군자〉에 관한 기사는 1천83건에 달한다. 군자의 등용, 군자의 자격 등을 거론한다. 태종 4년에는 사간원에서 상소했다. '재주와 덕이 겸전(兼全)하면 성인(聖人)이라 이르고, 재주와 덕이 아울러 없으면 우인(愚人)이라 이르며, 덕이 재주보다 나으면 군자(君子)라 이르고, 재주가 덕보다 나으면 이를 소인(小人)이라 이른다.' 군자는 업무추진능력보다 덕성을 더 중시한 것이다. 지금 인사청문회에서 덕성을 더 따짐은 그 전통일까.

양반으로 공부를 한 사람은 일단 벼슬길에 나선다. 출세지향이다. 그들 중 군자의 덕을 쌓은 사람이 얼마나 될까. 출세지향은 효에도 원인이 있을 것 같다. 입신출세해서 도를 행함으로써 부모의 이름을 빛내드리는 것이 효의 최종목표(立身行道 揚名於後世 以顯父母 孝之終也)라고 했으니, 효를 지향하는 사람 치고 출셋길에 나가지 않을 수 없을 것이다. 출세 동기가 발동함은 당연할 것이다. 그러나 출세지향의 더 깊은 동기는 본래적인 것일 것이다. 출세는 고대광실(高臺廣室)에서 살며 산해진미(山海珍味 膏粱珍味)로 호의호식(好衣好食 錦衣還鄕)한다는 것이 일반적인 상식이다. 출세욕은 태생적인 것이다.

조정에서 논하는 군자문제는 세세한 언행을 옛 전범을 상고하여 평가하고, 가부를 판정하는 것이다. 군자의 도가 치세에 배어나게 하려는 노력이 엿보인다. 기본이 그렇게 보인다. 그러나 그렇게 해서 조선은 군자의 도를 어느 정도 실현했을까. 아무래도 저 떵떵거리는 고관들의 모습에서 군자의 풍모는 보이지 않는다. 특히 그 간교한 간계(奸計)로 정적을 쳐내는 행태는 군자의 통치라고 할 수 없다. 화이부동(和而不同)으로 공생하지 못하고 동이불화(同而不和)로 상쇄(相殺)의 길로 감으로써 공멸한 것이 아닌가. 결과로 나라의 인재들은 다 고갈됐고, 조선에선 공자를 추앙하면서 공자가 알려준 군자가 되려는 노력은 안 보인다. 조선은 유교국가인가 의심이 되는 이유다. 조선은 군자가 통치하는 나라가 아니었다. 지도층은 소인들이 점령했다. 소인들이 통치하는 나라가 된 것이다. 그 현란한 간지(奸智)의 당쟁은 당당함은 없고, 눈앞의 작은 이익을 탐하는 소탐대실의 소인배 나라가 된 것이다. 지금도 비슷한 성향이 보인다. '민주화' '민주화' 하는 사람들이 일당독재의 나라와 친하면 민주주의는 어떻게 되는가.

군자는 집안에서 아내가 자기 남편을 부르는 말이기도 하다. '군자'의 오용이라고 할까. 또 양반은 군자라고 했다. '군자'라는 용어의 타락이다. 문제는 백성이 이런 군자를 존중하느냐이다. 양반은 원망의 대상이 아니었나. 그렇다고 군자를 원망할 수는 없다. 군자는 실체라기보다 추상적 인격체다. 군자는 사랑받고 존중되는 인격체로 남아 있어야 한다. 그러나 현재는 평등의 시대라서 인가, 인격적 우열도 인정하지 않는다. 군자는 말조차 없어졌다. 현재는 존중도 사랑도 받지 못하는 지도층만 남아 있다. 지도자는 만인의 표상이어야 하지만 지금은 진흙탕에서 뒹군다. 기본적으로 수기(修己)로 말을 삼가고, 행동거지를 조심하지 않기 때문이다.

옛날 지도자에겐 신언서판(身言書判)이 요구됐다. 신언서판은 중국에서 시행하던 제도로 선발과정은 1차 2차로 나누어, 1차는 신언서판의 조건을 갖추었나를 본다. 첫째는 몸(身)으로, 얼굴과 몸매가 듬직하고 위풍당당한가(體貌豊偉), 둘째는 말에 조리가 있고 반듯한가(言辭辯正), 셋째는 글씨가 해서처럼 또박또박 정확하면서 아름다운가(楷法遵美), 넷째는 판단력(判)으로, 사물의 이치에 대한 판단력이 우수한가(文理優長)를 보는 것이다. 2차는 1차 합격자를 대상으로 ①즉선덕행(則先德行, 우선 덕행(德行)을 본 다음, ②덕균이재(德均以才. 덕행과 재능이 균형을 맞추었나, ③재균이로(才均以勞. 재능과 실천이 균형을 맞추었나)와 지행일치(知行一致)를 점검하는 것이다. 행위와 생각을 보는 것이다. 치밀했다. 그 바탕은 강상(綱常), 사유(四維), 5덕(德), 8덕, 구사(九思), 구용(九容)* 등으로 여러 가지 조건이 요청됐다. 군자는 인재를 등용하는 방법(擇人之法)으로 구체화됐다.

◎ 구용(九容) : 군자가 갖추어야 할 9가지 올바른 몸가짐. 《예기(禮記)》 옥조편(玉藻篇)에 있다. '군자의 몸가짐은 한가하고 단아해야 하고, 존경하는 사람을 만났을 때는 언행을 삼가고 방종하지 말아야 한다. 걸음은 무게가 있고(足容重), 손놀림은 공손하고(手容恭), 눈은 단정하고(目容端), 입은 조용하고(口容止), 소리는 고요하고(聲容靜), 머리는 곧고(頭容直), 기상(氣像)은 엄숙해(氣容肅), 서 있는 모양은 덕이 있고(立容德), 얼굴빛은 장엄(色容莊)하여야 한다.'

그러나 얼마나 철저했나. 《실록》에선 〈신언서판〉기사가 12건뿐이다. 옛날의 중국 제도를 설명하고 잘 시행하라는 정도다. 어떻게 실천할 것인가, 우리에게 적용하려면 어떻게 해야 할 것인가 같은 구체적 논의는 없었다. 조선의 인재등용방법은 과거(科擧)다. 과거에서 신언서판제도의 실천방안은 없다. 시험을 거치지 않는 인재등용방법은 춘추전국시대의 세객(說客)이다. 지식이 아니라 면접으로 실력을 재는 것이다. 《실록》엔 〈세객〉기사가 7건 나오는데 이 방법을 활용한 것은 아니고 중국의 예를 설명한 정도다. 면접은 다른 부작용 때문에 시행하기 어려운 점이 있어 실시하지 않은 것으로 보인다. 군자가 지도자가 되는데 한계가 있는 것이다. 지식만 재는 시험은 인품이나 활용능력이 빠져서 전체적인 능력을 알 수 없는 맹점이 있다. 현재도 그 폐해가 나타난다. 실기와 면접을 병행하지만 지식 위주로 흐르게 된다. 지식기술자는 많아도 정신과 경륜을 겸비한 지도자는 없는 것이다. 현대엔 논객이 세객 비슷한 역할을 한다.

인자(仁者)와 공인(公人)

공자의 인간형 중엔 인자(仁者)가 최상이다. 군이 구별을 하자면, 군자가 도덕적 현실적 인간이고, 인자(仁者)는 이상적 추상적 인간형이다(仁者人也 親親爲大). 인자는 반드시 용기가 있어야 하지만 용감한 사람(勇者)이 꼭 인자는 아니다. 인자의 폭이 넓다. 군자와의 관계에서도 그렇다. 군자는 인자가 아닐 수 있으나 소인이 인자일 수는 없다(君子而不仁者有矣夫 未有小人而仁者也)고 한 말에 비춰보면 인자가 상위개념 같다.

인자는 비교적 개념정리가 잘 된 편이다. 공자는 5가지 덕목을 들었다. 공손함(恭), 너그러움(寬), 신실함(信), 민첩함(敏), 은혜로움(惠). 공손하면 업신여김을 받지 않고, 너그러우면 여러 사람을 얻게 되고, 믿음이 있으면 남들이 의지하고, 민첩하면 공(功)이 있고, 은혜로우면 충분히 사람을 부릴 수 있다고 부연설명까지 한다. 그러나 《실록》에는 이 글의 인용이나 설명이 없다.

인자는 완전한 인간, 이상적인 인간의 이미지인데 아무래도 공인(公人)의 이미지와는 거리가 멀어 보인다. 공인은 구체적이다. 군자와 인자의 품격을 높임은 지도자가 되는 품격을 엄격히 하려는 다짐인데 서양도 마찬가지다. 미국의 국부 워싱턴은 10대에 신사도 규범 100개를 수집해서 실천하려고 노력했단다. 또 미국의 정신을 세우는데 큰 역할을 한 벤자민 프랭클린은 소크라테스, 피타고라스, 키케로, 솔로몬 등을 통해서 신사도 덕목 13가지를 선정, 평생 지키려고 노력했다.*

◎ 벤자민의 13개 덕목 절제(Temperance), 침묵(Silence), 질서(Order), 결단(Resolution), 검약(Frugality), 근면(Industry), 진실함(Sincerity), 정의(Justice), 온건함(Moderation), 청결함(Cleanliness), 침착함(Tranquility), 순결(Charity), 겸손함(Humility)

자발적 수기(修己)다. 동양의 군자를 보는듯하다. 그게 미국 정치에서 신사도가 살게 된 밑바탕이 되지 않았을까.

사실은 우리가 더 철저했다. 중국의 성리학자 주자(朱子)가 쓴 도덕교과서 《소학(小學)》의 행동지침은 아주 세세하다. 우리는 《명심보감(明心寶鑑)》이 있다. 고려 때 추적(秋適)이 지어 조선조에서도 학생들의 도덕교과서가 됐다. 그 가운데 〈장사숙(張思淑) 좌우명〉은 14가지의 덕목이 소개돼 있다. '말은 충실하고 믿음이 있으며(語忠信), 행실은 돈독하고 공경하며(行篤敬), 음식은 알맞게(飮食愼節), 글씨는 정확하고 반듯하게(字畵楷正), 용모는 단정하고 엄숙하게(容貌端莊), 의관은 정숙하게(衣冠整肅), 걸음은 침착하고 조용하게(步履安詳), 거처는 바르고 정숙하게(居處正靜), 일은 계획을 세워서(作事謀始), 말할 때는 실행여부를 살피고(出言顧行), 일상의 덕을 지키며(常德固持), 일을 응낙할 때는 신중을 기하고(然諾重應), 선(善)을 보거든 내게서 나간 것 같이 하고(見善如己出), 악을 보거든 자기 병 같이 하라(見惡如己出).

그밖에 범익겸(范益謙)의 하지 말아야 할 7가지 행실(朝廷利害邊報差除, 州

縣官員長短得失, 衆人所作過惡之事, 仕進官職起時附勢, 財利多少厭貧求富, 淫藝戲慢評論女色 求覓人物干索酒食), 태공(太公)의 하지 말아야 할 10도적질(時熟不收, 收積不了, 無事燃燈寢睡, 慵懶不耕, 不施工力, 專行巧害, 養女太多, 晝眠懶起, 貪酒嗜慾, 强行嫉妒), 부자가 못되는 10가지 등도 소개되고 있다. 율곡(栗谷)의《격몽요결(擊蒙要訣)》도 10대 덕목(立志, 革舊習, 持身, 讀書, 事親, 喪制, 祭禮, 居家, 接人)을 가르치고 있다.

모두 자기완성을 위해 하지 말아야 할 것과 해야 할 것들이다. 그러나 지금은 민주화로 자유의 바람에 다 날려가고 말았다. 교육은커녕 관심조차 두지 않는다.

한편 중국의 기원전 유학자 유향(劉向)은 바른 신하 육종(六正), 사특한 육종(六邪)으로 나누었다. 지도자의 조건을 세세하게 뜯어보는 것이다.* 그러나 조선의 왕들은 그런데 별로 관심이 없었던 것으로 보인다. 〈육정〉, 〈육사〉에 관한 기사는 각 14건에 불과하다. 어떤 신하를 어떻게 가려서 쓸 것인가에 관심이 적었던 때문 같다.

◎ 유향(劉向. [說苑])의 육정(六正)과 육사(六邪).
육정 : 1. 성스러운 신하(聖臣), 2. 양신(良臣), 3. 충신(忠臣), 4. 지신(智臣), 5. 정신(貞臣), 6. 직신(直臣).
육사(六邪) : 1 구신(具臣), 2 유신(諛臣), 3 간신(姦臣), 4 참신(讒臣), 5 적신(賊臣), 6 망국지신(亡國之臣).

단지 율곡은 신하를 셋으로 나눴다. 하나는 대신(大臣). 임금은 요순같은 임금, 백성은 요순시대의 백성처럼 만들기 위해 한결같은 바른 도리로 임금을 섬기는 사람이다. 두 번째는 충신(忠臣). 자기 몸을 돌보지 않고 임금을 높이고 백성을 보호해 바른 도리에 어긋나는 일이 있어도 끝까지 변함없이 나라를 편안케 하는 것만을 마음에 두는 사람이다. 세 번째는 간신(幹臣). 그릇이 나라 경영에 부족하더라도 맡겨진 일에 능력을 다하려는 사람이다.

고려 때 최씨 무신정권의 2대 최우(崔瑀)는 인재를 넷으로 나눴다. 첫째는 학문이 능하고 관리로서의 재능도 뛰어난 자(能文能吏), 둘째는 학문에는 능하나 업무능력은 갖추지 못한 자(文而不能吏), 셋째는 실무는 능하나 학문에는 뒤떨어지는 자(吏而不能文), 넷째는 학문이나 실무 모두 능하지 못한 자(文吏俱不能)이다. 학문을 실무능력보다 앞세운 것이다.

박정희는 직접 쓴《지도자도》에서 열 가지를 들었다. 동지의식, 판단과 해결 능력, 선견지명, 원칙에 충실하고 양심적, 용단, 민주주의 신념, 목표에 대한 확신, 지도자단의 단결, 성의와 정열, 신뢰감. 또 간디는 리더십의 위력은 인간 됨됨이에서 나온다, 리더십은 거창한 것이 아니라 그저 존재하는 것이다, 희생의 위력은 아주 크다, 멍에를 기꺼이 짊어져라, 옳은 일을 추구하라고 했다. 한편 마오쩌둥(毛澤東)은 호랑이 기운과 원숭이 기운을 동시에 갖춘 성격에다 폭발적 에너지를 지닌 열혈 리더로 자신의 목표를 집단의 목표보다 우선시하며 선동가형 자기지향적 리더란다. 반면 덩샤오핑(鄧小平)은 집요한 혼합형 성격으로 개인의 희생을 감수하더라도 집단의 문제를 해결해가는 임무 지향적 리더. 그것을 다 갖춘 사람이 있겠는가. 몇 가지는 갖추고 몇 가지는 못 갖췄을 것이다.

그러나 조선의 왕들은 좋은 신하를 쓴다는 의식이 없었고, 신하의 조건도 뜯어볼 줄 몰랐던 것 같다. 군자를 구한다는 의식은 없었고, 누구를 출세시켜 주느냐, 누구에게 벼슬자리를 나누어 주느냐에 관심이 가 있었던 것 같다. 자기 묘혈을 팠음이다. 그 왕에 그 신하였다.

한편 국회는 2015년 〈인성교육진흥법〉을 만들어 기본덕목으로 예(禮), 효(孝), 정직, 책임, 존중, 배려, 소통, 협동의 8가지를 설정했다. 2016년엔 〈인문학및인문정신문화의진흥에관한법률〉을 만들어 시행에 들어갔다. '인문학 및 인문정신문화를 진흥하고 사회에 확산시킴으로써 창의적 인재를 양성하고 나아가 국민의 정서와 지혜를 풍요롭게 하며, 삶의 질을 개선하는 데 이바지함'을 목적으로 한다. 큰일 한 가지를 했는데 졸속의 험이 보인다. 그것도 실천의 노력은 안 보이고. 지금은 지도자교육이 아니라 보통시민의 인성을 높여주려는 것이다. 군자 대장부 인자로 구분지어 생각할 수는 없을 것이다.

대장부가 없다

무속인들 가운데는 최영(崔瑩)장군과 남이(南怡)장군을 모시는 사람들이 많다. 억울하게 패배한 대장부여서일까. 서민의 생각을 알 수 있는 한 단편이기도 하다. 그들은 패배했지만 금덩이 보기를 돌같이 하고, 세상을 평정하려는 큰 뜻을 가졌음에 대장부가 틀림없다고 본 것 같다. 천하의 바른 곳(正位)에 서서 천하의 대도(大道)를 실천하려고 했으니. 그들의 패배는 결과적으로 소인배에게 진 것인데, 천하를 상대하는 사람들은 궁정의 권력게임에는 서툴렀다. 간지에 능해서 교묘한 간계를 쓰는 천장부(賤丈夫)에 패배하기 쉽다. 그러나 패배자를 대장부라고 할 수 있을까. 승자를 졸장부라고 매도할 수 있을까.

우리 일상에서 얼마 전까지도 '대장부'는 남자의 이상이고, 자존심이었다. 그러나 지금은 그 역시 쓰이지 않는다. '대장부'라는 말 자체가 사어(死語)로 되고 있다. 원래 대장부란 단순히 용자(勇者)를 뜻하는 것은 아니다. 맹자의 대장부 조건은 물리적인 힘보다는 뜻이 중요한 것이다. 대도(大道)는 용력과 관계가 없다.

《실록》엔 〈대장부〉기사가 28건에 불과하다. 〈군자〉의 1천84건에 비해 현저히 적다. 대장부의 비중이 군자의 비중에 못 미친다는 뜻일까. 공자와 맹자의 차이? 일반적인 속설로는 군자 하면 도덕적 인품이 연상되고, 대장부 하면 무용(武勇)이 연상되는 차이가 있다. 일반적인 대장부의 개념으로는 '천하' '대도(大道)' '정위(正位)' 같은 큰 개념적 존재보다는 '호탕' '의연' '의기' '늠름한 기상' '절의' '충성스러운 격정' 같은 실존적 존재가 연상된다.*

◎ 맹자의 대장부
居天下之廣居(거천하지광거)/천하의 넓은 곳(仁)에 살며,
立天下之正位(입천하지정위)/천하의 가장 바른 곳에 서고,
行天下之大道(행천하지대도)/천하의 대도를 행하여.
得志與民由之(득지여민유지)/뜻(기회)을 얻으면 백성과 함께 하고,
不得志獨行其道(부득지독행기도)/뜻을 얻지 못하면 홀로 그 도를 행한다.
富貴不能淫(부귀불능음)/부귀해도 음란하지 않고
威武不能屈(위무불능굴)/위세나 무력에도 굴하지 않는다.

대장부는 대개 무인을 가리킨다. 선조(30년)는 임지로 나가는 장수에게 "그대는 남쪽에 가거든 힘써 적을 토벌하라. 대장부가 이런 시대에 태어나서 큰 공을 세워 위로는 나라에 보답하고 아래로는 후세에 이름을 남겨야 하니, 더욱 힘쓰라"고 격려했다. 그런데 그 전에 간신의 대명사 같은 한명회(韓明澮)는 탄식했단다. "대장부(大丈夫)가 당세(當世)에 재능을 인정받아서, 한 법을 세우고 한 폐단을 물리치면 족한 것이다." 그가 대장부를 언급했다니 의외다. 그런데 《실록》엔 그가 탄식했다고 했다. 이 말이 왜 탄식일까.

대장부 하면 역설적으로 사대주의(事大主義)가 떠오른다. 사대주의는 대장부의 반대편으로 보이기 때문이다. 사대(事大)논쟁은 오래됐다. 고조선, 고구려 모두 중국에 항전했으나 그 내부에서 의견이 갈라졌다. 순응파와 항전파. 힘이 달렸기 때문인데 모두 졌다. 고려도 내분으로 망했다. 조선에 와서는 아예 사대가 국시로 됐다. '작은 나라로 큰 나라를 거스름은 옳지 않다(以小逆大 不可)'. 이성계(李成桂)가 위화도회군의 반역을 하면서 내세운 첫 번째 이유다. 천자(天子)의 국경을 범하는 것은 '대의'가 아니라는 패배논리를 내세워 창부리를 거꾸로 돌려 자기 조정을 둘러 엎었다. 장마철이라 아교가 녹아 활을 못 쏜다는 구실을 내 걸었는데, 적병에 쏘지 못하는 화살을 자기 나라 동료병사에 쏘았다. 그때 그가 "적이 활을 쏘지 못한다. 용감한 고려 병사들이여. 창으로 적을 무찌르자" 하고 달려나갔으면 어떻게 됐을까.

고대 중국의 명신(名臣) 강태공(姜太公)은 80이 넘은 노구를 이끌고 은(殷)나라의 폭군 주(紂)를 치러 갈 때 폭우에 깃발이 부러지는 나쁜 징조에도 돌아서지 않았다. 오히려 "하늘이 우리 병사들의 칼에 묻은 피를 씻어주려 하신다"고 독려, 강행, 정벌에 성공했다.

이성계는 한 나라를 둘러 엎고 자기 나라를 세웠지만 결코 대장부라고 할 수는 없을 것이다. 그것은 맹자가 정당화한 역성(易姓)혁명의 명분에도 합치하지 않는다. 명나라 정벌을 명했던 우왕(禑王)과 최영장군은 폭군도 암군(暗君)도 아니고, 패륜 패덕을 자행한 것도 아니기 때문이다. 웅지(雄志)라면 웅지였다.

그런데 사대주의가 이성계로부터 시작된 것은 아니다. 고려 공민왕은 명나라 황제에 '작은 나라가 큰 나라를 섬기는 것은 나라를 지켜나가는 길이니 우리는 삼국을 통일한 이래 성실히 큰 나라를 섬겨 왔으며…. 자손만대에 이르도록 신하가 되겠다'는 표문을 올린 적이 있다. 조선 선비(宋時烈)들은 명나라가 망한 후에도 만동묘(萬東廟)란 사당을 지어놓고 명황(明皇) 제사를 지냈다. 상하 모두 사대주의가 골수에 박혀 있었음이다.

세계역사엔 작은 나라가 큰 나라를 도모한 예가 무수히 많다. 중국의 춘추전국시대도 그랬다. 우리가 사대로 일관함은 대장부 기질이 없기 때문일까. 그래 《실록》엔 대장부 기사가 거의 없는가. 그 사대주의는 조선 내내 지배사상이었고, 현대에도 이어져 맹위를 떨친다. 우리는 태생적인 소인배 졸장부의 나라인가.

우리 지도층에 대장부다운 걸출한 인물이 있었는가. 비운의 남이장군이 해당될까. 만주를 정벌한다는 큰 웅지를 품었음은 틀림없는데 모함에 걸려 억울하게 희생됐으니. 대장부가 없는 것이 아니라 대장부가 포부를 펴기 힘든, 대장부가 자랄 수 없는 풍토였던가? 간지(奸智)가 승리하는 척박한 풍토에서 대장부가 자랄 수는 없을 것이다. 역시 유교국가라고 할 수는 없을 것 같다. 대장부를 죽이는 나라가 유교국가는 아니다.

중국은 삼국지의 관운장을 미화, 대장부의 표상으로 만들어 추앙한다. 실재하기는 했으나 소설에서 과대포장, 군신(軍神)으로 만들어 사당(關帝廟)에 모시고 제사를 지낸다. 그들은 최고의 장군을 군신으로 만들어 모시는데 산동반도에는 우리의 장보고(張保皐) 동상을 거대하게 만들었는데 역시 군신의 반열에 올렸다. 《실록》에는 관제묘(關帝廟)에 대한 기사가 2건 나와 있다. 전국적으로는 지금도 20여 곳에 있다는 설도 있다. *

◎ 노자(老子)도 〈대장부(大丈夫)〉론을 폈다. 處其厚(처기후)…후덕한 것을 취하고, 不居其薄(부거기박)…경박한 것은 버리며, 처기실(處其實)…진실한 것을 취하고, 부거기화(不居其華)…화려하게 살지 않는다. 고거피취차(故去彼取此).

그러나 우리나라 무인 중에 그와 같은 대접을 받는 장군이 있는가. 여러 장군들이 있지만 신의 위치에 오른 사람은 없다. 대장부가 없는 나라, 대장부를 숭상하지 않는 나라라면 영광의 역사를 만들 수 없을 것이다. 무인의 나라가 아니라 문신(文臣)의 나라라서 대장부를 추앙하지 않는 것인가?

현재 학생들 사이에선 왕따현상이 심각하다. 약자를 괴롭혀 자살하게까지 만든다. 군경에선 살인으로까지 이어졌다. 옛날 '사내대장부'를 지향하던 시대에는 약자를 괴롭히지 않았다. 약자를 괴롭힘은 대장부의 수치였다. 《협객 김두한(金斗漢)》시대에도 그랬다. 그들은 당당하게 실력으로 겨루었다. 현재는 검경까지 동원하여 왕따문제를 해결하려 하지만 잘 되지 않는다. 대장부정신이 사라졌기 때문 같다. 젊은이들에게 '약자를 괴롭힘은 수치'라는 대장부 의식을 길러주면 어떨까. 수치심도 없어져서 효과가 없다? 진실로 대장부라면 중국 일본은 왜 강대국이 됐고, 우리는 약소국이 됐나 하는 물음을 한 번쯤 던져보아야 하는 것 아닌가.

호연지기(浩然之氣)는 사라지고

암매한 겁쟁이로 평가받는 선조가 전쟁 중에 말한 적이 있다. "우리나라 사람은 조그마한 연못에서 자란 고기와 같아 중국 사람과 같지 않으니 참으로 풍기(風氣)가 그렇게 만든 것이다. 우리나라에는 다만 김유신(金庾信)과 정몽주(鄭夢周)가 있을 따름이다."(1594.2.4) 그가 대장부를 기렸다? 어울리지 않는다. 중국에 대해서는 태생적인 왜소감을 가졌으면서 왜 김유신과 정몽주를 기렸을까. 자세한 설명이 없어 알 수 없으나 아마도 그들의 대장부기질? 호연지기? 의기(義氣)? 김유신은 젊어서 대장부를 목표로 홀로 산속에 들어가 호연지기를 기르는 수련을 쌓았다. 그는 어느 경지에 오른 후 칼로 바위를 잘랐다고 해서 그 산은 후에 단석산(斷石山)이라는 이름을 얻게 되었다.

대장부의 7가지 조건을 하나로 집약하면 천하의 도를 어떤 상황에서도 흔들림이 없이 꿋꿋하게 행하는 사람이다. 그렇게 되려면 호연지기(浩然之氣)를 길러야 한다. 그래서 대장부라면 호연지기(浩然之氣)를 떠올린다. 김유신이 홀로 수도한 것도 호연지기를 얻기 위함이었다.

호연지기는 남자들의 것이다. '남아 대장부'의 것이다. '여장부'라는 말도 있지만 보통은 남자의 호쾌한 기상을 뜻한다. 몇십 년 전만 해도 엄마가 넘어져 우는 사내아이를 달랠 때 '사내대장부가 그만한 일로…' 하는 말을 하곤 했다. 지금은 '사나이'? '싸나이'가 대신한다고 할까. 일본말에도 '사내대장부가 계집애처럼 우는 게 아니다'라는 말이 있다. 일본인들은 '대장부(다이죠부)'를 아예 '괜찮다', '걱정 없다'는 뜻으로 일반화해서 쓴다. 대장부 기상을 나타내는 것 같다. 보통 대장부 하면 무인과 연계된다. 용기 있고, 당당하고, 호쾌한 사나이. 맹자의 대장부는 외양이 아니라 정신적인 자세다.

물론 〈대장부〉가 완전 사어(死語)는 아니다. 사전엔 ①도의에 근거를 두고 굽히지 않고 흔들리지 않는 바르고 큰마음, ②하늘과 땅 사이에 가득 찬 넓고 큰 정기(精氣), ③공명정대하여 조금도 부끄러움이 없는 용기, ④잡다한 일에서 벗어난 자유로운 마음이라고 규정한다.

맹자는 단순한 이론가가 아니라 그 자신 호연지기를 잘 기른다고 했다. 대장부의 도를 닦은 것이다. 호연지기는 '의(義)와 도(道)가 짝하는 기(氣)'라고 했다. 의기와 천도 같은 것이다. 그가 부연해서 설명한 바로는 조장(助長)을 하지 않는다는 것. 송나라의 성질 급한 사람이 벼를 빨리 자라게 하려고 벼의 싹을 뽑아서 죽게 했다는 예를 들면서 그런 조급성을 경계한 것이다.

조선에선 명종(明宗, 1545~1567) 때 문관에서 호연지기를 도표로 만들어 각 설을 정리했다(1548.4.10). 호연지기의 보급을 위해서 노력했음을 알 수 있다. 그 때 호연지기에 대한 관심이 비교적 크고, 논의가 활발했던 것 같다. 《실록》에 모두 19건의 기사가 나오는데 그중 6건이 그때다.

명종 1년 조강에서 영경연사(領經筵事) 이기가 말했다. "사기(士氣)란 격물치지(格物致知)와 성의정심(誠意正心)에 의한 호연지기로 여하한 위무(威武)로도 굽힐 수 없는 것이다. 시비를 고려하지 않고 고담준론만 숭상한다면 객기에 불과하다."(1546.8.11) 그는 호연지기에 관심이 많았던 것으로 보인다. 그는 야대에 나가 검토관 박민헌에게 "호연지기에 대하여 대략의 뜻은 들었으나 더 자세한 뜻을 듣고 싶다"고 물었다. 박민헌이 아뢰었다.

"호연지기는 문자상으로는 알기가 어렵습니다. 요컨대 마음의 공부를 하여야만 그 묘리(妙理)를 알 수 있습니다. 만일 이 경지에 이르지 못하면 성현의 말도 이해하지 못하는 것이니…. 대략의 뜻으로 보면, 그 기운이 지극히 크고 강하여 곧음(直)으로 기르면 성현이 되고, 그렇지 않으면 그 기가 비게 되는 것입니다. 참으로 그 기운을 잘 길러서 자기 몸에 반성하여 항상 곧고 부끄러운 점이 없으면 호연의 본체가 생기는 것입니다. 그 공부는 격물·치지·성의·정심의 공력에서 벗어나지 않아서, 없는 데로부터 생기는 것이 아닙니다."(1548.3.22)

그에 앞서 세종 때는 성균관 생원 김일자(金日玆) 등이 고려의 이제현(李齊賢)·이색(李穡)·권근(權近)은 호연지기가 있는 인물로 문묘에 배향하기를 청했다(1436.5.12). 이때 호연지기는 무인의 것이 아니라 문인의 것이다.

지금은 대장부나 호연지기라는 말 자체가 안 쓰인다. '유교국가'란 참 왜소해 보인다.

허례(虛禮)의 나라

혼이 없는 관혼상제

유교는 예악(禮樂), 예의와 음악을 통치술의 두 기둥으로 본다. 예의
는 사람 사이의 질서를 다스리고, 음악은 백성의 마음을 다스린다.
우리나라는 오래전부터 중국으로부터 〈동방예의지국(東方禮儀之國)〉이
라는 평을 들어 자부심을 가지고 살았다. 그 말 속의 〈예의〉를 〈禮義
〉와 〈禮儀〉 두 가지로 쓰는데 전자는 넓은 의미로 〈예절과 의리의 나
라〉, 후자는 좁은 의미로 〈형식적 예식을 잘 지키는 나라〉라는 의미
같다. *

◎ 〈동방예의지국〉은 東方禮義之國, 東方禮儀之國 두 가지인데 국사편찬위원회 편 《朝鮮王朝
實錄》엔 禮義 3건이 나오고 禮儀는 안 나온다. 한국고전번역원의 《실록》엔 둘 다 안 나오고, 고
전번역서엔 禮儀가 1건, 禮義가 4건 나온다. 《한글》에선 東方禮儀之國으로 나온다. 의도적인지
오기(誤記)인지 알 수 없다.

태조는 즉위교서에서 "관혼상제는 나라의 큰 법이니, 예조에 부탁하여 경전을 세밀히 구명하고 고금을 참작하여 일정한 법령으로 정하여 인륜을 후하게 하고 풍속을 바로잡을 것"을 다짐했다. 관혼상제의 4예법은 예에서 가장 큰 비중을 차지하는 문제로 국가의 대사가 됐다. '인도(人道)로서 큰일은 관혼상제만한 것이 없게' 된 것이다. 중종은 말했다. "사대부의 상제(喪制)는 입지 않아야 할 복(服)을 입는 것도 잘못이요, 마땅히 입어야 할 복을 입지 않는 것 역시 잘못이니, 예관(禮官)이 금지시키는 것은 잘못이 아니겠는가? 이런 일은 법사(法司)가 마땅히 규찰해야 한다."(1527.12.11) 예를 정부에서 관장한다. 그것도 아주 큰 비중으로.

그러나 궁정에서 관혼상제를 논하는 일은 많지 않았다. 《실록》의 기사는 20건에 불과하다. 대신 하나하나의 예를 아주 세밀하게 논했다. 예의 총론엔 소홀하고 세밀한 절차에 집중한 것이다. 장례의 경우 상복은 5가지(五服)* 인데 《실록》에선 그 하나하나의 문제를 논하는 것이다. 절차상 〈성복(成服)〉** 5백74건, 〈오복〉을 총체적으로는 1백53건. 그런데 오복 중 〈참최(斬衰)〉는 2백14건, 〈자최(齊衰)〉 1백81건, 〈대공(大功)〉 2백75건, 〈소공(小功)〉 2백18건, 〈시마(緦麻)〉 2백97건이다. 모두 합하면 1천1백81건에 달한다. 상복 입는 문제 하나가 그렇다. 유교의 핵심문제인 인서(仁恕), 인의, 극기복례, 왕도 문제보다 비중 있게 다뤄진 것이다.

◎ 오복(五服)제도. 《사례편람》의 본종도(本宗圖)엔 자기를 중심으로 위로는 아버지·할아버지·고조부까지 4대를 올라가고, 아래로는 아들·손자·증손자·현손자까지 4대를 내려가는 수직관계를 이룬다. 수평관계로는 형제자매·종형제자매(從兄弟姉妹)·재종형제자매(再從兄弟姉妹)·삼종형제자매(三從兄弟姉妹)까지 가므로 자기로부터 상하좌우로 퍼져나가면서, 자기에게 가까

울수록 상복을 무겁게 입고, 입는 기간도 길어지게 되며, 자기로부터 멀수록 가벼운 상복을 입게 되고, 기간도 짧게 된다. 오복인 참최·자최·대공·소공·시마 중에서 대공 이상은 친(親), 소공과 시마는 소(疎)가 된다. 친소에 따라서 오복을 입는 기간과 상복의 재료가 다르다.

◎ ◎ 성복(成服). 상복을 입는 것. 초종(初終)·습(襲)·소렴(小殮)·대렴(大殮)이 끝난 다음 날 성복한다. 성복은 유복자(有服者)들이 각기 해당되는 상복을 입는 것으로서, 망자와의 친소원근(親疎遠近)과 존비(尊卑)의 신분에 따라서 자최(齊衰)·대공(大功)·소공(小功)·시마(緦麻) 등 다섯 가지의 상복(五服)을 입는 것이다.

시간이 가면서 그 부작용이 나타나기 시작한다. 공자는 예의 형식보다는 정신을 중요시했다. 부모에 대한 제사도 공경하는 마음이 없으면 지내지 말라고 했다. 그러나 조선은 정신보다 형식에 치우쳐 많은 부작용을 낳게 된 것이다. 체면을 중시하는 사고방식에 과시욕이 더해져 빚어지는 사회현상이다. 병폐였다.

순조 때 대사헌 이면승은 상소했다. "사대부들은 염치가 없어졌고, 소민(小民)들은 간사한 데만 다다르고 있는데, 굳이 그 원인을 찾아본다면 번잡한 형식과 사치하는 풍속이 이렇게 만들었다고 하겠습니다. 크게는 관혼상제의 도구와 작게는 의복 음식의 수요에 있어서도 다투어가며 서로 사치스럽게 하여 본분에 넘치지 않음을 두려워하고, 보고 듣는 사람이 용동(聳動)되지 않음을 두려워합니다."(1827.3.16)

그 부작용이 극에 달한 것이 예송(禮訟). 효종의 상복을 입는 문제로 1659년부터 15년간 기해예송(己亥禮訟) 갑인예송을 거치며 경인환국(庚寅換局)으로 이어져 영의정을 지낸 사람의 목숨까지 앗아가는 참사를 빚었다. 경상도 유생들이 천여 명이나 몰려 집단상소를 하기도 했다. 그러나 이는 궁정과 사대부들의 일로 서민과는 동떨어진 것이었다.

백성의 관혼상제 역시 병폐가 깊어져 갔는데 바람은 엉뚱한 곳에서 불어왔다. 헌종은 1839년 척사윤음(斥邪綸音)을 내렸다. "아름다운 국운이 영원히 보전되고 유현(儒賢)이 배출되어 경대부로부터 백성에 이르기까지 집집마다 수사(洙泗)의 행실을 좇아 행하고, 낙민(洛閩)의 글을 외면서 남자는 충효를 근본으로 삼고 여자는 정렬을 소중하게 여겼으니, 관혼상제에는 반드시 예를 준수하였고, 사농공상은 각각 그 업을 이루어 지금까지 서로 바르게 살아왔고, 나라에서도 의지하여 왔다. 정종대왕께서는 빼어난 성덕으로 백왕의 대통을 이어 성명(聲明)과 문물을 찬연히 구비하게 되었는데, 불행하게도 흉적 이승훈(李承薰)이 서양의 책을 사 와서 천주학(天主學)이라고 일컫고, 선왕의 법언(法言)이 아닌데도 몰래 서로 속여 유인하자, 성인의 정도가 아닌데도 탐혹(耽惑)되어 금수의 지역으로 빠져들게 되었다."(1839. 10. 18)

예의의 형식, 외피(外皮)가 아니라 본질은 무엇이고, 그 본질을 살리기 위해 어떤 노력을 했는가. 예 전반이 아니고 한 가닥, 표면상 제일 중요하게 생각하는 관혼상제만 해도 그 기본 정신이 무엇인가. 제사는 고인이 살아 계신 것처럼 대하라는 것이다. 공자는 부모제사도 형식에만 매달릴 것이 아니라 공경하는 마음이 있어야 한다고 했다. 성인식의 관례(冠禮), 결혼식의 혼례(婚禮), 장례식의 상례(喪禮), 제사의 제례(祭禮) 모두 음식 하나, 예복, 행위 하나도 모두 의미가 있다. 그러면 그 기본정신은 무엇인가. 그것을 기리기 위한 노력은 잘 보이지 않는다. 형식은 성하고 정신은 애매한 것이다.

예가 허례로 기울자 백성들은 관혼상제를 위해 집을 팔고, 논밭을 팔게 되었다. 나라가 피폐하게 됐다. 결국은 국력이 쇠잔하게 되는데 일조를 한 것이다.

공례(公禮)보다 사례(私禮)를 중시?

예의(禮義)는 형식화하면서 예의(禮儀)로 되고, 법적 성질을 갖게 되어 예법(禮法)으로 됐다. 조선에선 예가 법이었다. 지켜도 되고 안 지켜도 되는 것이 아니다. 의무적으로 지켜야 했다. 그래 도의국가였다. 예가 강제성을 띠는 것이다. 옛날의 예법은 노소 남녀 상하 군신 등 인간관계를 규정함이다. 도의사회에서 예의 위상이 그러했다. 그러나 현대에 와서는 예법이라고까지는 않는다. 상식적으로 그렇게 말은 하지만 지켜야 할 의무는 아니다. 어디까지나 자발적인 것으로 강제성을 띠지 않는다. 예는 인간관계에서 동락(同樂)을 목적으로 한다. 그러려면 경이원지(敬而遠之)해야 한다. 예의 기본정신은 공경이다.

예의(禮儀)는 크게 둘로 나뉜다. 하나는 가례(家禮) 혹은 사례(私禮)로 사례(四禮). 《실록》의 기사 수는 관례(冠禮) 3백9건, 혼례(婚禮) 1백43건, 상례(喪禮) 5백55건, 제례(祭禮) 2백41건이다. 또 하나는 공례(公禮)로 오례(五禮). 기사건수는 길례(吉禮) 2백68건, 흉례(凶禮) 63건, 군례(軍禮) 45건, 빈례(賓禮) 44건, 가례(嘉禮) 5백13건이다. 가례(家禮)가 4백35건으로 공례(公禮 13건)˙보다 30배 이상 많다. 4예(四禮) 합계도 1천2백48건, 5예(五禮)˙˙ 합계 9백23건보다 많다. 사적(私的) 예를 공적 예보다 더 많이 논의했음은 그에 대한 관심이 컸음이다. 특히 4례는 4종이고, 공례는 5

종이다. 군례나 외교에 관한 빈례(賓禮)가 현저히 적음은 국가 기능에 의문을 갖게 한다. 군례는 출정 시 등에 지내는 것인데 10여 년에 한번 꼴이니, 군례를 지내야 할 계기가 없어서였는지, 생략한 것인지, 기록을 안 한 것인지는 알 수 없다. 반면 사례(私禮)에서는 상례(喪禮), 즉 장례에 관한 것이 가장 많다. 국가에서 할 일이 이런 것인가. 도의국가를 표방하면서 한 일이 그런 것이었다.

◎ 공례(公禮). 사전에는 나오지 않는 말이다. 《실록》에는 나온다. 공적인 예(禮)라는 의미다.

◎ ◎ 5예(五禮). 나라에서 제사지내는 5가지 의례(儀禮). 모든 대사[大祀 : 종묘(宗廟)·영녕전(永寧殿)·원구단(園丘壇)·사직단(社稷壇)의 제사(祭祀)141]·중사[中祀 : 풍운뇌우(風雲雷雨)와 악해독(嶽海瀆), 선농(先農)·선잠(先蠶)·우사(雩祀)와 문선왕(文宣王 : 공자)·조선단군(朝鮮檀君)·기자(箕子)·고려 시조(始祖)의 제사)115]. 소사[小祀 : 명산대천에 봄·가을 중간달에 지내는 제사) 103] 등의 제사에 관한 길례(吉禮), 본국 및 이웃 나라의 국상(國喪)이나 국장(國葬)에 관한 흉례(凶禮), 출정(出征) 및 반사(班師)에 관한 군례(軍禮), 국빈(國賓)의 영송(迎送)에 관한 빈례(賓禮), 책봉(冊封)·국혼(國婚)·사연(賜宴)·노부(鹵簿) 등에 관한 가례(嘉禮).

공적 예는 국가질서를 확립하기 위한 것이고, 사적 예는 가정의 안정과 평안을 위한 것인데 사실은 둘 다 깨진 것 같다. 예의가 깨진 나라가 된 것이다. 예의가 없는 나라. 예가 기능을 하지 못하는 나라는 문명이 깨진 나라다. 예의는 문명의 수준을 재는 잣대다. 한국은 선진국 문턱에 다다랐다가 미끄럼을 탄다. 어디까지 미끄러질 것인가.

조선은 공동체 의식이 희박했다. 국가의식이 없었던 것이다. 충(忠)은 나라에 보다 임금에게였다. 그게 유교 때문인지, 우리의 기질 탓인지는 판단하기 어렵다. 조선은 전통적으로 운명공동체라는 의식이 자라지 못한 나라 같다. 공례보다 사례가 강한 것도 그 때문 같다. 같은 예라도 사례와 공례는 다른 모양으로 나타난다. 충(忠)이 공동체가 강한 곳에 가면 국가에 충성이 되지만, 개인이 강한 곳에선 친친(親親)이 된다. 국가엔 충(忠)이 되고, 가정에선 효(孝)가 된다. 공통적인 것은 성(誠)이다. 성이 국가를 향하면 충이 되고, 부모를 향하면 효가 된다.

왜 우리는 공동체 의식이 약할까. 우리는 붙박이 민족이다. 유목민이 아니다. 사계가 주기적으로 반복되는 환경 속에서 산다. 반복되는 환경은 중요치 않다. 중요한 것은 개인 간의 질서를 규정하는 예다. 환경, 자연에는 순응하면 되지만 인간관계는 다르다. 인간관계는 질서가 서야 평화로워진다. 개인 간의 관계를 그 개인의 위상을 세밀하게 등위를 매겨 정립한다. 용어, 인사하기, 길가는 순서, 식사 등에 세밀한 차등적 규칙을 정해 놓았다.

자연이건 인간이건 대타(對他) 관계가 계속 변하게 되면 사실 파악, 인식의 문제가 중요해지지만, 그게 고정적이라면 그 관계 정립을 생각하게 된다. 몰두하다 보면 관념 속에서 살게 된다. 실물보다 관념이 중요해진다. 실물도 내가 직접 파악해서 획득이나 극복을 하려면 도전, 개척, 정복, 모험을 하게 되지만, 내부관계 속에서 획득하려 하면 약탈을 하려 한다. 자기는 만들려 하지 않고 타인이 만든 것을 빼앗으려한다. 사냥꾼이 호랑이를 직접 잡으려 하지 않고, 호랑이를 잡은 다른 사냥꾼을 죽이고 그 호랑이를 차지하려 한다. 어려서 들은 이야기다. 이때 다른 것에 대한 태도가 문제다. 호감을 가질 수도 있고, 거부감을 가질 수도 있고, 심하면 적의(敵意)를 갖기도 한다. 그에 따라 우호냐 배척이냐가 결정된다. 그것은 상대가 강자냐 약자냐에 크게 좌우되는데 우리는 사대가 대세지만 반대로 도전해서 극복하려는 사람들도 있다. 대장부기질의 사람들이다. 우리는 어느 편이 많은가.

그들은 공통의 적이 있으면 뭉치게 된다. 그러나 공통의 적이 없으면 뭉치지 않는다. 공동체의 끈이 느슨해진다. 공동체가 느슨해지면 법도, 예도 적극 지키려 하지 않는다. 내가 살고 죽는 것은 공동체의 단결보다 나의 개인적 선택이 더 결정적 요인이 될 수 있다. 공동체는 공동운명일 때 가장 응집력이 강해진다. 국가위기 때 의병이 많이 일어나는 현상이 그것이다.

우리나라는 사방을 강대국들이 둘러싸고 있다. 그들과는 승산이 없다. 이기려 하기보다는 순응하는 것이 생존에 도움이 된다. 작은 나라가 큰 나라를 이긴 예도 있지만 우리는 그런 웅지나 결기가 없다. 작은 자는 큰 자를 섬기는 것이 순리라고 체념한다. 체질적 사대(事大)다. 공동체는 약화된다. 공동체의 질서를 위한 공례(公禮)도 약화된다.

이익 위주의 예

폐백(幣帛)은 예물(禮物)이었다. 《실록》에 1백46건이 나온다. 지금 폐백은 주로 결혼예물을 뜻하는데, 옛날엔 나라 사이에서 사신이 바치는 예물도 폐백이었다. '폐백과 마필을 예물로' 바치는 것이다. 세종 때도 "우리 임금 충성 다 하시매, 마음은 해바라기 같도다. 폐백을 받들어 먼 길에 부지런히 조공하여 공손히 모시매, 상하가 신의로 사귀고, 중외(中外)가 함께 평안하도다" 하는 노래가 있었다. 세종 때는 폐백을 규격화했다. '무릇 폐백의 제도는 모두 길이는 1장(丈)8척(尺)인데, [자(尺)는 조례기척(造禮器尺)을 사용] 모두 저포(苧布)를 사용한다. 사직에는 흑색을 사용하고, 종묘에는 백색을 사용하고, 선농(先農)에는 청색을 사용하고, 선잠(先蠶)에는 흑색을 사용하고, 외방의 악·해·독·산천에 각기 방위의 빛깔에 따라 사용하고, (동해에는 청색을 사용하고, 지리산과 남해에는 적색을 사용하고, 삼각산에는 황색을 사용하고, 송악산과 서해에는 백색을 사용하고, 비백산(鼻白山)에는 흑색을 사용한다) 독(瀆)에는 모두 흑색을 사용하며, 그 밖의 신에게 드리는 폐백은 모두 백색으로 한다.'

왕이 백성에게 선물을 내릴 때도 '폐백을 하사했다'고 한다. 상대에 따라 '폐백을 올린다', '폐백을 받들어 바친다', '폐백을 보낸다'고 한다. 선비를 초빙할 때도 폐백을 썼다. '신을 섬기는 데 사용한 폐백 가운데 나라에서 세금으로 거두던 포목. 처음에는 무당이나 판수(盲人)에게서 거두었으나, 나중에는 일반 민호(民戶)에서 1년에 1포씩 거두어, 수령·감사·국가가 3분하여 그 비용으로 썼다.'

근래의 전별금도 폐백에서 유래한 것이 아닐까. 《실록》의 〈전별〉기사는 1백56건인데 주로 〈전별연〉에 관한 것이었다. 전별 때는 전별연(餞別宴)을 열어주었다. 말하자면 이별연 같은 것인데 너무 성했는가, 제한이 가해지기도 했다. 전별에 돈을 거두어주는 습속이 언제부터 생겼는가 하는 기록은 없다. 해방 후도 상당 기간 선생님이 다른 학교로 전근을 갈 때 학생들은 전별금을 모아드렸는데 그것은 가난한 선생님이 집을 얻는데 유용하게 쓰였다. 지금 그것은 뇌물로 인정돼서 금하지만 옛날엔 아름다운 인정이고 예였다.

한편, 폐백에 대한 경계도 나온다. 영조는 동궁이 15살로 정사에 첫 참여하는 날, 유신들로 하여금 좌우명으로 삼을 5개 항을 설명케 했는데 그 넷째는 완호(玩好, 진귀한 노리갯감. 좋은 장난감)를 물리치라는 것이었다. "완호를 물리치시기 바랍니다. 완호란 진기한 보물, 성악(聲樂), 화초, 새와 짐승이니 무릇 귀와 눈을 즐겁게 할 수 있는 것들입니다. 한번 애호하는 마음이 있게 되면 장차 즐겨 갖고 싶은 욕망은 커지고 뜻과 생각은 황폐하게 되어 그 폐해는 단지 공부를 방해하고 정치를 해치는데 그칠 뿐만이 아닙니다. 하(夏)나라 걸왕(桀王)의 주지육림(酒池肉林)과 상(商)나라 주왕(紂王)의 경궁요대(瓊宮瑤臺)가 모두 이것으로 말미암아 나온 것이니, 두려워하지 않을 수 있겠습니까?"(영조 25년, 1749.1.27)

지금은 부정부패가 큰 문제다. 정권마다 막으려고 하지만 제대로 되지 않는다. 그게 경제사정이 나아지고, 공무원들의 급여가 나아지면서 개선되는 듯하지만 근절되지 않는다. 결국은 가치관에 관한 문제다. 도덕의식이 개선되지 않는 한 크게 개선되지는 않을 것이다. 부정부패는 풍요나 빈곤과 관계가 적다. 기적적 산업화는 사회의 가치관을 물질 중심으로 만들었다. 이익은 다다익선이다. 황금만능, 물신주의사회에 빠지면 예의 잣대도 물량 중심으로 바뀐다. 이익사회의 자연스러운 현상이다. 우리의 청렴도는 세계수준에서 대단히 낮은 것으로 평가된다.

폐백은 지금도 가정에서 결혼예물로 행해지고 있다. 오히려 폐백상

품은 다양하게 개발되고 있다. 하나의 사업으로 발전한 것이다. '폐백'
이 없어지지는 않을 것이다.

질서감이 없는 예(禮)

예(禮)는 두 측면이 있다. 하나는 서로 지키면 서로 편하게 되는 사회적
약속이다. 또 하나는 고품격의 언행으로 인격과 품위를 지켜서 사회의
품격을 높이는 것이다. 예는 모든 인간관계의 언행을 규제한다. 도덕
이 힘이 있어야 가능하다.

   그런데 유교의 경전 가운데는 '군자는…' 하고 시작해서 모든 인간에
게 공통적인 것이 아니라 군자의 도로 한정된 것이 많다. 공자뿐 아니
라 그의 제자들도 그랬다. 사회 전체의 예가 아니라 군자의 예고, 우리
에게 와서는 양반의 예로 치환됐다. 그래 공동체 전체의 동질성이나
운명공동체의식이 자라지 못했을 것이다. 양반사회도 당상관(堂上官)과
당하관(堂下官)으로 나뉘었다. 사회 전체로는 사농공상(士農工商). 사람들
은 나뉘고 갈라졌다. 층화(層化)가 생겼다. 그들은 각기 지켜야 할 룰이
달랐다. 자연 언행, 행동거지도 달라지게 됐다. 그 예절은 《양반전》에
서 보듯 엄격하고 치밀해서 상민이 '양반 못해 먹겠다'고 할 정도였다.
양반은, 권한은 크지만 행동거지는 부자유한 것이다. 지켜야 할 규범
도 많고, 의무도 많은 것이다. 반면 상민은 권한은 없고 양반과의 관계
에선 규제가 많지만 저희들끼리의 행동거지는 자유분방하게 산다. 그
들에게 양반이 지켜야 할 예(수칙)는 부자유를 의미할 것이다. 《양반전》
의 그 서민은 양반의 지위 권한보다 자유가 더 중요해서 양반을 포기

하고 말았다.

서양도 마찬가지여서 신사의 수칙은 그들만의 규칙이었다. 신분을 격상시키는 예절이고, 신분을 지키기 위한 자기규제의 격식이었다. 동양이든 서양이든 밥 먹는 예절부터 옷 입는 예절, 인사하는 예절에 이르기까지 촘촘하다. 《실록》에 나오는 사대부나 양반 관련 기사는 세세한 행동거지에 관한 것이 많다. 자율이 안 되어 권력으로 강제하는 것이다. 마치 학생에 대한 규제 같은 것이다.

우리의 양반과 서양의 신사가 다른 점은, 양반은 누리는 권한이 권력화됐는데 비해 신사는 지도자의 품격으로 사회적 봉사정신을 갖게 된 것이 아닐까. 그래 노블레스 오브리제가 나올 수 있었던 것. 유교에서도 원래 군자는 지도자의 덕목이다. 수신(修身)제가(齊家)치국(治國)평천하(平天下)에 필요한 덕목이다. 그것을 익혀야 지도자가 됐다.

그러나 조선의 양반은 타락한 지도자가 됐다. 권한은 극대화하면서 지도자로서의 책임과 의무는 내던진 것이다. 그러니까 품위는 막되고, 절제는 버리고, 탐욕만 극대화한 것이다. 자세만 거들먹거리게 됐다. 처신은 천박해져 품위를 잃었다. 양반의 모습에서 군자의 모습은 사라진 것이다. 그들은 더욱 부끄러움과 두려움을 버렸다. 수치심과 공구심(恐懼心)이 있어야 자제력이 생기는데 그것을 버리니까 막 나가고, 막 나가니까 천박해진다. 그 결과 그들은 사랑과 존경을 잃었다. 대신 빈축과 경멸, 배척의 대상이 됐다.

그 기류가 지금 정치권으로 흘러간 것일까. 지도층 일반이 그렇다. 지도자의 품격은 갖추지 못했는데 권한만 비대해지니까 행동이 천박해지고, 부정을 저지르고, 부패한다. 양반의 특권의식은 그대로 이어받고, 언행은 품격을 배우지 못한 것이다. 오만방자 안하무인이 된 것이다. 특히 지금의 지도층은 교육에 의해서가 아니라 자기선전과 대중의 선택에 의해서 얻는다. 그들의 행태가 쉽게 고쳐지지 않는다. 신종양반, 양반의식을 대물림한, 혹은 타고난 상류층, 권력층이 많이 생기는데 예의식과 예절은 보이지 않는다. 자율도 안 되고, 타율의 장치는 없기 때문이다.

한편 영조는 동궁에게 수신제가치국평천하(修身齊家治國平天下)의 학문을 강조했다. 유신들을 통해서다. "학문에 힘쓰시기 바랍니다. 학문이란 요·순·문왕·무왕의 사업을 배우는 것이니 독서궁리(讀書窮理)는 수신제가치국평천하의 근본이 되는 것입니다. 독서하지 않고 어떻게 만물의 이치를 궁구하여 온갖 일에 대응할 수 있겠습니까."(1749.1.27)

그러나 자기중심적인 사람들은 질서를 지키지 않는다. 모든 문제는 남을 헤아리느냐로 귀일한다. 공자는 특히 남을 배려하도록 가르쳤는데, 우리 유교도들은 왜 남을 헤아리지 못할까.

자유풍(風)에 날아간 예(禮)

민주화시대, 예(禮)는 질풍과 노도 같은 자유의 물결에 설 자리를 잃었다. 예는 하지 말 것과 꼭 해야 할 것을 요구한다. 내 마음대로가 아니다. 자유는 모순되는 양면성을 띤다. 내향적인 자유와 외향적인 자유, 추구와 포기(해탈), 얻음과 버림…. 자유의 출발점은 욕망이다. 욕망을 마음껏 추구하는 사람도 있고, 버리는 사람도 있다. 욕망의 최대한 추구를 자유로 느끼는 사람도 있고, 욕망은 헛된 것이라고 버림을 자유라고 하는 사람도 있다. 대개는 추구하는 편이다. 정치인, 기업인, 마찬가지다. 자유를 '영원한 활화산'이라고 노래한 시인도 그편이다. 우리 주변에 그런 사람들이 많다. '자유화', '민주화'를 노래하는 사람들이다. 그 자유는 멈출 줄을 모른다. 타인의 자유를 볼 줄도 모른다. 코뿔소 같이 자기 방향으로만 대달으며 자유의 극대화를 노린다. 그들의 자유는 끝 간 데가 없다.

그 자유가 '내 마음대로', '내 멋대로'로 흘러가면서 예는 설 자리가 없게 된다. 근대사의 축복인 산업화와 민주화를 하면서 그런 경향은 더욱 뚜렷해졌다. 지금은 예를 말하면 사회에 뒤진 사람으로 취급받기 십상이다. 사회가 예의를 잃었다고 개탄하는 소리도 높지만 자유의 바람에 날아가고 만다. 우리는 자유와 예의 모순 괴리 속에서 산다.

예(禮), 예의, 예절의 본질은 무엇인가. 맹자의 사단(四端)에 비춰보면 예는 기본이 사양(辭讓)하는 마음이다. 예는 사양 양보하는 마음에서 나온다는 것이다. 상대와의 관계 설정에서 일정 부문 양보하라. 그게 예의 정신이다. 자기 욕망을 추구하는 자유와는 대착점에 있다. 조선은 그 예를 담당하는 전담부처(禮曹)가 있었다. 예조는 예악(禮樂)·제사(祭祀)·연향(宴享)·조빙(朝聘)·학교(學校)·과거(科擧)의 일을 담당했는데, 예도감(禮度監)이라는 별도의 기관까지 두고 큰 행사가 있을 때 예의(禮義)와 법도(法度)를 맡아보게 했다. 《실록》의 〈예의〉기사가 5백64건인데 주로 행사와 사건에 관한 것이다. 〈예의의 나라〉라는 기사도 4백56건이나 된다. 우리를 '예의(禮義)의 나라'라고 호칭하는 것은 "존비(尊卑)의 등급과 귀천(貴賤)의 분수가 하늘이 세우고 땅이 설치함과 같아서, 질서 정연하여 범(犯)할 수 없기 때문"이라고 한다.

문제는 사람들이 얼마나 예의 정신 곧 사양지심(辭讓之心)을 갖느냐인데 찾아보기 어렵다. 백성들에게 사양하는 마음, 양보하는 마음이 얼마나 스며들게 했을까. 성경에선 황금률이 그런 양보 사양 상대존중의 마음을 갖도록 직설적으로 가르치는데 우리는 규칙과 예절을 통해서다. 어떤 방법이 더 효과적일까. 예절에 매달리다 보면 자칫 그 본질을 잊게 되지는 않을까.

공자가 극기복례(克己復禮)라고 했음은 자기를 극복해야 예로 돌아갈 수 있다는 함의인데. 자기극복이란 원초적 자연 상태의 '나'에서 벗어나서 성현이 설정해 놓은 '인간다운 인간'의 규범을 따르는 것이다. 수기(修己)·수신(修身)·수양(修養)은 그 규범을 익히고 닦는 것이다. 그러려면 참는 것(忍), 다른 사람과 사이좋게 지내는 것(和)도 필요하다. 체면도 세우고, 눈치도 보며, 작은 것에 만족해서 멎을 줄을 알아야 하고(知足知止), 겸손, 배려, 존중, 봉사…. 해야 할 일이 참 많다.

'자유'의 전사들은 그 예를 속박 멍에로 알아서 그에서 벗어나려 한다. 사람들은 자유를 추구하지 예를 지키려는 사람은 소수다. '체면이 밥 먹여주나' 하는 세태다.

제일 아쉬운 점은 예의 화(和)기능마저 깨지는 것이다. 사회적 화는 인간관계를 원만히 하는 유대고 질서다. 지키면 서로가 편리하고 이익이 된다. 화를 잃게 되니까 사회는 싸움터로 변한다. 심하면 만인의 만인에 대한 싸움, 정글의 사회가 된다. 지금 그 지경에 이른 것 아닐까.

그런데 과거의 예는 지금 현실에는 안 맞는 것이 많아졌다. 그 규범이나 수칙을 그대로 답습할 수 없다. 예는 상황에 맞도록 고쳐야 한다. 옛날에도 "예는 상황에 따르도록 한다(禮從宜)"는 말이 있다. 우리의 풍속은 본래부터 중국과는 다른 데다. 또 예의 교본인 《가례(家禮)》가 지어진 지도 5백 년이나 흘렀으니 그대로 지킬 수는 없다. 예는 관혼상제의 격식에 집중돼 있어서 예의 기본정신을 얼마나 체득했는가는 의문이다. 과거엔 그 세세한 규칙을 가지고 피 터지는 싸움(禮訟)까지 했다. 사실은 예를 빙자한 정쟁이었지 예쟁(禮爭)은 아니었다.

옛날에도 예는 지키기 어려웠다. 성종 4년 대사헌 서거정(徐居正)이 상소했다. "지금 유생들 중에는 재주를 믿고 세력을 믿어 교묘한 말과 아첨하는 얼굴을 하고 복식을 남과 달리 한 자가 있어 방종하고 방자하여 자질구레한 예절을 삼가지 않으려는 자가 있고, 마음속에 절조를 행하려 함이 없어 예교(禮敎)에 순응하지 않으려는 자가 있습니다."(1473.8.4)

예가 상호적인 규칙인데 비해 덕(德)은 선(善)을 베푸는 것이다. 대개는 상위자(우월자)가 하위자(열위자)에게 베푸는 것이지만 보통사람들 중에도 베푸는 사람들이 많다. '선(덕)을 쌓는 집에는 기쁜 일이 있다' '선을 행하면 하늘이 복을 주고, 선하지 않은 짓을 하면 화를 준다(爲善者天報之以福 爲不善者天報之以禍)'는 것이 국민교육으로 돼 있었다. 어린이에 그렇게 가르쳐 왔다. 정치도 덕으로 하는 정치(德治)를 최고로 쳤다. 지금은 인치(人治)를 지양하고 법치(法治)를 하자 하지 덕치를 하자는 말은 쏙 들어갔다. 덕치는 인치인데 실제는 패덕(悖德)의 통치가 많았다.

그 덕도 예와 마찬가지로 점점 밀려난다. 자유의 폭풍에 예와 덕은 날아가고 말았다. 특히 자유가 자기중심주의와 짝하니 광풍이 된다. 그래 자유가 완승을 하면? 지금 대형 화재 등 각종 사고가 빈발함이 예사롭게 보이지 않는다. 자유가 자기중심을 만나 '세상을 내 마음대로'로 안일에 빠지고 조직의 관리마저 걷어차다 보니 빚어지는 현상이 아닐까. 자유와 예의 균형, 조화는 불가능한 것인가. 자유와 예와 덕이 함께 가는 그 길을 찾을 수 없을까.

오륜(五倫)도 그렇다. 몇백 년, 길게는 천여 년 넘게 지켜온 법도라면 골수에 박혀야 마땅하다. 그러나 지금은 어떤가. 효(孝)의 나라, 장유유서(長幼有序)의 나라에서 노인박대, 세대단절이 심하다. 선후배 사이는 앞에서 끌어주고, 뒤에서 밀어주는 정겨운 관계였으나 이제는 선임은 적폐로 단죄의 대상이 됐다. 지금은 노인을 '꼴통', '틀딱'이라고 모멸까지 한다. '노인들은 빨리 죽어라'하는 댓글도 있다. 유럽 어떤 나라는 '노인이 없으면 빌려서라도 모시라'는 속담이 있단다. 우리가 유교국가일까.

2장
자기
중심주의에
빠지다

혈구도(絜矩道)의 행로

공자의 혈구도와 예수의 황금률(黃金律)

종교의 가르침은 타인에 대한 존중과 배려가 큰 비중을 차지한다. 유교는 종교가 아니지만 그 점에서 비슷하다. 유교의 혈구도와 기독교의 황금률이 같다는 풀이가 있다. 19세기 미국의 사상가 에머슨은 황금률이 민주주의 평등의 근원인데 공자는 예수보다 5백년이나 앞서 평등사상을 설파했다고 놀라워했다. 예수의 산상수훈(山上垂訓)에 이어지는 황금률(p.28)은 3세기 로마 황제 세베루스 알렉산데르가 금으로 써서 족자를 만들어 그의 사무실에 걸어놓은 데서 유래됐다고 한다. 황금률은 상대 존중과 배려의 정신이다. 그것이 최상으로 발휘되면 이타주의(利他主義)가 되지만 그것은 성직자 등 특수한 예고, 보통은 '너'를 '나'와 동등하게 보는 평등정신으로 발휘된다. 그래서 민주주의의 평등이 가능해졌다고.

그들의 일상 언어생활에서도 나타난다. 우리는 상대방에게 길을 양보할 경우 '먼저 가십시오' 한다. '먼저'란 '나보다'를 전제한 것으로 '나'가 기준이다. 영어는 'after you' 한다. '당신 다음에'니까 '너'가 중심(기준)이 된다. 같은 뜻의 'you first'도 마찬가지. '너'가 기준이다. 영어에서 헷갈리는 Yes와 No. 우리는 말하는 '나'를 기준으로 '예'와 '아니오'를 말하는데, 영어는 '너'를 기준으로 말한다. 우리는 '나'가 '안 했니'하고 물을 때 '예'하면 '나'가 안 한 것이 되지만, 영어에서는 내가 무엇이라고 묻던 '너'가 했으면 Yes, 안 했으면 No다. 또 '내가 당신 있는 곳으로 가겠다'는 우리 식이면 I will go to you다. '나'가 중심이다. 그러나 영어는 I will come to you다. 집에 가면서도 coming home 한다. 집을 기준으로 생각하니까 going home이 아니다. '너'를 중심으로 보는 것이다. '나'가 '너'에게 가는 것이 아니라 '너'에게 '나'가 '오는' 것이다. 영국 고속도로 IC 도로표지판엔 give way라는 것이 있었다. '길을 주라' 양보하라는 뜻이다. 상대 중심, 상대존중이다. 상대를 배려하는 함의가 커 보인다. 미국 대통령 케네디의 '국가가 당신에게 무엇을 해줄 것인가를 바라기 전에 당신이 국가를 위해 무엇을 할 것인가를 생각하라'는 말도 같은 맥 같다.

에머슨의 비교에는 약간의 착오(?)가 있는 것도 같다. 공자의 기소불욕물시어인(己所不欲勿施於人)과 같은 말은 외경(外經)(토비트서 4-15. 성경의 야사(野史)?)의 "네가 싫어하는 일은 아무에게도 행하지 말라"와 똑같다. 황금률과 같은 공자의 말은 '자기가 서고자 하면 다른 사람도 서게 하고(己欲立而立人)', '자기가 이르고자(목적 달성) 하면 다른 사람도 이르게 하라(己

欲達而達人'는 말이 아닐까. 기소불욕물시어인도 같은 맥이긴 하다.

의문은 공자나 예수나 똑같은 가르침을 주었는데 왜 기독교국들에서는 민주주의가 발달했고, 유교국가에서는 민주주의가 발전하지 못했는가 하는 것이다. 오히려 공자가 예수보다 5백 년이나 먼저 가르침을 주었는데. 역으로 우리는 뒤늦게 그들에게서 민주주의를 배우게 됐는가. 정치체제는 한두 가지로 결정되는 것이 아니니 황금률이나 혈구도로만 설명할 수는 없다. 그러나 어떤 힌트는 얻을 수 있지 않을까.

서(恕)가 자기중심으로 빠지다

성리학의 중심인물 주자(朱子)는 공자의 기소불욕물시어인을 추기급인(推己及人)이라고 해석했다. '나'를 미루어 '너'를 안다는 뜻이다. '나'의 마음을 헤아려서 '너'의 마음을 이해하는 것이니까 나와 너의 평등, 너의 존중 정신이 배어 있다. 인간의 성정은 하늘이 명한 것(天命之謂性)이기 때문에 같은 조건일 수 있다. '나'가 좋은 것이면 '너'도 좋을 수 있고, '나'가 싫은 것이면 '너'도 싫을 수 있다. 때문에 자기가 좋아하는 것을 남도 좋아하고, 자기가 싫으면 남도 싫어할 것으로 여긴다. 그러나 이는 반은 맞고, 반은 틀릴 수 있다. 현대인의 성정은 똑같지 않은 것이다.

'나'를 지나치게 강조하면 그 역효과가 날 수 있다. "'나'를 미루어"는 자기(己)가 출발점이다. '나'가 '기준'이고, 자기가 중심이 되는 것이다. 결국 '나' 중심은 자기중심주의가 된다. 우리의 지독한 자기중심주의는 그 영향이 아닐까.

그런데 《실록》엔 〈추기급인(推己及人)〉이 단 3건뿐이다. 이 문제에 관심이 적었음이다. 그에 대한 이해는 숙종조에 대신들의 상소에 보인다. "근원을 맑게 하는 교화와 근본을 단정히 하는 다스림은 내게 착함이 있은(有諸己) 다음에 다른 사람에게 구(求)하는 것입니다."(1707.4.17) 《대학(大學)》의 〈有諸己而後 求諸人〉을 풀이한 것이다. 구저기(求諸己)는 요즘의 '내 탓', 구저인(求諸人)는 '네 탓'으로 풀이되기도 한다.

《효종대왕 행장(行狀)》에는 다음의 말이 있다. "사경(四境) 안에 있는 나의 백성들의 부모로서 나이가 늙었는데도 잘 봉양받지 못하는 경우가 어찌 한둘이겠는가. 이는 나의 책임이다. 중외로 하여금 쌀·반찬·술을 하사하여 나의 추기급인(推己及人)하려는 뜻을 몸받게 하라." 철학적 의미보다는 착한 마음을 펴는 태도를 보임이다.

그런데 주자가 공자의 사상을 설명한 이 말이 왜 조선에서는 관심이 적었을까. 추기급인을 좀 더 확대해보면, '내가 싫은 것은 너도 싫을 것이다'로 될 것이다. 긍정표현으로 바뀌면 '내가 좋은 것은 너도 좋을 것이다', '나에게 좋은 것이면 너에게도 좋은 것이다', 그러니 '나를 따르라' 하게 된다. 자기중심 사회의 일반적 성향은 '내 생각이 옳다', '내 뜻대로 해야 한다'다. 결국 독선(獨善)으로 돼서 독단(獨斷), 독주(獨走), 독점(獨占)으로 흐르게 된다. 그게 일반적 성향이다. 정치인 보통사람 가릴 것 없이 똑같다. 자기중심이 심해지면 갈라서고 다투게 마련이다. 정당 사회단체 시민단체, 심지어 스포츠단체도 그렇게 분열해서 많이 싸움은 거기 원인이 있지 않을까. 세 사람이 모이면 파벌이 생긴다는 우스갯소리가 나올 정도이니. 다양한 의견은 좋은 일이지만 해결이 안 됨은 문제다. 모두 달팽이 껍질 속에 틀어박혀서 '앞도 팽팽, 뒤도 팽팽' 노래 부르며 혼자 살아야 평화로울 사람들이라면 민주주의는 어렵다.

독불장군 사이에선 추기급인이 안 된다. 부자는 가난한 자의 심정을 이해하지 못한다. 갑질하는 사람은 을의 두려움을 알지 못한다. 알려 하지 않는다. 강자는 약자의 서러움을 느끼지 못한다. 후천적으로 달라진 인간들은 추기급인이 될 수 없다. 그의 생각은 그에게 머물러 있지 타인과 통할 수 없다. 미루어 짐작(추측)함은 관념으로 아는 것으로 맞을 수도 있고, 안 맞을 수도 있다. 나를 미뤄 상대를 아는 것과 상대를 그 자체로 아는 것은 다르다. 사실을 사실대로 인식함은 실사구시(實事求是)다. 추기급인엔 실사구시의 태도가 보이지 않는다.

우리는 지독한 자기중심으로 흘렀다. 추기급인, 자기중심주의의 가장 큰 문제는 자기를 보편화하는 것이다. '나'가 곧 '그'다. 내가 그러니까 남도 그럴 것이다. 극단으로 나가면 "'나'가 곧 국민이다"라는 결론으로 간다. 지금 우리네서 자기생각을 '국민'의 이름으로 전파하는 사람들이 얼마나 많은가. 지도자, 보통 국민 가릴 것 없다. 큰 착각이다.

결국 자기중심주의는 공준(公準), 공의(公義)를 세우기 어렵게 한다. 공준이 없으면 공동체가 살지 못한다. 민주적 평등도 자랄 수 없게 된다. 우리 사회의 일반적 경향이 됐다. 공자의 서(恕)가 몇 단계 거치는 동안 엉뚱한 곳으로 빠진 것이다. 그가 의도한 바와는 정반대 방향이다. 특히 민주화로 자기의 자유에만 집중하면 상대적으로 타인의 자유에는 생각이 미치지 못하게 된다. 자기 자유의 극대화는 타인의 자유를 무시 억압하게 된다. 타인을 인식하지 못하고, 인정하지 않으면 평등이 될 수 없다. '평등' '민주'의 기치를 들고 독선 독단에 빠지는 모순된 사람들이 참 많음은 자기중심주의 때문이다.

그런데 비슷한 말이 불교의 《법구경(法句經)》에도 있다. '남을 가르치는 바대로 자기 몸을 바르게 닦아라(己身品).' 몸을 바르게 닦는 문제를 논하는 것인데 '나'나 '너'나 똑같이 바르게 해야 한다는 데서 같은 평등의 구조를 보게 된다. 자기는 열외로 하고 너에게만 요구해서는 안 된다는 뜻으로 보인다. 그러나 같은 불교 안에서 천상천하유아독존(天上天下唯我獨尊)이라고도 했으니…. 인간의 다양한 면을 들추어 보임이다.

《명심보감》에도 평등정신이 보인다. '남을 책망하는 마음으로 나를 책망한다면 허물이 적을 것이요, 자기를 용서하는 마음으로 남을 용서한다면 사귐을 온전히 할 수 있을 것이다.' 나와 너를 같이 보라는 가르침이 보편화돼 있음이다. 그래도 그것이 사회적 평등개념으로 발전하지는 못했다.

혈구도와 황금률의 쌍끌이 가르침이 아닌가. 민주화하면서 혈구도의 전통 속에서 황금률을 배웠다면 승수효과를 낼 수 있지 않았을까. 실제로 그렇게 하지 못했음은 극도의 자기중심주의 때문이 아닐까. 자기중심은 민주화의 적이다. 이런 문화풍토에서 민주화는 어떻게 해야 원래의 뜻을 살릴 수 있을 것인가.

《실록》에서 그 밖의 관련 용어는 〈독선〉이 13건, 〈독단〉 1백17건, 〈독점〉 3건, 〈독재〉 2건밖에 보이지 않는다. 심각하게 생각하지 않았음이다.

문화의 교잡(交雜)

유교국가 조선은 그 전통문화의 조종(祖宗)인 공맹(孔孟)의 가르침을 얼마나 실현했는가. 공자는 인(仁)과 서(恕)를 말했을 뿐 인도, '서도(恕道)'라고는 안 했는데 후대가 이를 알기 쉬운 개념으로 파악하기 위해 '서(恕)'에 도(道)자를 붙였다. '인서(仁恕)'도 마찬가지다. 공자가 '인서(仁恕)'라고 말한 적은 없다.

조선조의 임금과 신하가 같이 공부하는 경연(經筵)에서 '인도'와 '서도'는 그렇게 큰 비중으로 다루어진 것 같지 않다. '인도는 지극히 크며, 또한 여러 가지가 있다(세종)', '임금이 인도(仁道)를 근본으로 하면 정치는 자연히 관대하고 충후(忠厚)하게 된다(鄭瓊)', '인은 체(體)이고 서는 용(用)인데, 옛날에 백성 보기를 부상한 사람 보는 것처럼 한 것은 인의 지극함이다. 서(恕) 또한 따르는 것이니, 서하고자 하면 반드시 인도를 다해야 할 것이다. 임금이 세전(細氈, 부드러운 담요와 궁궐)에 거처하면서 백성의 추위에 떠는 고통을 생각하며, 시원한 곳에 살면서 백성의 밭 갈고 김매느라 땀 흘리는 고통을 생각한다면, 인과 서의 도를 다할 것이다(成希顔)', '인도를 다 실행하면 예(禮)·의(義)·지(智) 세 가지가 그 속에 다 있다(趙光祖)' 등으로 풀이한다. 후대에 오면 당쟁으로 해가 뜨고 지는 세월이었지만 일부 지도자는 백성을 사랑하고 존중하는 마음이 지극했던 것으로 보인다. 그러나 실제로 그런 기풍이 치자계급에 얼마나 번져 있었는지는 의문이다. 당쟁은 권력을 잡고, 오래 누리기 위해 얼마나 잔인하기까지 했는가.

치도(治道)의 핵심으로 지칭되는 혈구(絜矩)의 뜻에 대해 여러 가지 분석이 이뤄졌다. 자기를 척도로 남을 헤아리는 방법이 무엇이냐에 대한 논의가 활발했던 것이다. 《대학(大學)》에서의 그 활용에 대해서는 '서(恕)를 하게 되면 공(公)하게 되고, 공하면 인하게 되고, 인하면 마음에 하려고 하는 대로 해도 법도에 넘치는 일이 없다(공자의 從心所慾不踰矩의 경지?)', '혈구를 선유들은 혹은 마음이라고 하고 혹은 이치, 혹은 법칙이라고도 했다', '군자는 혈구의 도가 있는 것'이라고 했다. 백성이 그렇게 되도록 이끌려면 상하, 전후, 좌우가 같아야 한다는 것이다. 상하, 전후, 좌우가 같아야 한다는 뜻이 아니라 그 중간에 서 있는 사람이 양편을 똑같이 대우해야 한다는 것이다. 양편이 같다는 전제에서 출발할 것이다. 해서 평등심의 싹으로 볼 수 있을 것 같다. 곧 민주주의가 자랄 수 있는 토양이 일찍부터 만들어져 있었던 셈이다.

주목할 사실은 서(恕)는 공(公)의 정신이 발현되는 원천도 된다는 것이다. 서양의 공(公)은 법률인데 유교의 공은 인(仁)에 가까운 것이다.

혈구도와 황금률이 유사하다고 해도 직접 교류를 상상할 수는 없다. 그런데 최근 현 서구문명을 일으킨 계몽주의가 유교의 영향으로 이뤄졌다는 연구가 나왔다(황태연·김종록, 《공자, 잠든 유럽을 깨우다》). 공자가 경제의 도를 강조하기는 했는데…. 근세 경제학의 태동이 유교의 영향으로 이뤄졌다고 할 정도란다. 유명한 《경제표(經濟表)》를 작성, 중농주의를 정립한 프랑스의 경제학자 케네는 공자의 무위이치(無爲而治)에서 자유방임(laissez-faire)의 이론을 배웠으며, 자본주의를 태동시킨 《국부론(國富論)》의 아담 스미스도 그 영향을 받았다는 것. '보이지 않는 손' 이론도 거기서 배웠다는 것이다. 공맹뿐 아니라 《사기(史記)》를 쓴 사마천(司馬遷)의 《화식열전(貨殖列傳)》에 나오는 자연지험(自然之驗)에서 자유방임을 배웠다고도 한다. 영국의 흄은 철학자이면서도 자유경제이론을 펼쳤는데 '유럽의 공자'로 불릴 정도였다고. 미국의 독립전쟁(1776), 영국의 명예혁명(1788)이나 프랑스 대혁명(1789) 등도 직간접으로 공맹의 영향이 크다고 한다. 심지어 산업혁명도 영국이 아니라 중국이 촉발했다고까지 하는 학자도 있단다. 이론에 그치지 않고 스위스는 노자(老子)의 무위자연(無爲自然)에서 자유무역 정신을 배워 유럽 최고의 경제부국을 이루었다고 한다. 그러나 저들의 철학사에는 공맹이 나오지 않는다.

그런 유교가 정작 그의 본향에서는 경제 사회 발전에의 기여는 그렇고, 오히려 왕실의 학(學)이 되어 평등사상의 발전에 기여하지 못했고, 역으로 유럽에서 민주주의를 수입하게 됐으니…. 원시 유교는 야만적 춘추전국시대(BC 770~BC 221) 뒤편에서 인간다운 삶(문화)을 모색하는 일단의 지적 활동(유교)을 뜻한다. 문화의 틀이 잡히는 시기이다. 야성(野性)의 인간에 나타나는 탐욕과 잔인성에 대한 반작용이다. 공자 맹자가 중심이다. 이후 직하(稷下)시대를 맞아 백화제방(百花齊放)의 꽃을 피웠고. 학자들뿐 아니라 통치체제도 공신(功臣), 원훈(元勳)들에 대한 훈작은 당대에 그침으로써 이를 세습하던 유럽에 비해 평등이 실현됐었다고 한다. 공자의 서(恕)사상을 원래의 뜻대로 살려 내려왔다면 동양이 먼저 민주문화를 꽃피울 수 있었다?

인의(仁義)에 관해서는 도교(道敎)에서도 말한다. 요(堯)임금이 가르친 것이니 잘 이행하라는 것. 《명심보감(明心寶鑑)》엔 도교의 장자(莊子) 말이 4번이나 인용된다. 인의가 한 가지 뜻만은 아니었던 것 같다. 《손자병법(孫子兵法)》에는 '인의가 없으면 간첩을 사용하지 못한다(非仁義不能使間)'고 했다. 맹자의 인의와는 뜻이 다른 것 아닐까. 인(仁)에 대해서도 손자가 '돈이 아까워 적정을 살피는데 소홀한 자는 지극히 인하지 못한 것이다(愛爵祿百金 不知敵之情者 不仁之至也)'라고 한 인(仁)은 공자의 인과는 다른 의미 같다.

불교에서도 마찬가지다. 불교는 귀천이 없는 평등사회다. 그렇다고 불교가 국시로 돼 있던 고려가 평등사회라고 볼 수는 없다. 귀족과 토호가 지배세력이었다.

유가사상은 BC 2세기 한나라 때 동중서(董仲舒)가 왕실의 학(국교)으로 만든 이후 불평등의 신분제가 자라서 평등이 깨졌다. 우리는 사농공상(士農工商)의 계급사회로 고착됐다. 지독한 신분제 계급사회였다. 조선은 양반의 나라였다. 한때는 노비가 3,40%에 달했다고 한다. 노비는 인권이 없다. 생명도 보호받지 못한다. 종천법(從賤法)을 만들어 사대부의 권리를 최대화하고, 노비의 권리는 박탈했다. 노비는 인간 취급을 받지 못했다. 인간이 아닌 재산으로 취급받았으며 가치는 말 한 마리 값, 노동가치로는 6백66일분이었다고 한다. 민주주의? 멀다.

동족을 노예로

성경 구약엔 동족을 노예로 부리지 말라는 여호와의 명령이 전해진다. "동족이 팔려오면 종으로 부리지 말라."(레위기) 이스라엘뿐 아니라 많은 민족이 그렇게 한다. 그러나 우리는 이웃을 종으로 만든다. 경로는 두 가지다. 죄인들. 그 처자는 함께 처형받지 않으면 노비가 된다. 특히 당쟁에서 패한 당대의 현관(顯官)은 죽고, 가족은 노비로 추락한다. 죽느니만 못한 삶일 것이다. 원한이 골수에 사무칠 것이다. 대를 이어 복수혈전을 노릴 것이다. 그런 사람들이 얼마나 많았나. 또 한 루트는 생활고로 인한 양민의 전락. 스스로 종이 되는 사람들이다. 그중에는 권력자의 수탈의 덫에 걸리는 사람들도 있다. 이들도 원한에 찰 것이다. 원상회복이나 복수의 기회를 노릴 것이다.

동족을 노예로 삼는 문화와 이민족을 노예로 삼는 문화는 질적으로 다르다. 후자는 외향적으로 공격적이고, 양성(陽性)적이고, 명예를 중시하고, 정정당당한 것을 추구하고 그럴 것이다. 공동체가 산다. 그에 비해 전자는 원한의 복수심에 불타며 음흉하게 기회를 노리고, 증오하고, 반목하고, 면종복배하고, 수단과 방법을 안 가리고 음수(陰數)·암수(暗數)를 쓰며 장점을 찾아 배워서 승리하려 하지 않고 남의 허물 찾기에 혈안이 된다. 흉보기를 좋아한다. 역전에 쾌감을 느끼고 환호한다. 음성(陰性)문화다.

우리 영화도 비리·고발·복수 주제를 많이 만든다. 그에 비해 미국은 개척, 모험의 양성문화다. 실력경쟁, 더 잘하기 경쟁으로 나간다. 영화도 영웅이야기, 권선징악 이야기를 많이 만든다. 거기서 민주주의가 꽃피었다. 문화 차이다.

조선은 신분제의 반평등문화가 기질화 됐다? 계급사회는 실력사회가 아니다. 실력으로 겨루는 사회는 공평, 공정을 전제로 한다. 양반의 세습은 실력이 없는 자들이 우월성을 갖게 한다. 실력이 없고 게으른

자들이 부모의 힘으로 그 위세를 누린다. 그게 조선 양반사회의 특징이었다.

고려에선 글자도 모르는 천민이 장군이 되기도 했다. 실력이 말하는 사회였다. 조선에선 망한 나라를 구하겠다고 일어선 의병장이 천민 출신의 참모가 양반을 비판하자 반상의 법도를 어겼다고 처형했다. 계급의식이 골수에 뱄다. 물론 고려의 토지제도 부패는 관작의 세습에 의한 것이었고, 조선에서도 천민이 출세한 예외가 있기는 했다.

남녀사이도 불평등이 지독한 수준이었으나 효는 아버지와 어머니를 차별하지 않는다. 신분제도가 남녀차별에 우선한 것이다. 머슴을 부리는 양반댁 안방마님의 위세는 당당했다. 궁정의 여인 중엔 왕과 대신을 손아귀에 넣고 흔든 사람도 여럿 있었다. 남녀불평등은 유교 때문만은 아니었다. 일관성이 있는 것도 아니다. 현대에 와서 남녀 불평등의 근원이던 삼종지덕은 폐기됐다. 오히려 지금은 역삼종지도(逆三從之德)의 시대다. TV극은 아들(손자)을 자기 뜻에 종속시키려는 기찬 엄마, 할머니들이 많다. 효가 남녀불평등에 우선하는 전통이 이어내려 옴인데, 이때 삼종지도의 마지막 항, '지아비가 죽으면 아들의 뜻을 좇아야 한다(夫死從子)'를 원용하면 어떻게 될까. '지아비든 지어미든 너무 늙으면 젊은 사람을 따르라' 할 수 있지 않을까. 지금은 가정에서 부녀의 위치가 바뀌기도 한다. '내 인생 내가 살겠다'고 대드는 자식들, '나를 따르시오' 하는 부인…. 삼종지도에도 긍정할 수 있는 부분이 있음이다.

원시유교는 원형(야만)의 인간을 문명인이 되도록 가르쳤다. 하나의 표준을 설정했다. 그러나 현실 세계에서 그 정신이 얼마나 실현됐는지는 회의적이다. 유교는 왕실의 학이 됨으로써 동양의 중심사상으로 자리매김해 내려오면서 이후 배척됐다 채택됐다 하는 곡절을 겪지만 중심사상으로서의 위치는 확고하다. 현재의 공산당 중국도 초기엔 배척했다가 다시 수용하는 방향으로 변했다. 심지어 공산주의 북한에서도 유교 유습이 많이 살아 있다고 할 정도다.

공자 자신은 자기의 이상을 실현하기 위해 많은 나라를 찾아 돌아다녔으나(周遊天下) 결국은 기회를 얻지 못하고 말았다. 거기까지였다. 살벌한 춘추전국시대에 인간의 존엄과 이상을 가르쳐온 원시유교 속에는 민주적인 요소가 많이 들어 있음이 확실해 보인다. 그런 바탕에서라면 민주화가 꽃피기 쉬울 것이다. 우리가 짧은 기간에 민주화를 이룬 것은 우리 의식 속에 그런 요소가 많이 침잠돼 있기 때문일 수도 있다.

'나 중심'이 자유를 만나면

보통 도덕률은 나를 우선하기보다 억제한다. '나'의 야성에서 벗어나라는 것이다. 성선설(性善說)이든 성악설(性惡說)이든 교육을 통해 선한 상태로 유지토록 하려는 점에선 같다. 전자는 악으로부터 방어하려 하고, 후자는 극기(克己)로 강상, 인륜, 천륜을 지향한다. 그러나 극기는 어렵다. 항상 자신 속에서 본능과 싸워야 한다. 그 방법으로 여러 가지 그물망을 친다. 그게 너무 촘촘하면 구속감을 느끼게 된다. 이때 본성은 외치게 된다.

'자유를 달라!'

그 외침으로 극기의 그물망을 걷어내고, 본능이 자유를 만나니 억제

됐던 야성(욕망)이 맹렬한 기세로 달리게 된다. 자유, 욕망의 추구는 야성으로의 회귀가 많다. 본능의 충동이 만개하면 인간의 기본권을 넘어 '나 우선', '나 중심', '나 본위', '나 독점', '나 우월'의 시대가 된다. 생뚱맞게 나타나는 현상이 아니라 잠재의식 속에 웅크리고 있던 야성이 양지로 나와 날개를 펴는 것이다. 민주시대는 맹렬한 기세로 그 길로 달려감을 뜻한다. 인간 본래의 심성은 악한 것도 선한 것도 아니다. 억제할 것도 극복할 것도 아니고 추구하는 것이 자연스럽다. 자유다. 그것은 권리다. 자유는 권리다. 기존 도덕 구조는 대변신을 해야 한다.

그런데 '나' 중심은 모순을 낳기도 한다. '나' 중심은 나 우선, 나 우월, 나 독점으로 간다. 평등과 완전히 배치된다. 사실 사람은 모순되는 동물이다. 같으면 우월해지려 하고, 뒤로 쳐지면 같아지려 한다. 평등은 태생적 모순을 안고 있다.

그것은 자유의 충돌을 부른다. '나'가 무한 자유로 달리다 보면 '너'의 자유와 만나게 된다. 만나면 함께하기보다 충돌하는 것이 더 많다. 지금은 '나'의 자유가 극대화돼서 '너'의 자유와 여러 부문에서 충돌한다. 공동체는 그 충돌을 피하게 하는 규칙을 만드는데 그 성공과 실패는 큰 사이클로 엎치락뒤치락 진행한다. 자유가 지나치면 억제를 불러들이고. 억제의 폐해가 커지면 자유를 풀고, 개인 우선의 병폐가 지나치면 공동체 우선으로 돌아서고, 공동체가 개인을 지나치게 억압하면 자유를 푼다. 순리로 된 것도 있고, 피의 혁명적 방법을 쓴 것도 있다.

앞에서 설명한 대로 우리도 자유라는 말을 쓴 지는 오래됐지만 현대적 의미의 자유는 그 역사가 짧은데 극단으로 치닫고 있다. 지독한 억제에서 풀린 지가 얼마 되지 않는데, 이제는 다시 '나'의 자유가 지나쳐 충돌하는 파열음이 높다. 자유의 충돌시대를 사는 것이다. 손해를 보거나 억제를 당하지 않으며, 나의 이익을 극대화하고, 마음껏 '나'가 하고 싶은 대로 한다. 그 사이에서 증오, 분노, 갈등, 반목, 투쟁이 생기는 것은 자연스러운 결과다. 충동의 시대, 이기의 시대엔 피할 수 없는 병폐가 늘어간다. 속도의 시대라 자유가 내닫는 속도도 아주 빠르다.

그러나 아직도 자유에 목말라 하는 사람들도 있다. 그들의 자유는 무엇일까. 그들이 하고 싶어도 하지 못하는 것은 무엇일까. 그런 사람일수록 '너'의 자유는 무시한다. 그들의 자유의 끝이 어디인지는 아무도 모른다. 그들은 양심의 자유를 외치면서 타인의 양심을 짓밟고, 그들의 선택은 지상(至上)의 권리로 여기면서 타인의 선택은 능멸한다. 자유의 충돌은 필연이다. 자유의 전장엔 선혈이 낭자하게 된다.

그들은 자유와 방종을 구분하지 않는다. 그 경계를 인정하지 않는다. 사실은 그 경계 자체가 없다. 우리는 그런 노력을 하지 않는다. 아니 기피한다. 민의의 전당이나 여론의 장에서 그런 논의 토론을 하는 경우가 극히 적다. 그러는 사이 악지가 센 사람들이 힘으로 그들의 욕망을 쟁취한다. 자유의 전장에선 목소리 큰 사람들이면 억지도 통한다. 인간은 불완전한 존재다. 그런데 무한 자유를 가지면 어떻게 될까, 그들의 자유 전장에선 악지와 억지, 무불염치가 최상의 무기가 될 것이다.

이런 유형의 민주주의를 무슨 민주주의라고 할까.

공공(公共)은 깨지고

사랑해서 슬픈 사람들

할머니와 어린 손자의 정겨운 밥상머리에서는 작은 실랑이가 벌어진
다. 할머니가 '이게 맛있다', '이게 몸에 좋다'고 반찬을 골라주지만 손
자는 그것을 먹으려 하지 않는다. 할머니는 자기가 맛이 있으니까 손
자도 맛있을 것이라고 믿는 것이다. 그러나 손자는 손자대로 맛있는
음식이 다를 수 있다. 자기중심적 할머니는 이 사실을 인정하지 않는
다. '내가 좋으니까 너도 좋을 것이다' 조금 더 나아가면 '너도 좋아해
라' 한다.

　TV연속극에서 기가 센 할머니가 성년이 된 손자를 자기가 좋아하는
여자와 결혼시키려 극성을 부리는 예도 마찬가지다. 손자는 손자대로
자기가 좋아하는 이상형이 따로 있다. 그러나 그 할머니는 막무가내
다. 손자의 주견과 '자유(선택)'를 인정하지 않는다.

반대로 젊은이의 효도 마찬가지다. 명절 때 사려 깊은 자식은 부모가 좋아하는 선물을 마련하지만 자기중심적인 아들은 자기가 좋은 상품을 선물로 마련한다. 부모가 좋아하는 것과 아들이 좋아하는 것은 다를 수 있다. 부모의 자식 사랑도 마찬가지다. 대학 입학 시즌이면 많은 가정이 부모 자식 간 갈등을 겪는다. 자식이 원하는 대로 학과를 선택하게 하지 않고 부모가 자기중심으로 자식의 진로를 결정하려고 해서 벌어지는 사단이다. 부모는 그게 자식을 위한 것이라지만 사실은 자기 뜻을 따르도록 하려는 것이다. 옛날 같으면 당연히 그렇게 할 것이다. 그것이 효였다. 옛날 효는, 자식은 부모의 뜻을 따르라 하고, 부모가 돌아가시고도 3년 동안은 부모가 하던 대로 하라고 한다. 그러나 지금은 달라졌다. 자식이 자기 주견을 세운다.

부부 사이에서도 마찬가지다. 남편을 지극히 사랑하는 아내는 남편에게 자기가 좋아하는 음식을 먹이고, 좋아하는 옷을 입히고, 좋아하는 넥타이를 매게 한다. 자기 기준이다. 남편이 좋아하는 데 맞춰주지 않는다. 한 남편은 그런 아내를 존중해서 집에서 나올 때는 아내가 골라준 넥타이를 매고, 집 앞 골목을 돌아서서는 자기가 좋아하는 넥타이로 바꿔 매서 아내도 존중하고 자기에게도 충실한 사려 깊은 행동을 보였다. 남녀평등을 넘어 '당신은 말하지 말고 내가 시키는 대로 해요' 하는 부인도 있다.

모두 사랑해서, 너무 사랑해서 빚어지는 분란이다. 민주화가 가정 속으로 파고들면서는 그런 갈등이 없어지는 추세지만 아직도 많은 사람들은 그런 사랑의 갈등을 빚는다.

그런데 자기중심적인 사람들은 민주화가 되니까 자기의 자유와 인권을 극대화하지만 타인의 자기중심, 타인의 자유와 선택은 인정하지 않으려 한다. 둘이 만날 때 타인을 자기 뜻대로 움직이려 한다. 간섭하고 강요한다. 자기자유가 독단을 낳는 것이다. 오히려 옛날 예의를 존중하던 사람들이 타인을 배려 존중하던 정신마저 없어진 것이다. 민주화의 자유와 평등이 옛날의 예의정신과 짝지어지면 좋을 것이지만 그 반대가 되는 것이다. 자기중심이 자유와 짝하니까 예의와 평등은 밀려나는 것이다.

한 486세대 변호사는 일류대학 졸업, 고시 합격, 미국 유학, 그리고 박사학위까지 받았다. 학창시절엔 민주화운동에 참여했고, 변호사 일을 하면서 나이 많은 사람에겐 깍듯한 예를 차린다. 흠 잡을 데 없는 최고의 엘리트 신사다. 그런데, 부하직원에게는 '너희들은 말하지 말고 내가 시키는 대로만 하라' 한다. 그의 사업에 아이디어를 냈던 운전기사는 구둣발길에 정강이를 차였다. 직원보다 월등 우수한 그에게 다른 의견, 특히 자기가 부리는 사람의 중지(衆智)는 필요 없다. 그는 매사 자기중심의 독단이다.

방송에서 들은 한 운동권 여투사의 이야기다. 이념이 같은 운동권 남자와 결혼했는데 둘은 너무 개성이 강한 성격 탓으로 오래 못가 이혼했다. 그녀는 외로움을 달래기 위해 남자 선배에게 '아이를 만들어 달라'고 했단다. 그러나 재혼은 하지 않고, 아이만 키우기로 한 것이다. 그것을 방송에서 자랑스럽게 이야기했다. 그녀는 자기 아이를 자기의 부속물로 아는 것 같다. 아이의 인권 자유는 인정치 않는 것이다.

그런 철저한 자기중심의 그에게 자유와 평등, 인권은 어떤 의미일까. 아무래도 '민주'와는 거리가 멀어 보인다.

민주화 전 구한말, 한 양반이 여름에 서양선교사를 찾아갔는데 땀을 뻘뻘 흘리며 테니스를 치고 있었다. 그는 서양 선교사에게 말했다. '그렇게 힘든 일이면 우리 하인에게 시키세요'. 자기가 땀 흘리는 일이 싫으니까 그 서양인도 싫어할 것으로 '미루어' 짐작한 것이다. 선교사는 테니스가 좋아서 하는 운동이었다. 자기중심의 추기급인이 빚은 오해였다.

시골 한 버스 종점에 버스 타는 승강장(정류장)이 없었다. 버스를 타려고 하면, A기사는 갑(甲)지점에서 타지 않는다고 불평이고, B기사는 을(乙)지점에서 타지 않는다고 타박이다. 이 문제는 후에 정류장이 만들어져서 해결됐다. 그러나 내릴 때는 마찬가지다. 어떤 기사는 앞문으로 내리라 하고, 다른 기사는 뒷문으로 내리란다. 내리는 장소도 어떤 기사는 사무실 앞에, 어떤 사람은 세차장 입구에, 또 다른 사람은 주유소 앞에서 내리란다. 철저하게 자기들 중심이다. 승객의 편의나 보호받을 권리는 없다.

위의 여러 가지 예는 한 가지 공통점이 있다. 자기중심의 극치인 것이다. 일상에서뿐 아니라 공무에서도 나타난다. 판사가 '자기 멋대로' 판결한다는 불평과 비판의 소리가 나온다. 자기중심의 소산이다. 교사가 '제멋대로' 가르치는 교육도 자기중심 탓이다. 특히 이념이 강한 교사들은 커리큘럼도, 학습내용도 자기 마음대로 정한단다. 그들은 국가의 교육방침도 무시하는 자기중심의 극치를 보여준다. 방송기자들은 방송국 경영을 자기들 마음대로 하겠단다. 자유를 넘어 강도 짓이다. 정부 각 부처는 업무 분장을 넘어 모두 자기 마음대로 하겠단다. 월권을 하게 되고 따라서 정부는 혼돈에 빠진다.

이런 생각의 심저엔 자기중심의 자유가 있는 것 같다. '나를 미루어 남을 아는' 추기급인까지. 인간은 같은 존재이기 때문에 자기가 좋아하는 것이면 남도 좋아하고, 자기가 싫으면 남도 싫어할 것으로 믿는 것이다. 한 발 더 나가면 '나'가 옳은 것이면 '너'도 옳은 것이다. 그에 이르면 '나'를 남에게 강요하게 된다. 결과적으로 남의 자유를 방해하고 침해하게 된다. 우리 민주화가 이런 방향으로 간다.

추기급인(推己及人)의 다른 길

추기급인이 '나'가 더우면 '너'도 덥고, 슬픈 일을 당하면 같이 슬프니까 같이 울어 준다에 그치면 참 좋을 것이다. 이런 인식은 맞기도 하고 틀리기도 한다. 여름에 더운 것은 '나'나 '너'나 같다. 그러나 무엇을 좋아하고 싫어하고는 다를 수 있다. 덥다는 느낌은 같지만 더위를 좋아하느냐 싫어하느냐는 다른 것이다. 이런 엇나감은 인간의 심층적 다양성을 살피지 않은 데서 생긴다. 느낌과 호불호(好不好)는 각자 다른데 한 가지로 뭉뚱그려 놓으니까 반은 맞고 반은 틀리게 된다. 서(恕)를 평등이 생겨난 근원으로 보는, 혹은 평등이 자라기 쉬운 토양으로 보는 것은 반은 맞고 반은 틀린 것이다. 나의 자기중심에 충실하려는 것은 맞지만 타인의 자기중심을 인정치 않음은 잘못된 것이다. 서(恕)와 평등은 출발은 같지만 방향이 다른 곳으로 향한다.

그런데 공부에서 문제가 생길 수 있다. 공자의 위기지학(爲己之學) 문제다. 공부는 자기를 위한 것이다. 이상할 것이 없다. 공자가 옛날 공부는 자기 자신을 위해서 했지만 지금은 남을 위해서 배운다(古之學者爲己, 今之學者爲人)는 말을 새겨보면 뜻이 다를 수도 있다. 자기를 위한다는 뜻은 자기 수양으로 내실을 다지는 것이고, 남을 위한다(爲人)는 것은 남에게 잘 보이기 위해서라는 것이다. 공자가 싫어한 위인(爲人)은 결국 출세를 위한 것이 될 것이다. 학문을 자기수양을 위해서가 아니라 출세의 도구로만 쓰려는 것을 타박함일 것이다.

맹자는 학문을 '잃어버린 마음을 다시 구하는 것'이라 표현했고, 《대학(大學)》에서는 명명덕(明明德), 밝은 덕을 다시 밝히는 것으로 설명한다. 위기지학은 자신의 본마음을 밝혀 실천하는 이상적 인간, 즉 성인이 되는 것이다. 우리나라에서 학문은 위기지학이 주류를 이루게 되었다. 《실록》엔 〈위기지학〉이 10번 나온다. 성종이 주강(晝講)에서 《근사록(近思錄)》의 '오직 이록(利祿)의 유인이 사람에게 가장 큰 해가 된다(惟利祿之誘 最害人)'는 말을 보고 "이 말이 매우 옳다. 사람이 진실로 이(利)를 꾀하면 어느 여가에 다른 일에 미치겠는가?" 하니, 김종직(金宗直)이 "이(利)를 꾀하는 것은 위기지학(爲己之學)이 아닙니다"라고 화답했다(1483.11.12).

고려 말 이색(李穡)은 인간과 하늘을 하나로 전제하고, 그 조건으로 마음의 세계를 밝힐 것을 주장했다. 그 방법은 성(誠)과 경(敬)의 실천이다. 이황(李滉)은 "나의 참다운 삶의 길을 위해 성현을 알 필요가 있고, 그 때문에 성경(聖經)과 현전(賢傳)을 공부하는 것"이라고 자신의 학문적 성격이 위기지학임을 명백히 했다(朱子書節要). 이이(李珥)는 "먼저 자기의 뜻을 크게 가져 성인으로 준칙을 삼아야 할 것이니 조금이라도 성인에 미치지 못하면 나의 일은 아직 끝나지 않은 것이다(自警文)"라고 했다.

'나' 중심이 '타인 존중'을 만나면 솔선수범(奉先垂範)이 되고, 부정적으로 발전하면 '나를 따르라' '시키는 대로 하라'가 된다. 부하를 거느릴 때는 '먼저 자기를 바르게 하고 남도 바르게 하라(正己而格物. 明心寶鑑)'거나, 종을 부릴 때에는 '먼저 그들의 춥고 배고픔을 생각하라(先念飢寒)'는 긍정적 효과다. 삼강(三綱)도 군신이나 부자나 부부의 관계는 위에서 좋은 본을 보이면 아래서 따라 하게 된다는 함의여서 위에서 잘해야 한다. 또 '나'가 남에게서 존중을 받으려면 먼저 남을 존중하라(若要人重我無過重人)에 이르면 타인 존중의 극치를 보게 된다. '너에게서 나간 것이 너에게로 돌아간다(出乎爾者反乎爾)'는 그것을 역으로 적용함이다. 《명심보감》의 '남을 책망하는 마음으로 나를 책망한다면 허물이 적을 것이요, 자기를 용서하는 마음으로 남을 용서한다면 사귐을 온전히 할 수 있을 것'도 그렇다. 수신(修身) 속의 평등이다. 그러나 그것이 평등사상으로는 발전하지 못했다. 개인의 수신에 멈춘 것이다. 이런 의식(意識) 바탕에서 라면 평등을 가르치기가 쉬울 터인데 그러지 못했다.

그게 쉬운 일은 아니다. '내가 앞장서서 고치겠다'고 솔선수범의 개혁을 추진한 대통령도 있었으나 성과를 거두지 못했다. 지금 세태는 '너'탓이고, '너'의 잘못이고, '너'가 책임지라는 것이다. 전통적인 교육이 살지 못함이다. 기독교의 황금률도 마찬가지다.

"내가 세상의 중심이다."

혈구도는 '천지만물은 나와 한 몸이다.' 성리학(性理學)은 '내 마음이 바르면 곧 천지의 마음도 바르다. 내 기운이 순하면 곧 천지의 기운도 순하다(程明道)'로 발전한다. '우주의 심(心)이 나의 심이오, 나의 심이 우주의 심이다(退溪)', '일인지심 천지지심(一人之心 天地之心, 程子)'이라고도 했다. 천지만물과 우주를 나와 동일시함이니 웅혼하기도 하고, 오만하기도 하다. '내가 세상의 중심'이라는 생각에 이르면 극치에 달한다. 그것은 내가 먼저 선해지면 다른 사람도 선해질 수 있다고 내가 먼저 선하기를 다짐하는 것이지만 '나' 중심이란 옆길로 새게 만들 수 있다. 몇백 년간 그렇게 믿어 내려옴으로써 그게 우리의 사로(思路)가 되고, 잠재의식이 됐을 것이다.

자기중심성향의 개인이나 집단의 특성 하나는 자기 말만 하고 남의 말을 듣지 않는 것이다. 특히 심한 곳이 정치권. 그들은 자기 주장만 하고 타인의 주장은 듣지 않는다. '나를 따르라.' 심하면 의정단상에서 공직자에게 질문을 하고, 대답은 듣지 않고 아예 회의장을 나가버린다. 청문회 등 질의응답을 하는 자리에서도 질문보다 훈계 훈시를 더 많이 하고, 피질문자에겐 대답할 틈을 주지 않는다. 훈계 훈시도 목청을 한껏 높여 위세를 부린다. 국정을 논하자는 질의응답이 아니다. 개인도 마찬가지다. 전화를 걸어서는 자기 말만 하고 상대의 말은 듣지 않고 끊는 사람이 많다. 민주주의? 아직 멀었음이다.

대통령 중엔 불통이라는 비난을 받는 이가 많다. 그래 제왕적 대통령이란다. 듣지는 않고, 지시하고, '시키는 대로만 하라' 하기 때문이다.

사실은 왕이라고 다 그런 것은 아니다. 왕 중에도 신하의 말을 경청하는 사람이 많았다. 그래서 《실록》엔 신하들이 '불가합니다(1,251건)', '불가하옵니다(124건)', '불가한 줄로 아뢰옵니다(37건)' 등의 반대의견을 표하는 예가 많이 보이는 것이다. 완전 일방통행이 아니었던 것이다. 오히려 지금의 '제왕적 대통령'들 중에는 완전 일방통행이 많다고 한다.

정가에서는 상대를 불통이라고 공격하는 예가 많다. 서로 그렇게 공격한다. 결국 모두 불통인 것이다. 그들은 그들의 뜻이 받아들여지지 않으면 불통이라 한다. 소수이면서도 '우리가 옳으니 우리를 따르라' 하기도 한다. 그게 순수하지 않고, 당리당략을 뒤에 감추고 호도하니 국정은 뒤죽박죽이 된다. 정의와 공익은 간 곳이 없다.

우리는 전반적으로 그런 기질이다. 대통령과 야당 대표가 모인 자리에서도 야당이 더 많은 이야기를 하고, 대통령은 '듣기만 해라' 했단다. 대통령이 민정을 듣는 자리였다면 그럴 수 있지만 대화하는 자리였다면 실패다. 평소의 소수가 다수에게 나를 따르라 하는 기질이 나온 것이다. 옛날 임금은 암행으로 민정을 시찰할 때면 이야기를 듣는 편이었다. 임금에 따라 민정 민심을 자주 살피기도 했고, 안 하기도 했다. 지금은 제도언론으로 민심이 다 전달된다. 그런 경우라도 속 깊은 대화는 대면이라야 효과적일 수 있다. 대면이라도 '어' 다르고 '아' 다른 경우가 많아서 완전한 커뮤니케이션에 실패하기도 한다.

과거 민주정부에서조차 제도언론에 재갈을 물리기도 했으니 의사소통, 언론자유가 참 어렵기는 하다. 지금은 언론자유가 과하다고 할 정도이니 숨은 민심은 없을 것이다. 오히려 과잉보도, 가짜뉴스로 진짜 민심이 무엇인지 알기 어렵게도 한다. 그러나 정부가 그것을 얼마나 수용하는지는 의문이다. 어떻든 귀는 항상 열어두어야 하지만 판단능력도 문제다.

불통은 커뮤니케이션의 오류인데 그 책임은 말하는 측에도, 듣는 측에도 다 있을 수 있다. 정치인들의 불통은 그런 커뮤니케이션 기술상의 오류는 아니다. 전략적으로 정권 쟁탈에 성공하기 위해 전략적 대화를 하기 때문에 순수한 소통이 어렵다. 의도적으로 왜곡하여 말하기도 한다. 대화가 목적이 아니다. 공격일 뿐이다. 승리가 목적인 공격은 일부러 커뮤니케이션을 난해하게 만들기도 한다.

정치권에서 여야 일방통행인 점은 동질이다. 정치인뿐이 아니다. 어떤 사람들의 대화든 말하는 측만 있고 듣는 측은 없는 경우가 많다. 모두 '나를 이해해 달라', '내 말을 받아들여라', '내 말 대로 하라', '나를 따르라' 한다. 불통이 우리 문화의 특질처럼 돼 있다. 부자(父子) 사이나 장유(長幼), 상하 사이는 특히 '내 말을 들어라' 하는 기조다. 아랫사람이 자기 의견을 말하면 '감히 어디에 대들어' 한다.

아직도 그런 조직문화에서 벗어나지 못하고 있다. 민주화가 됐지만 평등한 소통은 잘 안 된다. 평등의식이 자라지 않았기 때문이다. 위계질서만이 아니다. 심지어 고급 차는 보통 차에게 '네가 감히 나를 앞질러' 한단다. 지금은 노소의 관계가 뒤집어져 힘이 젊은이에 실린다. 젊은이가 '내 마음대로'다. 자기중심주의는 노소가 마찬가지다. 민주화는 그것을 해소하는가, 가속화하는가. '불통', '불통'하는 것을 보면 해소는 아니다. 자기의 자유는 극대화하고, 평등(상대 배려와 존중)은 멀다. 언론의 자유로 누구나 말하는 세상이 되었는데 그게 '내 말을 들어라'라면 민주화는 아니다. 자기중심이 언론의 자유를 만나니까 '내 말을 들어라'의 전통이 더 강화, 확산되는 것 같다. 전통과 민주주의가 나쁜 방향으로 만난 경우다. 불통을 놓고 서로 '너 때문이야', '네 탓이다' 함은 모두 맞고, 모두 틀리다. '어디 네 말을 한번 들어보자'는 안 하는 것이다. '내 생각은 이런데 네 생각은 어떻냐', '네 생각은 그러냐. 내 생각은 다르니 이야기 한번 해 보자'가 그렇게 어려운가.

자기중심이 지나치면 독단으로 흐른다. 바로 독재다. 우리엔 절벽 같은 작은 독재자들이 많다. 그리고 서로 상대에게 독재라고 비난 공격한다. 싸움이 잦을 수밖에 없다. 상대를 자세히 보면 그 얼굴에서 자기의 얼굴을 읽을 수 있을 것이다. 그렇다. 비난하는 사람, 비난받는 사람 모두 같은 얼굴이다. 그게 우리의 문화다. 민주화는 그 바탕에서 활로를 찾아야 한다.

자기중심의 또 하나 특색은 잘 뒤집는 것이다. 자기중심적인 사람들이 역시 자기중심적인 다른 사람의 마음에 들기는 어렵다. 그러면 판을 뒤집고 싶은 충동이 일어난다. 남의 통치를 받아들일 수 없다. 내가 통치해야 한다. 정치인들은 5년도 못 참는다.

정치는 정권교체가 자주 일어날 수밖에 없을 것이다. 내각제라면 정권교체로 바람 잘 날이 없을 것이다. 모두 '나도 수상 한 번 해보자' 하면 상대를 쓰러트려야 한다. 정쟁에서 이겨 정권을 차지하려면 국정을 마비시켜야 한다. 몇 나라에서 보는 바다. 긍정의 정치는 어렵고 부정의 정치로 치닫게 된다. 긍정적인 정쟁(경쟁)이면 국가발전을 이룰 수 있지만 부정적 정쟁이면 나라는 곤두박질, 위태롭게 될 것이다. 정권마다 쓰러지면 결국은 나라가 쓰러질 것이다. 지금 장관 수명이 1년도 안 되는 것은 '나도 장관 한 번 해보자', '너도 장관 한 번 해 봐라' 때문이 아닌가. 우리 기질이 정치에 미칠 영향을 분석해 본 것이다.

결국 이 문제는 상대존중의 평등의식화 교육이라야 해결될 터인데, 민주화 자치교육은 엉뚱한 방향에서 헤매고 있는 것 같다.

세상을 내 마음대로

'너'와 '나'의 관계는 인식의 단계와 행동의 단계로 나눠볼 수 있다. 인식에서 우호적이냐 적대적이냐로 갈린다. 나와 너가 같은 류면 우호적이 되고, 다르면 적대로 갈린다. 나와 다른 너를 인정하고, 조율하려 하지 않는다. 유교에서 하늘이 명한(天命) 성정, 즉 천성은 같다고 보면 인간의 근본은 같은 것이어서 인간평등이 가능할 것이다. 모든 인간을 하나님이 만들었다(기독교)고 보면 인간평등은 더 쉬울 것이다. 하나님의 아들은 다 같지 않겠는가. 실제로 그들은 평등하게 태어났다고 본다. 우리는 천자(天子)란 중국에 한 사람(황제)뿐으로 알았으니까 구도가 다르다. 하늘이 준 성품이 같다는 것과는 의미가 다르다.

그러나 인간의 조건은 천명으로 같지만 내용은 다른 점이 많다. 4단(端)이나 5감, 7정(情)은 같지만, 지능(IQ)의 차이, 내성적이냐 외향적이냐, 혈액형에 따른 성격의 특성, 4상의학(四象醫學)에서 보는 4가지 유형…. 인체 구성도 다르다. 그것들이 후천적 교육, 수신(修身)을 통하게 되면 인간은 천차만별로 분화한다. 기호(嗜好), 호불호(好不好)도 다르게 된다.

무엇보다 자유(의지)는 '나'가 '나' 되게 하는 요체다. 인간이 다 같은 것이라면 평등은 이뤄지겠지만 자유는 있을 곳이 없다. 여기 '나를 미뤄 타인을 아는' 추기급인(推己及人)의 함정이 있다. 인간은 선천적 조건은 같은데 후천적, 사회적 인간은 각기 다르다. 자유로운 인간은 다르게 된다. 추기급인은 선천적 조건이 같다는 전제로 후천적으로 달라진 내용과 관계없이 인간은 같다고 보는 것이다. 때문에 추기급인은 맞을 수도 있고, 틀릴 수도 있다. 인격 차원의 동등과 성품 감정 인성(?)의 동질성은 다른 것이다. 감성은 교육을 많이 받은 사람이나 무식자나 같을 수 있다. 문제는 후천적으로 달라진 인간이다.

후천적으로 달라진 인간, 사회적 인간에서는 추기급인이 안 된다. 부자는 가난한 자의 심정을 이해하지 못한다. '갑질'하는 사람은 을의 두려움을 알지 못한다. 강자는 약자의 서러움을 느끼지 못한다. 그의 생각은 그에게 머물러 있지 타인과 통할 수 없다. 역지사지(易地思之)면 해결할 수 있지만, 어렵다.

특히 민주화로 자기의 자유를 강조하게 되면 상대적으로 타인에게는 생각이 미치지 못하게 된다. 자기에 머물러 있고, 급인(及人)이 안 되는 것이다. 타인을 인식 인정하지 않으면 평등이 될 수 없다. 자기중심에 빠짐은 자기 욕망에 기울게 되어 자연 자유 추구의 강도가 세진다. 자유를 추구하다 보면 평등을 깨는 모순의 함정에 빠지게 된다. 우리의 민주투사들, 평등주의자들은 어느 편인가. 상대를 존중하지 않고 '나가 중심이다. 나를 따르라'는 독선, 독단, 독재의 성향이 센 사람들이 많지 않은가. 자기중심의 문화적 배경 때문일 것이다. 그들은 자기 주장만 일방적으로 내세워 공의(共議)도 공의(公議)도 어렵다.

그러나 유교는 공자의 극기복례(克己復禮)에서 보는 바와 같이 자기중심을 가르친 것은 아니다. 오히려 그 반대로 후천적 교육을 통해 인간을 예(禮)의 존재로 승화시키려 한 것이다. 나의 야성으로부터 벗어남은 나의 중심으로부터 벗어남이다. 중국은 공자 이전부터 그런 맥이 흘렀다. 맹자에 의하면 예의 기본인 오륜은 전설적 존재인 순(舜)임금이 가르쳤다고 한다. 공자보다 2천 년 이상 앞선다. '오륜(五倫)'이란 명칭을 붙이지는 않았지만 내용은 똑같다. "사람이 금수와 다르게 하는 인륜을 가르치게 했으니, 부자간에 친함이 있으며, 군신 간에 의리가 있으며, 부부 간에 분별이 있으며, 장유 간에 순서가 있으며, 붕우 간에 믿음이 있다"(敎以人倫 父子有親 君臣有義 夫婦有別 長幼有序 朋友有信)고 했다. 위에 설명한 동중서(董仲舒)가 삼강을 더해 '3강5륜(三綱五倫)'이라는 명칭으로 근세까지 유교윤리의 지주가 돼 왔다. 우리도 그 틀에 맞춰 살았다. 그것은 천자로부터 서민에 이르기까지 모든 사람이 따르도록 보편화됐다. 보편화는 평등을 이뤘음이다.

그런데 그것이 우리에게 와서는 왜 정반대로 자기중심이 됐는가. 원인의 하나는 그 문화의 정수(精髓)에 이르지 못한데 있을 것이다. 사실 극기가 쉬운 일은 아니다. 보통사람으로서는 그 경지에 이르지 못한다. 겉으로 나타나는 예는 규범(형식)으로 만들어 의무화해 놓으니까 지키는 것이고, 마음속으로 스스로 깨달아 지키는 사람은 많지 않은 것이다.

추기급인도 상대를 배려토록 하는 것이었으나 실제로는 자기중심을 더 강화하는 역효과를 내면 공자의 가르침과 다른 방향이 된다. 그보다도 추기급인이 어느 정도 중요시되던 화두였는가도 의문이다. 《실록》에 단 3건 나온 〈추기급인〉은 원 뜻과 거리가 있다. 효종(孝宗)이 '나이 많은 노인에게 쌀·반찬·술을 하사하여 나의 추기급인(推己及人)하려는 뜻을 본받게 하라'고 말했음은 원래의 의미와는 좀 거리가 있다. 원천적으로 공자의 서(恕)사상에 둔감한 것이었던 것이 아닌가. 타인을 생각하는 마음이 부족했음을 보여주는 증거일 수 있다. 학자들 사이에서도 별로 쓰인 것 같지 않다. 《한국문집총간(고전번역원)》에는 이 말이 1백여 회 나온 것에 불과하다. 성리학의 나라에서 이상하게도 주자의 '추기급인'이 별로 중요시되지 않은 것이다. 지나친 자기중심이 우리 문화의 한 특징이 돼 있는 것은 음으로 양으로 추기급인의 영향이라고 추측해 볼 수 있다. 추기급인도 우리 문화 비밀코드 중 하나임이 틀림없을 것 같다.

현재 의정단상에서 벌어지는 현상을 보면 모두 자기가 세상의 중심이다, 세상은 '나' 중심으로 돌아가야 한다는 투다. 상대를 인정하지 않고, '나'만 옳다고 하여 모두 상대가 자기를 따르도록 강요한다. 소수도 다수를 따르지 않고 옹고집으로 간다. 독선이 독점욕을 낳고, 독점욕은 독단을 낳으며, 독단은 독재로 향한다. 민주주의와 반대로 간다. 국회는 민의의 전당으로 중의(衆議)의 용광로 구실을 못 하고 대립 투쟁의 장이 되고 만다. 그래 소통 토론이 안 되고, 민주원칙인 다수결에 승복도 안 하고, 치열하게 싸우기만 한다. 다른 조직에서도 그런 경향이 일반화 돼 있다. 인간관계가 전반적으로 그렇다. 우리 문화의 특질이다. 직장에서, 가정에서, 친구 사이에서, 이웃 간에도 같은 현상이다.

또 자기중심은 자기를 과대평가한다. 국가적으로나 기업 내에서나, 개인 간에서도 그런 성향이 강하게 나타난다. 자기의 정치적 목적을 달성하기 위한 의식적인 왜곡이기도 하고, 실제로 그렇게 믿기도 한다. 전반적으로 자기의 공은 크고 상대의 공은 평가절하한다. 기업에서 노사는 상대에 대해 일반적으로 자기의 공을 크게 평가한다. 그래 노사합의를 이뤄내기가 어렵다. 사용자측은 '내가 너희들 일자리를 마련해줬으니 열심히 시키는 대로 하라', 노동자는 '우리가 없으면 공장이 돌아갈 수 있나' 하고 과도한 요구를 한다. 과대평가는 과대망상이 된다. 서(恕) 정신이라면 상대의 공도 크다고 인정해야 하지만 그들은 자기의 공만 내세운다.

그런데, 그 자기중심에서 벗어나는 길, 극기복례(克己復禮)는 성경에도 비슷한 말이 있다. 예수는 말한다. '누구든지 나를 따라오려거든 자기를 부인하고, 자기 십자가를 지고 나를 좇을 것이니라(마태복음 16-24).' 자기를 부인한다는 것은 무슨 뜻인가. 극기(克己) 아닌가. '극기'나 '너를 부정'하는 것이나 인간의 원초적 탐욕(범죄하기 쉬운 야성)을 버리고 예(禮)로 돌아가는 것이 아닌가. 예수는 무엇인가. 길이요 진리요 생명이다. 예도 사람답게 사는 길이요, 누구에게나 옳은 진리요, 건강하게 사는 생명이다. 결국 같은 뜻이 아닌가. 공자와 예수, 기독교와 유교, 동양과 서양이 통할 수 있는 통로가 마련돼 있음이다. 그럼에도 두 문화가 섞이는데 불협화음이 많이 남은 인간의 태생적 한계 때문일까.

'나'와 같은 '너', '너'와 다른 '나'

'나의 심도', '너의 심도' 같은 '우주의 심'이라고 보면 평등이 이뤄질 수 것이다. 그러나 그런 말을 하지는 않는다. 나만 있고, 너는 없는 것이다. 이런 사유구조는 상대방의 존재나 의견을 인정하지 않는다. 정계뿐만 아니라 전반적으로 자기의견만 중요하기 때문에 상대방이 자기의견을 받아들이도록 서로 강요하는 데서 의논과 협상이 어려워지고 충돌, 투쟁이 격렬해진다. 혈구도는 도덕적 평등에서 출발했지만 '나'와 같은 '너'만 보고, '나'와 다른 '너'를 인정하지 않기 때문에 대화는 막히고, 불평등을 초래한다. '나'가 쌀밥을 좋아하는 것과 마찬가지로 '너'는 보리밥을 좋아할 수 있다고 인정해야 평등한 관계, 공존의 관계가 이뤄질 수 있다. '나'와 다른 '너'를 인정하지 않음은 일방통행으로 흐르게 된다. 상대가 우월한 존재일 때는 사대(事大)의 근성 때문에 숙이지만 '나'가 '너'보다 좀 우월하다 싶으면 역사대(逆事大)가 발동한다. 일자리를 찾아온 동남아인에 군림하고, 능멸까지 한다. 그들은 문화적 차이를 제일 힘들어한다고 한다. '나'와 다른 '너'를 용납하지 않고 거부, 배척하는 의식에서 나오는 차별인 것이다. 민주화 의식은 아직 제대로 자라지 않은 것이다.

자기중심주의는 '나'만 주의로 발전하기 쉽다. 극단적인 상황에서 '나만 살자'뿐만 아니라 정부기관끼리 정보를 공유하지 않는 것이나, 수사기관이 수사공조를 않는 것이나 마찬가지다. 많이 지적돼도 고쳐지지 않는다. 그 밑바닥엔 자기만의 공적을 쌓아 포상을 노리는 심리가 작용하기 때문이란다. 그래 경제부처끼리도 따로 논다. 한때 경제부총리에게 통합의 권한과 임무를 주었으나 흐지부지됐다. 대학의 학과정원을 정할 때도 다른 부처의 인력수요를 감안하지 않는다. 기술기능인력 수급에 분야별로 과부족이 생기게 된다. 모두 따로따로 논다. 아무리 언론에서 지적해도 시정되지 않음은 '내 권한'이라는 자기중심의식이 없어지지 않기 때문이다.

예의는 '나'와 '너'의 관계를 설정해 놓음인데 삼강오륜 오상(五常) 관혼상제를 바탕으로 하는 전통적 예의는 일방통행인 경우가 많다. 평등을 전제로 한 민주적 예의와는 결이 다르다. 민주화 후는 둘이 만나면 충돌하게 되고, 충돌하면 대부분의 경우 고참의 전통예의가 밀려나게 된다. 문제는 전통이 깨지기만 했을 뿐, 그것을 대신할 예의가 확립되지 않은 것이다. 예의의 교체가 아니라 예의가 붕괴된 것이다.

그런데 '나'와 '너'의 관계에서 나아가 '나'와 '그들(불특정다수)'과의 관계에서는 한층 더 복잡해진다. 우리는 나와 너의 관계는 치밀하게 규정해 놓았지만 나와 공동체와는 관계의식이 희미했다. 해서 왕과의 관계인 충(忠)은 지고(至高)의 가치지만 애국(愛國)이라는 개념은 희박했다. 국가에 충성, 애국한다는 말은 근래에 생겨났다. 《실록》에는 〈충성(忠誠)〉이라는 말이 4천3건이 나와 있지만 〈애국(愛國)〉은 16건뿐이다.

공동체와 관련되는 또 하나의 문제는 법(法)인데, 법을 공익이 아니라 자기의 통치도구로 만들어버렸다. 실체가 보이는 마을공동체의식은 발달했으나 추상적인 국가공동체의식은 희박했다. 공동체의식이 확립되지 않은 것이다. 국가공동체는 공동운명체라는 의식이 자라지 못한 것이다. 때문에 준법정신이 자라지 못했다. 중국에는 법가(法家)사상이 일찍부터 발달했고, 진(秦)나라처럼 법으로 국가를 강성하게 만든 역사가 있지만, 우리는 그런 길을 닦지 않았다. 조선 건국은 법에 의한 통치(經國大典)를 폈으나 법치의식이 완전히 뿌리 내리지는 못했다.

옛날 양반 사대부들은 도덕적 예규(禮規)를 지키는 것이 우선이지 '공동체를 위해서' 무엇을 한다는 의식은 약했던 것 같다. '백성'이라는 의식은 백성을 대하는 태도의 문제이지 공동체라는 의식은 아니었다. 공동체의식이 없으면 국가의식도 희박하다. 남의 눈을 의식하지만 그것은 '나'가 '너'에게 어떻게 비춰지나를 의식한 것이다. 국가관은 아닌 것이다. 임금에 대한 충성은 절대적이지만 국가에 대한 의무는 애매하다. 국가의식이 애매하니까 준법의식도 애매하다. 자기중심문화의 귀결인 것이다.

현대의 지도층도 국가관이 희미해 보인다. 대부분 '나의 출세'만 위할 뿐 '국가를 위해'는 희박하다. '국가'의식이 뿌리박혀 있다면 자기이익만 챙기려 하지는 않을 것이다. 지도자들도 국민으로부터 모멸을 받아도 자기이익을 포기하지 않는다. 지금 정치 혼란은 그에서 비롯된다. 정쟁은 국가의 진로문제로 다투는 예가 많지만 속으로는 나와의 이해관련을 계산한다. 그들은 자기에게 직결되는 지엽적인 문제, 작은 꼬투리를 잡고 늘어지지 공동체 관점에서 문제를 찾지 않는다. 국가문제를 어젠다로 하는 경우에도 속내는 '자기'가 도사리고 있다. 일부 정치인들의 언행이 막 나가는 것도 자기만 있을 뿐 공동체에 미치는 영향은 생각지 않기 때문이다.

《실록》엔 〈자기(自己)〉가 26번 나오는데 철학적인 의미는 없다.

자기중심이 이익을 만나면

자기중심이 어느 방향으로 향하느냐에 따라 장단점이 달라진다. 하나는 이익 지향이냐 대의 지향이냐 하는 것이다. 대의를 지향하게 되면 의지가 응고하게 된다. 안으로 대의가 응집하게 되면 독선이 된다. 그 신념과 응고하게 되면 할수록 독선도 강화된다. 그 끝은 어디일 것인가.

자기중심이 강고한 가치 신념이 되면 의사(義士) 지사(志士) 열사(烈士)가 된다. 그들은 독야청청하고 송죽(松竹)처럼 고고한 자세를 견지, 초지일관한다. 높이 평가되는 가치다. 그러나 모든 일의 작전 전략은 융통성이 더 능률적인 경우가 많다. 유연성은 전략적 가능성을 넓게 해준다. 기업이나 군대나 자유재량을 주어서 융통성을 발휘하는 측이 승리하는 경우가 많다. 미국군대와 히틀러 군대의 차이에서 보게 된다.

반면 자기중심이 이익지향으로 가면 고린자비가 되기 쉽다. 나누기는 외면한다. 사회적으로는 폐쇄적이 된다. 일제 때 신교육을 하려는데 학교가 부족했다. 그래 향교를 개방토록 요구했으나 향교는 거절했다. 그런데 일본의 향교는 문을 열었다. 학생을 받아들여 신교육을 실시했다.

우리 정치판은 어떤 사람들이 주도하는가. 그에 따라 정치풍향, 정치풍토가 결정된다. 국회는 제도상으로는 각자가 헌법기관이지만 실제는 당론에 매몰되고 만다. 당론을 결정할 때는 의원총회를 열고, 전에는 카리스마가 넘치는 당수가 결정했지만 지금은 공론(共論)을 통해 결정한다. 난상토론을 벌이기도 한다. 당수의 영향은 카리스마에 따라 차이가 나지만 점차 약화되고 있다. 간혹 자유투표에 맡기기도 하고,

크로스보팅도 나타난다. 당수의 절대권은 사라졌다. 당수의 퇴진을 요구하기까지 한다. 그러나 이념적인 문제는 첨예하게 대립하여 당의 정체성에 반하는 의견은 용납이 안 된다. 당론은 정체성으로 포장되기도 한다. 개혁이나 제3의 길을 모색하기가 대단히 어렵게 된다. 일사불란한 체제에 길들여져 있어서 다양한 의견이 나오면 언론도 중구난방이라고 지적하기도 한다.

통제를 좀 풀면 중구난방이 되는 것도 사실이다. 논의(論議)의 한계나 가닥을 벗어나는 것이다. 옛날에도 사공이 많으면 배가 산으로 간다고 했다. 우리 같은 남북대결 구도에서는 용인할 수 없는 한계도 있는데 성역은 거의 없어졌다. 반면 다른 사람의 의견을 잘 듣는 사람은 귀가 엷은 사람으로 치부되기도 한다. 조직을 강한 카리스마로 이끌지 못하는 사람은 리더십이 없다는 비판을 받기도 한다. 보스 기질이 아직도 요구되는 것이다. 우리 지도자들엔 한편으론 보스 기질이, 다른 편으론 민주적 포용력이 동시에 요구되어 어려운 점도 있어 보인다. 확고한 기준이 없는 것이다.

기질상 중구난방도, 독단 독재 성향도 자기중심 기질 때문이다. 상위자는 독재성향이 되고, 하위자는 똘아이가 된다. 똘아이는 어디로 튈지 모른다. 그런 단점을 극복하는데 민주주의가 유효할까. 유효할 수도, 유효하지 않을 수도 있을 것이다. 민주주의가 순기능을 하게 되면 유효할 것이고, 그렇지 않으면 유효하지 않을 것이다. 우리가 민주화를 함은 문화를 바꾸는 일인데 그 준비교육은 너무도 허술해 보인다. 민주화 백년대계는 교육에서 시작해야 할 것이다.

역(逆)자기중심주의

국가의 대외문제가 그랬다. 고려 말 원나라와 명나라 두 강자가 다가왔을 때 처음엔 저들을 어떻게 대적할 것이냐를 생각했는데 시간이 가면서 어느 편에 설 것이냐로 의견이 갈렸다. '나' 중심의 주체적이라면 상황에 따라 임기응변하면서 우리를 지켜낼 터인데 어느 편에 설 것이냐를 생각한 것이다. 중국 삼국지의 그 현란한 작전과 계략을 조금이라도 참고했다면 독립적인 처신을 했을 것이다. 병자호란 때는 싸울 것이냐 화친할 것이냐로 갈렸고, 조선말에는 이 현상이 더욱 커졌다. 아예 힘이 없으니까 중국과 친(親)하자, 일본과 친하자, 러시아와 친하자, 서구와 친하자, 그렇게 갈려서 우리끼리 피 터지게 싸웠다.

이 문제 이전에 신뢰의 문제가 있다. 상대국이 우리를 얼마나 믿느냐가 더 중요하다. 우리가 확고한 신뢰를 주면 우리를 함부로 대하지 않을 것이다. 허튼 요구도 하지 않을 것이다. '이 사람들은 위협을 가하면 숙일 것이다', '이 사람들은 사탕발림을 하면 넘어올 것이다'라는 믿음을 주게 되면 우리는 참 가벼운 대우를 받는 나라가 될 것이다.

지금도 다시 어느 나라와 친할 것이냐로 갈려 싸운다. 미국이냐, 중국이냐로 적에 대해서보다도 더 가멸차게 싸운다. 응집력이 약해 공동체로서의 적과 아(我)를 구분하지 못한다. 국가공동체로서의 자아는 약하고 소집단의 자아가 형성되기 시작한다. 그게 민주의 바람을 타고 맹위를 떨친다. 집단자아가 공동체 안의 다른 집단자아를 적대하는 것이다. 나라의 이익이 아니라 집단의 이익을 본다. 국가공동체 차원의 정의, 대의가 아니라 집단의 정의를 생각한다. 국가에 비해 집단은 소아(小我)다. 더 심하면 나라가 쪼개질 수도 있다. 집단은 둘만이 아니다. 지역, 이념, 종교, 학벌에 따라 복수 집단이 형성된다.

미국 일본 중국 러시아를 대함에 우리가 이랬다저랬다 하는 믿을 수 없는 나라로 비춰지면 그들은 우리를 함부로 대할 것이다. 억지요구 도 할 것이다. 그러나 우리가 그들에게 확고한 신뢰를 주면 사리에 어 긋나는 무리한 요구를 안 할 것이다. 이것은 한 정권의 문제가 아니다. 한 국가의 신뢰문제는 한 정권의 문제가 아니다.

그 해답은 삼국통일기의 김유신(金庾信)이 해준다. 당나라는 백제를 멸망시킨 후 동맹국 신라까지 집어먹으려 파견사령관 소정방(蘇定方)에 게 신라를 치라고 명했다. 그러나 그는 저희 황제에게 반대로 고했다. '신라는, 비록 나라는 작지만 임금과 백성이 하나로 뭉쳐 있어 도모하 기 어렵습니다.' 당나라는 결국 신라를 치지 않았다. 아니 못했다. 단 합의 위력이다. 김유신은 또 북한산성사령관으로 있을 때 접근해온 고 구려 첩자를 잡아서 목 베지 않고 돌려보내며 말했다. "신라는 지금 상 하 합심해 백성들은 즐거운 마음으로 생업에 종사하고 있다고 너희 상 관에게 고하라." 고구려는 신라를 치지 못했다. 이 일화는 사드로 분열 된 국내 분파주의자들에나, 치졸한 보복이나 하는 중국에나 좋은 메시 지가 될 것이다.

《실록》에 〈신의(信義)〉는 2백28건, 〈신뢰(信賴)〉는 3건밖에 나오지 않 는데 백성에 대한 임금의 신뢰이지 나라 사이의 신뢰문제는 아니다. 우리가 외향적, 열린 마음이라면 동화작용을 할 것이지만 내향적, 닫 힌 마음이라면 점점 더 응고할 것이다. 조선은 후자의 처신으로 소모적 싸움만 계속했다. 나라는 어느 한 방향으로 나가지 못했다. 거의 맹목적, 옹고집으로 뻗대기 쉽다. 자기 우물에 갇혀 넓은 세계를 보지 못하고 외곬으로 내달리다가 망했다. 우리 역사의 반복이다. 참혹한 임진왜란에서도 교훈을 얻지 못해 (유성룡(柳成龍)의 《징비록(懲毖錄)》은 있었지만) 대응책을 세우지 못하고 30년 만에 또 병자호란을 겪었다.

6.25에서도 아무런 교훈을 얻지 못한 것 같고, IMF에서도 어떤 교훈을 얻은 것 같지 않다. 우리는 극도의 자기중심주의 문화인데 생존을 타인에게서 구하는 모순된 모습을 보인다. 자기중심이 자기이익을 추구하다가 타인 중심이 되는 것이다. 사대(事大)가 그렇게 생긴다. 실력이 모자람에 체념하고 뿌리 깊은 사대주의 속에서 자주의식이 없다. 《실록》엔 〈자주(自主)〉라는 말이 두 번 나오는데 그것도 나라의 자주문제가 아니다. 간혹 지식인들 사이에선 〈자주국(自主國)〉, 〈자주권(自主權)〉, 〈자주자강(自主自强)〉, 〈자주자권(自主自權)〉이라는 말이 보이지만 희소하다. 논의의 대상이 못됐던 것 같다.

더 큰 문제는 자기중심이 인식의 폐쇄성을 낳는 것이다. 넓은 세계를 보지 못하고 한 구석만 보아서 안목이 좁아진다. 안목이 좁은 채 폐쇄적이 되면 옹고집이 된다. 지피지기(知彼知己)를 못하여 백전백패, 폐쇄성은 《손자병법(孫子兵法)》도 외면했다. 임진왜란이나 병자호란 때도 그 병법을 들춰본 것 같지 않다. 적에 대응하는 전략, 작전이 나올 수 없었을 것이다.

지금도 나라 중심이 발동하지 않고, 나 중심, 우리 중심에 머문다. 자기중심이 나라 중심을 강화하는 방향으로 발전하지 않는다. 나 중심, 우리 중심이 더 심해지면 탈공동체로 갈 수도 있을 것이다. 한편에서 나라를 구하기 위해 목숨 걸고 싸우는데, 다른 편에선 나라를 팔아먹는다. 지금도 마찬가지다. 나라의 안보에 가장 위협이 되는 국가에 어떻게 대응하겠다, 어떤 준비를 하겠다는 태도가 점점 흐물흐물해져 간다. '좀 숙이면 어때?', '중국과는 친하고', '미국에는 의지하고?' 정치인들은 국방예산을 지역구 사업에 빼돌린다. 사심(私心)의 극치다. 군수품 조달은 부패 덩어리가 돼서 대포와 전차는 발사가 안 되고, 군함엔 어뢰용 탐지기가 설치되고, 방탄복은 총알을 막지 못한단다. 전투기의 전자장비는 더 한심하단다.

군뿐이 아니다. 전반적으로 집단자아중심이다. 원자력발전소는 부품을 가짜로 납품을 받은 조직이 특정학교 인맥이란다. 철도 역시 마찬가지란다. 도처에서 그렇다. 그들의 자기중심주의 이기주의는 끝이 없다. 나라도 삼킬 태세다. 근원은 친친(親親)문화일지도 모른다. 우리는 인정에 매몰돼서 나 가까운 곳부터 챙긴다. 당연할 수 있지만 국가이성이 작동한다면 그렇지는 않을 것이다. 역사상은 국가공동체를 위해 목숨을 바친 위인 영웅들이 많은데, 그들을 기리고 본받지 않는다. 모두 나 중심, '작은 우리'에 함몰돼서다. 나라의 체통을 위해 온 가족의 목숨을 바친 계백(階伯)장군의 공심(公心), 공의식(共意識)은 신기루 같다. 《실록》에서 〈계백〉은 4번, 역대 충신을 열거하는데 포함돼 있을 뿐이다. 그 정신과 기백을 어떻게 잇자는 논의가 아니다.

공심(公心)이 없는 공인(公人)

자기중심의 치도(治道)

상대를 인정하지 않는 정치의 전통은 오래됐다. 상대를 경쟁자로 대하는 것이 아니라 멸해야 할 대상으로 여긴다. 상쇄(相殺)정치다. 예부터 그래왔다. 환국(換局)은 단순한 정권교체가 아니다. 죽고 사는 문제였다. 지금의 정치 난장은 그 대물림 같다. 자기중심이 가장 첨예하게 나타나는 곳이 정가다. 이건 정치라고 할 수도 없다. 보다 좋은 나라, 국민이 잘사는 나라를 만들기 위한 경쟁이 아니다. 오직 출세게임이다.

공도(公道)에 나가는 동기의 하나는 공공봉사고, 또 하나는 출세다. 출세는 자기중심적인 사람들이 개인적 욕망을 채우려는 것이다. 사적 동기다. 사실은 공도에 나서면 안 되는 사람들이다. 그러나 우리의 공인들은 이런 부류가 더 많다. 예부터 치국에 나서는 공인들은 수신을 통해 학식과 덕망을 쌓은 사람들이기 때문에 보통사람들보다 우월한 위치에서 순수 봉사가 아니라 군림적 봉사를 하는 것이다.

이 자기중심적 공인(公人)들은 의논이 안 된다. 타협도 설득도 안 된다. 타협은 공동체의 대의라는 대전제라야 가능하다. 사인(私人)들은 사투(私鬪)의 승패에 목을 맨다. 일방적인 승리를 노린다. 민주화 이후는 '나'의 극대화에 따라 대화와 타협이 더 어려워졌다. 그들의 태도는 나는 천사, 너는 악마라는 식이다. '나는 옳고 너는 틀렸다.' 그게 그들, 여야, 노사, 노소의 논리다. 원천적으로 대화가 될 수 없다. 대화는 '너도 옳을 수 있다'는 전제라야 가능하다. '나는 옳고 너는 틀렸다'면 싸움밖에 할 것이 없다. 정당이 쪼개질 때 그들은 국회에서 옆방에 있어도 직접 만나서 대화하지 않았다. 기자들 불러놓고 상대에게 하고 싶은 말을 발표했다. 성명(聲明) 포격전이었다. 그들끼리 만나서 대화하고 합의든 결렬이든 그 결과를 기자들에게 발표하는 것이 순서일 터인데, 그들은 기자를 메신저로 이용했다.

민주화가 되면 그 폐습에서 벗어나야 할 터인데 그 반대로 간다. 민주화가 안 되고 전통의 악습으로 돌아가는 것이다. 민주화를 거꾸로 한다. 민주사도일수록 더하다. 공도(公道)를 지키지 않기 때문이다. 《실록》엔 〈공도(公道)〉에 관한 기사가 9백2건, 비교적 많은 편이다. 공도를 밝히는 내용이다. 공도는 순(舜)임금이 사흉[四凶 : 혼돈(渾沌), 도올(檮杌), 궁기(窮奇), 도철(饕餮)]을 제거하는 것이라고 했다. 그밖에도 비위를 규찰하고, 상벌을 공정하게 하라고 했다.

조선의 왕들은 치도(治道)에 관한 논의를 많이 했다. 《실록》의 〈치도(治道)〉기사는 7백51건이나 된다. 대신들이 충간(忠諫)하는 경우도 있고, 왕이 신하를 불러 물어보는 경우도 있다. 충간은 직설적으로 왕을 면박 주는 경우도 있다. 그러면 왕들은 대개의 경우 받아들인다. 지금의 대통령들은 이견(異見)을 거의 용납하지 않는다고 한다.

영조(英祖)는 등극 9년, 봉조하 이광좌(李光佐)를 불렀다(1733.12.18). "오늘 경을 부른 것은 치도를 듣고자 해서다. 치도는 무엇을 먼저 해야 하는가?"

이광좌, "나라를 다스리는 도는 보민(保民)이 우선입니다. 《서경(書經)》오십편 가운데 '사해가 곤궁하면 천록(天祿)이 영영 끝장이 난다'는 구절이 바로 단안입니다. 지금 백성은 곤궁하고 재물은 고갈되었으며, 사의(私意)가 횡류하고 당화가 하늘에 사무쳐 있습니다. 재물을 절약하여 백성을 구제하고, 인재를 얻어 직무를 맡기는 두 가지 일이 오늘날의 급선무라고 생각합니다. 그러나 그 근본은 인주(人主)가 뜻을 세우는 데 있습니다. 전하께서 기갈에 음식을 구하는 것과 같이 돈독하게 뜻을 세우신 뒤에야 일분이나마 구제할 수 있을 것입니다."

이광좌는 대화 끝에 말했다. "전하께서는 뜻을 세움이 굳지 않고 자신의 사사로움이 제거되지 않았습니다. 무릇 제왕가의 자녀는 재물이 부족한 걱정은 없는데, 이번에 새로 태어난 옹주를 위해 큰 제택(第宅)을 짓고 광대한 토지를 절수(折受)했으며, 온갖 물건을 구비하였습니다. 외방의 구사(丘史)를 뽑아 올리는 일까지 있었으니, 이것이 어찌 절약하는 뜻이겠습니까? 고귀한 곳에서 태어나 사치스러운 데에 힘쓰는 것은 자못 복을 아끼는 도리가 아닙니다."

영조는 깊이 가장(嘉獎)하여 받아들였다. 이어 내사(內司)에 신칙하여 이미 도착한 절수 성책(折受成冊) 이외에는 모두 그만두고 각사(各司)의 면세를 계속 청하지 말도록 하였다.

오만의 정치

민주화된 정치지도자들이 자기를 지존(至尊)으로 여긴다. 평등한 의견교환이 없다. '천상천하 유아독존(唯我獨尊)'의 문화 탓일까. 그러나 다른 사람도 지존일 수 있다는 사실을 인정하지 않는다. 지존은 '나'만이어야 한다. 지존은 독선을 낳고, 독선은 오만을 낳고, 오만은 독단 독주를 낳는다. 독재로 가는 길이다. 평등심이 아예 없다. 지금 국회의원들의 오만도 극에 달해 있다. 공무원이나 기업인을 닦달하는 모습은 보통사람이 갖춰야 할 예의도 무시한다. 새파란 의원이 늙수그레한 공직자나 기업인에게 호통치는 모습은 참담하다. 국민의 뜻으로, 국민을 대신해서 그렇게 한다는데, 국민이 그렇게 예절 없는 짓을 바랄까.

그러면서 자기들끼리 서로 '오만하다'고 공격한다. 맞다. 둘 다 오만한 것이다. 오만의 자유를 만끽하는 그들은 위풍당당 공무원 위에 군림하고, 기업인들을 하대한다. 그들은 국정의 합리성이나 타당성을 따지기보다 자기를 먼저 세우려 한다. 정치인만이 아니다. 공무원도 민원인에게 오만하다. 기업인도 그 부하에 오만하다. 대기업은 중소기업에 오만하다. 그게 '갑'과 '을'의 관계로 나타난다. 우리 전체가 오만한 것이다.

국정의 큰 과제가 돼 있는 공기업개혁도 그런 문제에 걸린다. 자기중심적 공인은 국민이 안 보이는 것이다. 그들은 백성이 주인이 되는 민주(民主)가 아니다. 공무원에게는 국민이 안 보이고, 건강보험 사람들에게 환자가 안 보이고, 금융인들에게 가난한 사람이 안 보이고, 농협 사람들에게 농민이 안 보인다. 모두 자기중심으로만 생각하고, 일하기 때문이다. 의사에게 병자가 안 보이고, 교사에게 학생이 안 보이는 것도 마찬가지다. 의사에게 환자가 돈으로만 보인다면 인술은 사라진다. 국회의원에게 유권자가 표로만 보이면 국민을 위한 정책을 짜내지 못할 것이다. 국민을 위한 공조직은 사라지고, 그들 자신을 위한 조직이 되고 만다.

인터넷상에서 댓글을 다는 사람들 중에도 천상천하 유아독존식 독불장군들이 많다. 오만은 자기중심으로 자란 한국인의 특질이 됐다. 사랑의 종교를 믿는 사람들이 많아도 그 기질은 그대로다. 국회의원을 절반 이상 바꿔도 오만의 정치는 그대로다. 다른 후보들도 모두 오만하기 때문에 누가 뽑혀도 국회는 오만하다. 오만의 풍토에서 뽑혀 나오는 지도자는 역시 오만하기 마련이다. 그러면서 남의 오만은 보아도 나의 오만은 보지 못한다. 나는? 하고 생각의 물꼬를 트면 될 터인데 그렇게 하지 않는다.

과거 백성은 낮은 곳에서 살았으니까 오만할 수가 없었다. 그러나 오만할 수 있는 어떤 문화적, 혈통적 인자가 숨어 있었는가. 굳이 대자면 자기중심주의일 수 있다. 그래 나라의 주인은 왕이 아니라 백성이라니까 오만해졌다? 조선에선 '민주(民主)'라면 백성의 주인이라는 뜻이었다. 왕을 의미했다. 백성이 주인인 현재의 민주와는 정반대의 뜻이었다. '인주(人主)'라고도 했다. 그런데 백성에게 '네가 나라의 주인이다'

하면 어떤 생각을 하게 될까. 왕이 된 듯한 기분? 특히 선거 때면 그 높은 사람들이 백성에게 엎드려 절한다. 천성이 겸손한 사람들이라면 지도자들이 아무리 땅에 엎디어 절해도 오만해지지 않을 것이다. 아마도 백성들, 국민들은 자기중심문화 인자가 오만의 싹을 틔우는 것 아닐까. 그들은 양 같다가도 기회만 되면 오만의 면류관을 쓴다. 평민 중의 평민, 평소에는 숨죽이고 있던 백성이 자기우월의 기회가 오면 오만하게 표변하는 예가 얼마나 많은가. 오만의 정치는 우리 문화의 병증이다.

오만은 옛날에도 병폐였던 것 같다. 《실록》엔 〈오만(傲慢)〉이 26건 나오는데 태종 때의 기사를 보면 신관원의 오만을 없애는 예방제도, 예(禮)가 소개돼 있다. 새로 출사(出仕)하는 신관원의 오만을 없앤다는 명분의 풍습이 있었는데 그게 구관원(舊官員)에게 음식을 차려 대접하는 것이라고. 이것을 '허참(許參)'이라고 하는데 이후에야 서로 상종(相從)을 허락한다는 것, 여기서 그치지 않고 다시 열 며칠 뒤에 면신례(免新禮)를 행하여야 비로소 구관원과 동석(同席)할 수 있단다. 명분은 좋은데 다른 부작용은 없었을까. 그것은 구관원의 오만을 부를 것이다.

숙종 때는 '구례(舊例)에 따르지 아니하여서 그 오만무례함이 진실로 극히 놀랍고도 한탄스러우니'하는 기사가 보인다. 중종 때는 드디어 '무릇 당치 않게 침학하여 병이 되게 하거나 혹은 생명을 상하게 하는 짓들과 징구(徵求)하고 허참(許參)하는 것이나 면신(免新)하기 위해 주식을 마련하는 등 재물을 허비하게 되는 모든 일들을 통렬하게 금단'하게 했다(1541.12.29).

이런 풍속은 군대에도 퍼졌는데 《실록》엔 〈허참〉이 26건, 〈면신례〉가 14건 올라 있는데 조정에서 그 폐해를 논의하게까지 된 것이다.

의식 따로, 행동 따로

민주주의 도입은 왕정의 폐습에서 벗어날 수 있는 절호의 기제였지만 그렇게 되지 않았다. 민주제도를 도입했어도 자기중심의 사고방식이 남아 있어 과거의 행태를 답습하고, 상대존중의 정신을 터득하지 못했기 때문이다. 민주주의의 가치관과 사고방식, 행태를 배우지 않고 오히려 '민주'를 자기목적 달성을 위한 투쟁수단으로 만들어버린 것이다. 형식은 달라졌어도 자기목적은 변하지 않은 것이다. '민주화' 깃발은 화려했지만 속마음은 민주의식화, 민주생활화가 따르지 않은 것이다. 겉만 민주화되고 속은 구태 그대로였다. 해서 민주투사는 많지만 민주화된 정치인은 드물다. 민주교육을 받은 젊은 세대도 민주주의 지식은 늘었지만 행동은 독단적이다. 민주주의는 헛돌 수밖에 없다.

그들은 문제 해결을 위한 대화와 타협을 기피하고, 다수결에도 승복지 않고, 소수가 자기 의사를 관철하기 위해서는 난폭해질 수밖에 없다고 난동을 정당화, 악지를 부린다. 자기의 뜻에 반하면 다수결도 '횡포' '쿠데타'라고 승복지 않는다. 지독한 자기중심 탓이다. 그들에게 국민의 뜻은 없다. 난동을 부릴 수 있는 자유가 민주주의라는 식이다. 중의를 모으고, 중지를 찾아서 전체가 나아갈 더 좋은 길을 찾는 것이 아니라 자기목적 달성을 위해 적과 동지로 양분, 투쟁으로 일관한다. 민주제도를 국민을 위해서가 아니라 사익을 위한 수단으로 사용한다.

그들은 입만 열어놓고, 귀는 닫는다. 그럼에도 민주주의를 독점한 양, '민주화'를 외친다. 궤변과 이중성, 이기주의가 혼합된 패덕(悖德)이다. 옛날 붕당들의 당쟁이 그대로 재현되는 모양새다. 옛날의 간지(奸智)가 부활하는 것이다. 민주화 투쟁에 날개를 단다. 그들의 싸움은 더 간교하고, 더 치열해진다. 이길 때까지 몽니(벼랑끝 전술)를 지속하고, 배를 째라고 버티기도 한다. 북한이 활용하는 벼랑끝 전술의 원조, 동질인 것이다. 그들은 항상 싸운다. 국정은 파탄으로 간다. 국회는 제기능이 마비된다. 민주주의의 기초가 안 잡힌다. 국회는 대(代)가 내려올수록 더 저질이 된다. 국회가 야수의 '동물국회'로 됐다가 끝내는 '식물국회'가 됐다.

말이 춤춘다. 그들에겐 국민도, 민주도 없다. 오직 '그들'만 있다. 몽니집단이다. 이성이 있는 사람들 같지 않다. 예부터 그랬다. 세상엔 '정연한 이로(理路)'를 추구하는 정신이 있는데 《실록》엔 한마디도 나오지 않는다. 단군의 건국이념이라는 〈이화세계(理化世界)〉도 없다. 그러나 '합리화(合理化)'라는 말은 있었다. 송시열(宋時烈)의 [송자대전宋子大全]에 있단다.

17세기, 《구운몽(九雲夢)》의 김만중(金萬重)이 아뢰기를, "예로부터 군주의 병통은 잘못을 고치지 않고 합리화(合理化)시키는 것보다 더 나쁜 것이 없습니다" 하니, 송시열이 아뢰었다. "주왕(紂王)을 가리켜 언변이 있어 자신의 잘못을 합리화시켰다고 말하니, 잘못을 합리화시키는 해가 참으로 큰 것입니다." 김만중이 다시 아뢰기를, "상께서 만약 미진하신 공부가 있으시면 대신과 유신들에게 물어보시는 것이 어떻겠습니까?" 송시열이 또 아뢰었다. "신하의 도는 위로 행해져야 하고, 임금의 도는 아랫사람들을 구제해야 하는 것입니다. 김만중이 유신으로서 감히 이와 같은 말씀을 아뢰었으니, 상께서 마음을 비우시고 아랫사람들을 대하시기 때문이 아니겠습니까. 전하의 병통은 사지를 편안히 하시려는 데에 있는 것 같습니다."

다시 국회. 의정 단상에서 민주적 토론이 이뤄지는가. 진지한 토론과 여론수렴으로, 지혜를 넓히고, 국론을 바로잡아가는 중론의 용광로 구실을 하는가. 자기(당) 이익(뜻)을 관철시키려 큰소리를 질러대고, 욕설을 퍼붓고, 몸싸움, 농성, 단식, 전기톱, 쇠망치를 든다. 그들은 쇠망치를 드는 자유를 민주주의라고 하는 것 같다. 옛날 같은 합리화 논쟁도 안 보인다.

그들은 '원년(元年)'의 깃발을 잘 든다. 언감 '제2 건국'이라고까지 한다. 오만의 극치다. 모든 것을 자기부터 시작하겠다는 자기중심의 극치다. 새로 시작하는 일이야 당연히 원년이지만 해오던 일을 원년이라고 한다. 전임을 부정하고, 자기에서부터 새로 출발하려 한다. 철저한 자기중심 사고의 소산이다. 북한은 옛날 왕이 사용하던 연호(年號)를 답습하고, 세속적 호사의 극치를 다 누린다. 우리 대통령들은 왕보다 더한 자기중심의 극치를 보여준다. 이제는 건국까지 자기들 마음대로 뜯어고치려 한다. 역사는 말이 아니라 사실로 기록돼야 할 터인데.

우리 대통령들은 군 출신이든 민주투사든 모두 미국 대통령과의 회담에서 상대방을 '가르치려 들었다'고 한다. 상대방의 뜻이 무엇인지, 무엇을 의논해서 합의해야 할지, 상대방이 자기를 어떻게 생각하는지는 고려치 않고 자기 자랑과 주장, 생각만 일방적으로 설파했다는 것이다. 더러는 민주주의까지 한 수 가르치려 들었단다. 그래 상대방은 역겨워하고 회담을 중단하려고까지 했단다. 이견(異見)의 대립이 아니다. 자기중심의 사고(思考)가 빚은 사고(事故)다.

이런 예들의 근원은 '내가 세상의 중심이다' 하는 추기급인의 영향 때문 같다. 사실은 의원들 중에 추기급인을 아는 사람은 많지 않을 것이다. 그러나 알지는 못해도 의식이 이어 내린 것이다. 본인은 의식하지 못해도 잠재의식 속에 각인돼 내려오는 정신일 수 있다. 그런 정신 풍토에서 뽑힌 의원들이라 모두 비슷하다. 그게 우리 정치문화다. 문화 일반이다.

그게 유교의 부정적 측면과 자기권리를 최우선 하는 민주주의가 결합하는 데서 나타나는 현상이라면 전통 공부도 민주주의 학습도 잘못했음이다. 여야 간 대화할 때나 법률이나 규칙을 만들 때 서(恕)의 원 뜻을 한 번이라도 음미해본다면 지금과 같은 정치 파행은 일어나지 않을 것이다. 본래의 치도(治道)는 사라졌고, 아니 버렸고, 민주치도는 익히지 않은 것이다. 아무리 국민이 정치가들을 역겨워하고, 매도해도 그들이 요지부동임은 자기중심에서 벗어나지 않기 때문이다. 그런 행태를 고치려면 비판만으로는 안 되고, 문화적 접근을 통해야 할 것이다.

부끄러움도 두려움도 없고

자기중심의 또 하나 병증은 부끄러움이 없는 것이다. 옛날 왕들이 무치(無恥)라고 했던 것을 모두 자기가 제왕인 양 답습하는 것이다. 부끄러움이 없으면 못하는 짓이 없다. 인간의 행동을 자율로 통제하게 하는 수단은 부끄러움과 두려움이다. 희랍신화에서도 인간사회를 구할 두 가지 선물 중 하나는 부끄러움과 염치(eidos)이고, 또 하나는 정의(dike)라고 했다. 우리 왕들은 부끄러움은 없어도 두려움은 있어서 공구수성(恐懼修省)을 했다. 《실록》엔 〈무치(無恥)〉가 15건, 무치는 왕의 무치를 논하는 것이 아니고 지방관의 특수사례를 지적하는 것이다. 〈공구수성〉은 2백81건 공구수성과 절용애민(節用愛民)을 치도의 근간으로 알았던 것 같다. 지금의 정치인들은 하늘의 벌이 존재하지 않음을 잘 안다. 저들뿐 아니라 모든 사람들이 과학의 영향으로 하늘의 벌은 존재치 않음을 알아서 인가, 막간다. 부끄러움과 두려움이 없어지면서 천륜과 인륜도 사라진다.

그러면 눈치는? '눈치가 보여서', '염치가 없어서' 하면 자기가 하고 싶어도 다른 사람의 보는 눈이 마음에 걸려서 하지 않고 물러선다는 뜻이다. 그런데 대개 자기목표를 정하면 일로 매진한다. 앞만 보고 달리는 사람들은 옆을 보지 않는다. 옆을 보지 않으면 눈치를 안 본다. 자기중심의 사람이 남의 눈치 때문에 하고 싶어도 안 하는 사람들이 얼마나 될까. 인간의 자율조절장치가 고장 나니 특히 정치인들은 안하무인, 후안무치, 오만방자해진다. 막간다.

국가 차원에서 보면, 옛 관자(管子)의 4가지 벼리(四維 : 禮. 義. 廉. 恥)는 어느 정도 갖추고 있을까. 그것이 절대적인 기준이라고 할 수는 없지만, 참고해보면, 4개 중 하나가 부족하면 나라가 기울고, 둘이 부족하면 위태롭고, 셋이 부족하면 뒤집어지고, 넷이 부족하면 절멸된다고 했는데, 우리는 어느 수준에 와 있을까. 《실록》엔 〈사유(四維)〉가 1백46건 나와 있다. 대체로 그것을 강조함이다. 그 의견을 받아들이는 것이다. 지금 막말하는 국회의원들은 넷 모두 없어 보인다. 그들은 단지 그들의 목을 쥐고 있는 표(유권자)나 당권자들 앞에서나 고개를 숙이고, 땅에 엎디어 절한다. 힘에만 숙이는 것이다. 그것도 선거 때만.

지식 축적만으로는 지력(智力, 知力)과 인지(人智)를 향상시키지 못한다. 합리적인 토론을 벌이지 못하면 중의를 알지 못하고, 중의(衆議)를 모으지 못하면 중의(衆意)도 찾기 어렵다. 토론의 장을 마련하지만 속빈 강정이다. 토론을 통해서 알지 못하던 것을 알게 되고, 보지 못하던 것을 보게 되며, 생각하지 못하던 것을 생각하게 됐다는 사람이 없다. 설득도 못하고, 양보도 안 한다. 자기지성의 지평을 넓히지 못한다. 토론의지도 없고 방법도 잘못됐기 때문이다.

그들과 질적으로 똑같은 모습의 투쟁을 거리에서도, 직장에서도 볼 수 있다. 자기중심으로 문제를 해결하려는 투쟁이다. 거리는 무질서해지고, 직장은 일터가 아니라 싸움터로 변한다. 노조나 시민단체나 학생이나 행동양식은 똑같다. 의식이 똑같기 때문이다. 노조는 별종의 인간이 아니다. '우리'인 것이다.

자기 뜻을 관철시키려는 그 많은 투쟁, 물리적 충돌의 원인은 역시 자기중심이다. 그 반대편엔 이타주의(利他主義)가 있지만 종교적 차원이다. 이타와 자기중심은 균형을 잡지 못한다. 보통 사람으로선 '나와 똑같은 너'를 인정하는 평등이면 충분하다. 그러나 사회에 팽배한 평등주의는 그런 의식의 평등이 아니다. 분배평등의 외길로 가서 투쟁을 가열시킨다. '부자의 것 좀 뺏어 먹으면 어때?', '좋은 세상이 되면 그게 우리 것이 될 터다'. 중구삭금(衆口鑠金) 의식 때문인가 목소리가 크면 이긴다니까 모두 고함을 질러 사회는 시끄러워진다.

민주주의는 자기극대화 절대화에 자율조절장치가 있어야 충돌을 피할 수 있다. 그 방어 장치로 동양은 극기복례(克己復禮), 서양은 청교 도정신, 프로테스탄티즘의 윤리를 들 수 있겠다.

영국에서 나와 미국의 독립정신이 된 청교도정신은 근면과 절약, 정직, 엄격한 직업윤리관을 통해 자기의 일탈을 막는다. 자기에 엄격한 사람들은 방종의 자유를 허용치 않는다. 절약은 자기를 위한 것이기보다 하나님을 위한 것으로 알고, 타인에 대한 기부로 이어진다. 그 정신이 지금도 어느 정도 이어지는 것 같다. 부자뿐만 아니라 일반 국민들도 기부를 잘함은 그 영향일 것이다. 그런 정신이라면 방종으로 흐른다거나 타인을 희생(수탈)시키지는 않을 것이다.

그러나 이것이 모두 지켜진 것은 아니다. 그들 안에서는 지켜지지만 타국에 대해서는 정반대로 가는 경우가 많다. 인디언, 흑인, 약소국 국민에 대해 잔인함은 청교도정신에 배치된다. 기독교도라고 예수의 가르침을 모두 실천하는 것은 아닐 것이다. 그들은 타국 타 종교에 대해서는 전쟁을 일으키고 죽이고 노예로 삼고, 했으니. 그러나 긴 역사를 통해 보면 문명의 길은 이성의 길이다. 야성에서 벗어나 이성의 길, 도덕의 길, 문화의 길로 간다.

우리도 마찬가지다. 공맹의 나라라고 해서 모두 공맹의 가르침을 이행하는 것은 아니다. 사당 지어놓고 제사 지내지만 정작 공맹의 가르침과는 반대방향으로 가는 예가 많다. 그 잔인한 정쟁과 양반의 수탈, 관존민비에서는 인(仁)이나 서(恕)의 정신은 털끝만치도 찾아볼 수 없다. 그런데 저들은 안으로는 사랑을 지키고 밖으로는 잔인했다. 우리는 밖으로는 순종하면서 안으로는 잔인했다. 특히 우리네도 기독교도가 많이 생겼는데 예수의 정신을 얼마나 실천할까?

사회가 진화하고 유교문화와 민주문화가 접목할 때 양 문화가 장점을 살리고 부정적 요소를 배제했다면 참 좋았을 터인데 실제로는 그 반대방향으로 가는듯한 징후가 농후하다. 유교문화도 민주문화도 살지 못하게 된 것이다. 구한말, 개혁 과제를 안고 4번이나 국무총리직에 올랐던 김홍집. 그는 친일파로 몰려 데모 군중에 맞아 죽었다. 그런데 데모의 앞장을 섰던 사람이 그가 전에 들었던 하숙집 주인이라는 설이 있다. 김홍집에게 인사 청탁을 했는데 들어주지 않자 앙심을 품고 있다가 그런 일을 저질렀다는 것. 사실이라면 지독한 자기중심의 야만이다. 이들에게서는 인륜도 자비도 사랑도, 자유와 평등의 의식도 찾아볼 수 없다. 잔인한 야성만이 춤출 뿐이다. 실제로는 그 파행은 왕이 시켰다고도 한다.

지금도 실력자에게는 청탁자가 꼬리를 문다. 달라지기 어려움이다. 개혁이 그만큼 어려운 것이다. 우리는 민주화를 너무 쉽게 생각한 것 아닌가.

부평초 같은 지도자

혜성처럼 등장했다가 유성처럼 사라지는 지도자들이 많다. 고종명(考

終命)하는 지도자가 거의 없다. 민족의 마음에 태산처럼 우뚝 서 있는 영웅을 찾기 어렵다. 세종로광장엔 세종과 이순신 동상밖에 없다. 화폐엔 퇴계와 율곡, 신사임당, 지명에 을지로, 세종로와 퇴계로는 겹치고, 문묘(文廟)에 배향된 유현(儒賢) 18명. 우리가 기리는 자랑스러운 조상은 빈약하다. 큰 지도자가 없는 민족은 불행하다.

여기서 의문이 생긴다. 원래 자질이 부족한 민족인가. 아니면 길러지지 않았는가. 방해를 받았는가. 있는데 알아보지 못하는가. 큰 인물은 방해를 받아도 스스로 큰다. 그러나 조선은 인재가 크기에 참 척박한 풍토였다. 외적과 싸우다 죽은 장군보다 내부에서 정쟁으로 죽은 인재가 몇 배나 더 많다. 장군들도 그랬다. 조선의 그 피비린내 나는 당쟁. 몇 년마다 반복된 옥사(獄事), 사화(士禍), 환국(換局), 역모(逆謀)로 얼마나 많은 인재가 죽어 나갔는가. 더 자랄 수 있는 인재도 많이 희생됐다.

우리는 완전 내분형이다. 일본인이 지적한 식민사관(植民史觀) 중 내분형이란 맞는 말이 아닌가. 부끄럽지만 인정하지 않을 수 없다. 그로 인한 인재 고갈 때문에 조선은 망했다는 설이 그럴듯하다. 못난 민족이다. 우리는 평화민족이라서 외적의 침략은 수없이 당했지만 외국을 침략한 적은 한 번도 없다고 자랑하는 사람들도 있지만 자랑이 못 된다. 침략을 당하고도 복수 한 번 못한 것이 무슨 자랑일까. 원래 개인이건 민족이건 못난이 약자는 침략을 당하고, 강자는 침략하고 정벌을 한다. 동물인간의 냉엄한 현실이다.

우리는 원래 그런 성정인가. 고려 초기, 광종(光宗)은 신하를 하도 많이 죽여 등용할 인재가 부족했다고 한다. 조선도 그것인가. 어떤 사화는 천여 명 이상 죽였단다.

그래도 출세욕은 넘쳤다. 글을 아는 사람은 모두 관리가 되고 싶어했다. 출세가 최고의 가치였다. 조선은 무인(武人)이 세운 나라인데도 이상하게 무인을 괄시했다. 무인 출신이어서 무인의 역심 가능성을 잘 알았기 때문이라고도 한다. 또 우리는 충효의 나라인데 효의 최종목표가 입신출세해서 부모의 이름을 빛내드리는 것이라고 하는 데도 자극을 받았을 수 있다.

또 이상한 가치관의 신분제도, 권력지상(至上)의 사회구조, 땀 흘리기 싫어하는 나약한 성정…. 산업을 일으키고, 모험을 하고, 개척을 하는 기질은 아니었다. 지금은 그렇지 않은 면도 있다. 세계로 달려나가서 우리의 발길이 닿지 않은 곳이 없단다. 모험심 개척정신 도전정신이 없으면 하지 못할 일이다. 옛날에도 모험가는 있었는데 밖으로의 진출을 막은 때문인가. 효가 그랬다. 전쟁 중에도 친상을 당하면 휴가를 갔다.

바다를 건넌 경험이 있는 해양민족과 한 곳에 붙박이로 사는 민족은 다른 점이 있다. 한민족 같은 붙박이 민족은 시야가 좁다. 그에 비해 해양민족은 시야가 넓다. 모험도 할 줄 안다. 일본인 중엔 한반도에서 건너간 한민족(韓民族)이 많은데 그들은 한반도 붙박이 민족에 비해 모험심이 있고, 시야가 넓은 것 같다. 미국인도 대서양을 건너 시야가 넓어진 것 같다.

조선의 권력장(權力場)은 칼이 아니라 붓으로 사생결단하는 격투기장이었다. 한국인엔 용감한 피는 없고 잔인한 피가 흐르는가. 지도자세계는 살벌하고 잔인하고 야비했다. 비겁하고 추악했다. 인자(仁者)의 나라? 아니었다. 유교의 나라? 아니었다. 인서(仁恕)의 정신도, 인의(仁義)의 정신도 살지 못했다. 군자도 대장부도 없었다. 말뿐인 '군자', '대장부'는 사칭한 것이다. 사이비 군자, 사이비 대장부가 넘쳐났다.

조선은 엄격한 신분사회. 사대부의 나라, 양반의 나라라고 했는데 그것도 아니었다. 양반은 스스로의 권위와 권능을 지키지 못했다. 양반의 신분증인 족보는 왕실에서부터 복잡해지기 시작했다. 태조는 가문의 서얼 때문에 족보를 3가지(三錄)로 만들었다. 왕실의 족보라면 지극히 명예로운 것이어야 하는데 '비밀로' 만들었다. 삼록은 조계(祖系)를 서술한 '선원(璿源)', '종자(宗子)'를 서술한 '종친(宗親)', 종녀(宗女)와 서얼(庶孽)을 서술한 '유부(類附)'라고 했다. 서얼이 문제였던 것이다(태종 12년. 1412.10.26).

영조 때는 가짜(僞勳)도 나왔다. 영조는 "추증한 위훈(僞勳)을 버리어 족보와 시권(試券)에 모두 기록하지 않았으니 마땅히 참작하는 도리가 있어야 하겠다"고 말한 바가 있다(1755.6.4). 족보는 조선 후기에 오면 가짜가 대단히 많이 생겼다. 양반 자신들이 족보를 판 것이다. 사회적 문제가 되지는 않았지만 양반 스스로 가문의 명예와 권위를 허물었으니 양반 몰락의 전조였다. 조선조 한때는 종이 인구의 3,40%까지 됐는데 말기에 오면 10% 정도로 줄었다고 한다. 종천법(從賤法) 때문에 종은 늘어나게 돼 있는데 역으로 줄어든 것은 종들이 양반의 족보에 이름을 올린 때문으로 추측되기도 한다. 면천(免賤)은 법적으로 불가능했는데 당자들끼리 족보를 팔고 사서 면천을 이룬 것이다. 조정도 안 것 같다. 정조는 "양반의 족보(族譜)를 첨간(添刊)하고 관계(官階)에 뇌물로 첩지(帖紙)를 산 사람의 성명을 기록해 정원으로 보내면 유사에게 내려 법에 따라 엄히 다스리게 하겠다"고 했다(1788.1.22). 조선말에는 그것이 광범하게 이뤄져 해방 무렵엔 그 값이 쌀 두 가마. 양반값이 추락했단다. 썩은 양반의 단면이다. 자존심이나 명예 같은 것을 너무 싸게 팔았다.

지도자 행태는 그 때나 지금이나 같다. 품격은 떨어지고, 책임감은 없으며, 권세는 최대로 누리려 한다. 가장 큰 문제는 지도자도(道) 지도자의 금도(襟度)를 닦지 않는 것이다. 예부터 지도자는 일정한 자격이 요구됐다. 옛날엔 지도자도(指導者道), 지금은 리더십이다. 그 연구가 깊어서 많은 덕목이 제시됐다. 왕실에서도 그에 상당한 노력을 기울였다. 왕자교육은 엄격했다. 지금 지도자 중에 리더십을 닦는 사람이 얼마나 될까. 구변 좋고, 넉살 좋고, 마당발이면 덤벼든다. 그들의 언행은 천박하다. 자격이 없는 사람들이다.

현재의 지도자들도 별로 나아진 바가 없다. 옛날에는 그래도 체면이 살아 있고, 신언서판(身言書判)을 생각해서 언행을 조심하고 참았는데 지금은 무치(無恥)에다 두려움(恐懼)마저 없어 막 나간다. 게다가 말 따로 행동 따로여서 신뢰마저 잃게 됐다. 우배창언(禹拜昌言) 같은 겸손함도 없고. 대선 때는 잠룡(潛龍)들이 많이 나오는데 잡룡(雜龍)이라는 비아냥을 산다. 《실록》엔 〈우배창언〉이 5번 나오지만 고사(故事)를 설명했을 뿐 그것을 행했다는 기록은 없다.

전략 부재

그들의 또 하나 특징은 경륜을 닦지 않는 것이다. 《실록》의 국정 논의를 보면 〈전략(3)〉이나 〈정략(2)〉, 〈책략(23)〉, 〈계략(35)〉이 논의되는 바는 거의 없다. 〈병법(兵法 3,345)〉은 좀 많이 나오는 편인데 대부분 주석이다. '병법에 이르기를…' 하는 정도다. 구체적으로 〈육도삼략(六韜三略 3)〉, 〈육도(六韜 29)〉, 〈삼략(三略 27)〉 등은 극히 적다. 〈손자병법(孫子兵法)〉은 세 번. 〈오자병법(吳子兵法)〉은 한 건도 없고, 〈황석공삼략(黃石公三略)〉이 11건 나와 있다. 고전번역원의 《고전번역서》에도 〈손자병법〉은 24건만 나올 뿐이다. 1건은 권율(權慄)의 장계였다(1596.12.25). "《손자병법》에 '전쟁은 졸속(拙速)을 힘써야 한다' 하였으니, 기밀 누설이 염려될 뿐입니다."

태학사(太學士) 조지고(趙志皐)는 선조에 고했다. "지금 지피지기(知彼知己)·이일대로(以佚待勞)의 병법을 알지 못하고 싸우다가 먼저 남원에서 패했고, 재차 울산에서 패하였으며 지금 또 사천(泗川)에서 패하여, 왜노에게 비웃음을 사고 중국에 치욕을 남겼습니다."(1598.12.18.)

《손자병법》의 다른 계책인 〈이일대로(以佚待勞)〉는 1건, 〈반간계(反間計)〉 7건, 〈미인계(美人計)〉 1건, 〈고육계(苦肉計)〉 1건, 〈성동격서(聲東擊西)〉 3건, 〈차도살인(借刀殺人)〉 0건, 〈인량어적(因糧於敵)〉 0건. 세종은 '군사가 출전하는 자는 반드시 태학에서 전략을 받아야 한다'고 했다(1422.11.18). 《손자병법》도 그렇게 안 읽는데 태학의 사람들은 무슨 전략을 알았을까.

반면 과거(科擧)에 관한 기사는 1천4백40건에 달한다. 도학에 매달려 있던 조선의 국정운영 민낯이 그렇다. 이런 나라가 무슨 전쟁을 할 수 있을까. 국태민안(國泰民安)? 다른 정책도 마찬가지다. 산업정책? 있기나 했나? 그러니까 백면서생이 국방장관(兵判)이 되고, 산업장관(工判)이 되곤 했다. 벼슬 나누어 먹기지 국정을 하자는 태도가 아니었다. 모두 공리공론(空理空論)에 빠져 자기들끼리 싸우는데 열중했다. 그 기술은 대단히 발전했다. 간지(奸智)에 의한 간계(奸計)가 현란한 꽃을 피운 것이다.

누가 나라를 걱정하고 미래를 대비할까. 선조 때 특진관 한효순은 아뢰었다. "난후에 (工人?)출신들의 수가 많지 않았는데도 수습하지 않았기 때문에 그들은 그들대로 크게 원망하고, 국가는 국가대로 언제나 사람이 모자랍니다. 지금의 상규로는 사람의 현부를 다 알기가 어려우니, 병사와 수사로 하여금 각각 관하의 무사들을 천거하여 서울로 뽑아 올리게 하고 옛날 신언서판의 규정에 따라 먼저 용모를 보고, 다음 문필로 시험하여 병조에 치부하여 두었다가 선발하여 쓰는 데 대비하여야 합니다. 옛말에 열 사람을 선발하여 다섯 사람을 얻더라도 인재를 이루 다 쓸 수 없다고 하였으니, 어찌 적격자가 없겠습니까?" (1601.10.28)

유학자(儒學者) 현상윤(玄相允)은 공리공론을 조선이 망한 원인의 하나로 들었다. 그런데 현재도 장관이나 공기업사장 전문기관장에 비전문가를 임명하는 예가 많다.

조선의 지도자는 어떤 능력, 경륜을 갖추었나. 중국 춘추전국시대엔 지도자를 도덕성보다 경륜을 위주로 활용했다. 강태공(姜太公)의 복수불반분(覆水不返盆. 엎질러진 물은 주워담을 수 없다) 일화에서 보듯 도덕적 품성보다 경륜을 본 것이다. 그러나 조선은 경륜은 보지 않고 지식이나 본 것 같다. 도덕성 품행도 아니고. 후에 부패했을 때는 과거시험도 대리시험 등 벼라 별 부정이 다 횡행하여 지식도 제대로 측정할 수 없었다.

우리가 사는 방식

민족의 정체성이 뚜렷하지 않으니까 지도자들도 정체성이 없다. 꼭 무엇을 한다, 무엇을 지킨다, 무엇을 하지 않는다고 하는 것이 확실치 않다. 그러니까 조석변이 된다. 정권이라도 교체되면 나라를 뒤집어엎으려 든다.

조선엔 기개가 대단한 선비들이 많았다. 왕에게 바른 국정을 강요할 뿐 아니라 직설적으로 수신(修身)까지 요구하는 것이다. 태조에도 등극 첫해에 사간원에서 매일 경연을 열어 제왕의 길인 격물(格物)·치지(致知)·성의(誠意)·정심(正心)·수신(修身)·제가(齊家)·치국(治國)·평천하(平天下)를 공부하라고 수시로 상서했다. 그것은 나라를 위한 강요였다. 수신의 방법, 제가의 방법을 알려주는 것이다. 대신 및 당상, 삼사의 신하들이 조당에 모여서 수신반성(修身反省)하는 도리를 각각 전달했다. 《실록》엔 〈격물〉 176, 〈치지〉 186, 〈성의〉 468, 〈정심〉 314, 〈수신〉 318, 〈제가〉 205, 〈치국〉 188, 〈평천하〉 118, 〈수신제가〉 38, 〈치국평천하〉 32, 〈수신제가치국평천하〉 3, 총 1천1백44건의 기사가 실려 있다. 활발하게 논의했음이다. 임금과 신하가 함께 공부하고 국정을 논하는 것이다.

이렇게 수신을 한 사람들은 어떤 심성을 갖게 될까. 물론 기본 덕목이 있다. 기본적인 3강(綱)5륜(倫)을 비롯해 5상(常), 8덕(德), 4물(勿), 4무(毋), 9사(思), 9용(容)…. 군자의 덕목, 대장부의 덕목 등 많다. 이밖에도 높이 받드는 덕목이 있다. 충절에서 나오는 일편단심(一片丹心), 독야청청(獨也靑靑), 초지일관(初志一貫)…. 우리는 충절의 나라다. 고대 중국 주나라 때 수양산(首陽山)의 청절지사(淸節之士) 백이(伯夷)에서 유래한 충절이 조선의 제일 가치였다.

이렇게 정신 자세는 다잡았는데 공인으로서의 자격, 능력은 어떻게 될까. 중국의 춘추전국시대에는 산속에서 실력을 갈고닦아 세상에 나온다. 세상을 보는 안목을 넓히고, 세상사에 대처하는 전략, 경륜을 공부한 다음이다.

우리의 등용 길은 과거(科擧)다. 과거시험의 제목(試題)엔 〈의(義): 경전의 의의(意義)를 해설〉, 〈의(疑): 경전(經傳)의 의난처(疑難處)를 논술〉, 〈대책(對策): 어떤 사건에 대하여 처리책(處理策)을 논구(論究)〉, 〈강경(講經): 경서중의 어느 귀절을 지정하여 배송(背誦)하고 강해(講解)〉 등 여러 가지로 실용적인 지식도 들어 있다.

그 지식으로는 무엇을 할 수 있을까. 공부는 많이 하는데 그 경전인 사서삼경 속의 지식은 실용과는 얼마나 연계될 수 있을까. 어디를 개척하는 일도 모르고, 정복은 언감생심(焉敢生心)이고, 산업활동은 아예 천박하게 보고 손도 안 대고…. 산업을 발전시키고, 국토를 개척하고 하는 일이 아니었다. 철학·도의·실용이 아니면 공리공론에 빠져들기 쉽다. 말은 많아지지만 실익과는 거리가 멀다. 이익은 아예 가까이할 것이 아니고.

일거리는 당쟁뿐일 것이다. 예법이나 따지고, 타인의 행적이나 캐고…. 그러다 보니 간지(奸智)가 발동하고, 음해하고, 계략을 꾸미고 하는 일에 매달렸다. 비위나 뒤지고, 허물이나 찾고, 계략를 꾸미고 하는 일은 대단히 발달했다. 그렇게 해서 상대를 쓰러트려야 자기의 길이 열린다. 공적 싸움, 실력경쟁이 아니다. 안타까운 일은 그렇게 해서 많은 인재를 잃은 것이다. 서로 죽이는 싸움을 해서 국력을 헛되이 소진했으니, 나라가 발전할 수 있었을까. 조선 후기에 와서 실용에 눈뜬 학자들이 생겼으나 분위기를 바꾸지는 못했고. 결국은 나라가 망했다.

그리고 또 하나는 시조 짓기. 한자리하는 사람치고 시 한 수 읊지 않은 사람 없다. 장군들도 그랬다. 한국인은 타고난 시인? 지금도 예능에 대단한 재주를 보인다. 그런데 그들은 금수강산 산천 찾아 시회(詩會)도 자주 열었다. 종 거느리고, 기생 대동하고, 경마 잡히고. 그리고 고관들이 권농가(勸農歌), 신농가(新農歌), 양잠가(養蠶歌), 어부사(漁父詞)를 짓는다. 그것을 듣는 농부들은 감정이 어땠을까.

지금은 얼마나, 어떻게 달라졌을까. 일을 더 많이, 더 잘하는 사람이 잘 사는 자유경쟁체제가 됐는데 지쳤는가, 과거의 의식이 되살아났음인가. 그 짧은 기간에 대단한 실적을 쌓더니 과거의 퇴영적 의식이 부활함인가, 일보다 말에 얽혀든다. 말은 싸움이 되고, 산업전사와 귀족노조가 엉키고, 자기 일이 아니라 남의 일을 살피고 헤집으며, 타인과 경쟁이 아니라 쓰러트리기에 열중한다. 신바람이 노성(怒聲)으로 변하더니 정통적 가치지주인 충성심, 충절을 깨버리더니 신의 신뢰마저 잃는다. 거짓이 춤추고, 질투심이 활개친다. 가치관을 공고히 하는 노력이 소홀했던 업보다. 교육에서도 관심이 없었고. 척박한 황야(荒野)에 내동댕이쳐진 몰골이다.

정략(政略)은 현란해도 국정(國政)은 없어

지도자들은 무엇에 관심을 두고, 어떤 기준으로, 무슨 일을 했는가. 어느 나라나 진정한 지도자들은 나라를 키우고, 안정시키고, 국민을 행복하게 만드는데 관심을 둔다. 상대를 연구하고, 국력을 키운다. 현자, 전략가를 물색해 모시고, 무사와 용사를 모으며, 생산활동을 독려한다. 나라의 부를 쌓고, 군사를 강하게 만든다. 우리 지도자들 중에 그런 사람이 얼마나 있었는가. 떠오르는 인물이 없다.

그들이 노리는 것은 자리이다. 출세 자리는 임금 산하에 있다. 그들의 시야는 임금 아래에서 멎는다. TV사극에서 보는 현관들은 대부분 나라를 전체적으로 어떻게 경영해 보겠다는 생각은 보이지 않는다. 임금의 뜻을 어떻게 얻느냐, 거기서 멎는다. 작은 욕심이다. 그 왕도 태평성대를 읊기는 하지만 나라를 전체로 업그레이드할 인물을 필요로 하지 않는다. 그런 인물을 판별하지도 못한다.

왕이건 신하건 그런 큰 웅지를 가진 사람이 없다. 천하대세를 보는 안목이 빈약하고, 사람의 심중을 꿰뚫어 보는 혜안이 있는 사람이 없다. 사람의 마음을 사로잡는 기술이면 족하다. 아첨의 기술이 최고다. 왕은 아첨의 말에 춤춘다. 처세술이 아첨술로 변질된다. 특히 아첨은 왕을 움직이는 여자들의 마음을 사는 데 특효약이다. 내실에 펄쩍 드나들며 달콤한 말을 퍼 날라 그 여심을 녹인다.

그게 지금 세계로 뻗어 나가는 예술(?)을 낳는 재료가 된다. 엉뚱한 기여를 하는 것이다. 하긴 중국 청나라 말의 서태후(西太后)는 해군의 자금을 빼내 호화로운 이화원(頤和院)을 만들었는데 지금은 큰 관광자원이 되어 후대들에게 이익을 챙겨주고 있으니. 그것이 잘한 일일까, 잘못한 일일까.

아첨꾼들이 하는 일은 무엇인가. 말 퍼 나르는 일이다. 말은 굴러다니다 보면 살이 붙어서 엉뚱하게 부풀려진다. 엉뚱한 꾀도 낸다. 사람을 잡는 꾀다. 명지(明智), 양지(良智)가 아니라 음습한 간지(奸智)가 춤을 춘다. 파자(破字)로 개혁가 충신, 조광조(趙光祖)를 몰아내 죽인 '주초위왕(走肖爲王)'사건은 모함과 간지(奸智)의 극치다. (나뭇잎에 꿀로 (走肖爲王) 글자를 써 갉아먹게 했다는데 근래 그런 실험을 해보니 안 되더라는 이야기도 있다.) 또 있다. 웅지를 품었던 '남아대장부' 남이(南怡)장군의 정적은 그의 시에 들어 있는 '미평국(未平國)'을 '미득국(未得國)'으로 조작하여 왕심을 격노케 하여 역시 그를 죽이는데 성공했다. 궁 안에서 사람(왕과 왕비)의 마음을 움직이는 사술(邪術)에 천재적인 재능을 발휘한 것이다.

그러나 그런 출중한 지모로 부국강병책의 전략을 만든 예는 보이지 않는다. 머리가 나빠서 부국강병을 이루지 못한 것이 아니라 지능을 간사하게 활용했기 때문에 이루지 못한 것이다. 그들이 초래하는 사태는 끔찍하다. 애국충정의 용사를 죽이고, 현인을 귀양 보내거나 사약을 안긴다. 간지(奸智)는 자멸의 꾀이다.

간지는 안에서 싸우는데 능하다. 분열로 내분형 사회를 민든다. 조선은 사화, 옥사, 환국, 탄핵이 2,30년마다 반복됐다. 정쟁이 거대한 살생게임으로 발전했다. 인재는 죽어 나가고, 패자는 복수혈전을 준비한다. 부관참시(剖棺斬屍)도 하고 설원(雪冤)도 하면서 엎치락뒤치락하며 시간을 흘려보낸다. 국사(國事)? 행방불명된다. 효과라면 먼 후배들에게 사극(史劇)재료를 준비해 준 것이다.

도대체 한국이란 나라는 어떤 나라인가. 한편으론 끈질긴 저항으로 생명을 유지하고, 또 한편으론 현실영합으로 끈질긴 생명력을 이어간다. 줏대는? '5천년'을 이어오는 정신적 가치는 없다. 나름의 가치를 추구하려고 몸부림친 것은 사실이나 일관된 것은 없다. 그러면 웅지? 야망? 대의? 자존? 명예? 용감? 과연 우리가 자랑할 가치는 무엇인가? 일편단심? 독야청청? 만고충성? 의리? 신의? 결기?… 무엇인가?

지혜는 있는 듯도 하고, 없는 듯도 하다. 멀리 보고, 깊이 헤아리지는 못한다. 그 지독한 환란(患亂)을 몇 번씩이나 겪고도 반성하는 기색이 없다, 그 지독한 간난(艱難)신고(辛苦)를 겪고도 헤쳐 나가는 길을 찾지 못한다. 선대(先代)에서도 찾지 못하고, 세계의 현자에게서도 찾지 못하고, 책에서도 찾지 못한다. 도대체 한국의 지력(知力)과 지력(智力)은 무엇인가. 무엇을 생각하고, 무엇을 보는가.

우리는 작은 것을 운명으로 알고 순응을 미덕으로, 순리로 알고 몇천 년을 살아왔다. 지도자들은 어떤 사람들이었나. 그들은 왜 우리가 작아졌나를 생각지 않았다. 인간사는 변하고 나라도 커졌다 작아졌다 하는데 우리는 왜 커지려는 욕망을 가져본 적이 없나. 희원도 갖지 못했다. 꿈도 꾸지 못했다. 그러면서 강자에 약하고 약자에 잔인하다. 외유내강? 아니 밖으로 순하고 안으로 잔인하지 않았나. 나아가야 할 때

물러서지 않았나?

현대는? 기업이 전사(戰士)인데 북돋기는커녕 몇 개 안 되는 세계적 기업마저 파멸시키려 하는 사람들이 많다. 세계적인 기업을 더 많이 만들어내야 나라가 부하게 되고, 좋은 일자리도 많이 생길 터인데 일자리 타령을 하면서 몇 개 되지 않는 대기업을 죽이려 한다. 자멸의 군상이다. 모든 것은 마음에서 결정이 되는데 우리 지도층은 무엇을 생각하는가.

노블레스 오브리제?

우리의 '양반'이란 말은 없어졌으나 서양의 '젠틀맨'은 살아 있다. 서양에서는 초등학교에 들어가면 식사예절 등 지켜야 할 준칙을 담은 매뉴얼을 나눠준단다. 우리는 학생급식을 유료로 할 것이냐, 공짜로 할 것이냐로 싸움하지 그런 예절을 가르치는 문제엔 소홀하다.

그들은 우리보다 먼저 자유를 얻었어도 예절을 다 버린 것이 아니다. 예절은 지킬 것은 지키고 금할 것은 금하는 간섭이다. 우리는 자유를 얻고 예절을 너무 많이 버렸다. 하지 못하는 말, 삼가는 말과 짓이 없다. 모든 것을 '내 마음대로'로 하게 되니 결국은 충돌하게 마련이다. 예절은 충돌을 막자는 것인데 '내 마음대로'가 되면 충돌을 피할 수 없다. 그것도 아주 격렬해진다. '예의의 나라' 전통을 살리면서, 고치면서 민주문화를 받아들인다면 예도 살고 충돌 없는 자유, 평화로운 자유를 누릴 수 있을 터인데 실상은 반대로 간다. 예가 살아 있는 자유라야 싸움이 적어지고, 품격 있는 자유가 될 것이다.

서양의 노블레스 오블리주는 기사도(무용·성실·명예·예의·경건·겸양·약자 보호, 윗사람에게는 용기·정의·겸손·충성, 동료들에게는 예의, 약자에게는 연민, 교회에서는 헌신)와 신사도(명예의 존중, 관용, 봉사, 함부로 남과 싸우지 않는 것, 어쩔 수 없이 싸우게 되는 경우에도 일정한 룰을 지키는 것(페어플레이 정신, 부상당한 상대를 필요 이상으로 다치게 하지 않는 것)의 연장선상이다. 그들은 지도층으로서의 혜택도 받고 의무도 진다.

기사도는 1852년 영국 해군 수송선 버른헤드로호가 암초에 걸려 침몰할 때 해군이 보여줬고, 신사도는 1912년 역시 영국의 호화여객선 타이타닉호가 침몰할 때 선원들이 보여준 것이 귀감이 됐다. 중요한 점은 그게 지도층만의 것이 아니라 보통사람들의 것이 됐다는 사실이다. 그 수송선의 해군이나 여객선의 선원은 사회의 지도층이 아니라 보통시민이었다. 신사도가 시민정신화한 것이다. 그러나 우리는 양반문화가 시민문화로 확산되지 못하고 사라졌다. 시민문화는 바탕이 없는 것이다. 우리 문화는 상향이 아니라 하향으로 간 것이다.

노블레스 오블리주의 기원은 더 감동적이다. 영국과 프랑스가 백년전쟁을 시작한 14세기, 칼레 전투에서 승리한 영국왕 에드워드3세가 시민들의 생명을 보장하는 조건으로 시민대표 6명의 목숨을 요구하는 '잔인한 자비'에서 시발한다. 처음 "내가 먼저 죽겠다"고 자처한 이가 칼레 최고의 부자였다. 이어 시장, 상인, 법률가가 자원한다. 지도자의 책임과 솔선수범. 영국왕도 감동해 그들을 사면했다.

우리의 군자나 대장부, 양반의 예절도 저들의 신사도에 못지않다. 구체적인 예절은 모두 수백 가지에 달한다. 중국의 성리학자 주자(朱

子)가 지어 우리가 준수한 예절교과서 《소학(小學)》은 너무도 세세한 언행까지 규율하고 있다. 음식예절은 '밥을 뺏지 말며, 밥을 파헤치지 말며, 기장밥은 젓가락으로 먹지 말며, 뼈를 씹지 말며, 먹던 고기를 다시 그릇에 놓지 말며, 뼈다귀를 개에게 던져주지 말며, 어느 것을 특별히 더 먹으려고 하지 말며…' 라는 식이다. 그게 옷 입는 예절, 걸어가는 예절, 윗사람을 대하는 예절 등으로 세분화된다. 숨이 막힐 지경이어서 그 반발로 예로부터의 자유를 갈구하게 되었을 것이다.

사실은 서양의 신사도도 그렇게 세세하다. 미국은 그렇게 자기를 닦은 능력자를 찾아서 중용했다. 그 본인이나 미국 사회나 암수(暗數) 같은 것은 없었다. 그렇게 해서 미국의 위대성을 쌓아간 것이라고 할 수 있다. 미국은 긍정, 양성(陽性)의 사회였다. 한편으론 자유를 추구하면서도 다른 한편에선 이런 정신이 자율조절을 해줌으로써 미국의 자유가 타락하는 것을 막아주는 것으로 보인다. 그들의 자유가 방종으로 흐르지 않게 하는 장치인 셈이다.

임진왜란 때, 장렬하게 전사한 장군들, 성주들이 많았다. 왕자도 싸웠다. 의병들도 많이 일어나 싸웠다. 승려도 이름 없는 백성도 용약 출전했다. 그러나 고관들의 아들들은? 안 보인다. 그래서 우리는 노블레스 오블리주가 도마 위에 오른다. 당시에는 그런 논제도 없었다. 병자호란 때. 마찬가지였다. 고관들은 싸울 것이냐 화친할 것이냐로 치열하게 싸웠지만 전장에서 치열하게 싸운 그들의 자손들은 얼마나 되나. 비참하게도 백성을 지켜주지 못해 많은 부녀자가 잡혀갔다가 천신만고 끝에 살아서 돌아오니 환향녀(還鄕女)라고 손가락질하고 욕했다.

6.25 때도 미군장성들의 아들들은 남의 나라 전선에서 많이 전사했는데, 우리 장군들 고관들의 아들들은 희생이 거의 없었다. 신라 때는 그렇지 않았다. 유명한 관창이 잘 보여줬다. 3국 중 제일 약했던 신라가 통일할 수 있었던 것은 지도층이 솔선수범한 힘이었던 것 같다. 말하자면 신라의 노블레스 오블리주의 힘. 화랑오계엔 임전무퇴가 있었다. 관념적으로 '애국'하는 것보다 실질적이다. 그런데 그 장엄한 정신이 왜 이어지지 못하고 사라졌을까.

흔히 조선은 문약(文弱)하다고 한다. 문약한 나라다. 무인은 문인보다 아래였다. 말하자면 문치의 나라다. 무인이 개국한 나라인데 왜 이렇게 됐는가. 상식적인 해답 하나는 도학(道學)정치의 영향? 그렇다면 유교의 영향? 공자의 커리큘럼(六經)에는 말 타는 것도 있으니 유교가 무인 하대나 문약을 초래하지는 않았을 것이다. 유학이라면 아마도 성리학인데 글쎄 도학자들은 많이 나왔어도 명장은 별로 없다. 장군이 별로 없는데 국방이 잘 될 리 없다. 군인정신이 없는 데 앞장서 싸우려하지 않을 것이다.

나라의 분위기가 문약으로 지도자들은 시회(詩會) 열고, 창(唱)이나 하고, 경마 잡히고 노는 판인데, 누가 그런 준비를 할 것인가. 누가 나라를 위해 희생하려고 할 것인가. 나라를 위해 헌신하고, 희생하는 사람에게 명예를 주고, 합당한 보상을 해주어야 노블레스 오블리주가 살 것이다. 벼슬 싸움에 전력투구하는 분위기에서 노블레스 오블리주는 기대할 수 없다.

그런데 현대, 또 문치라야 한다는 것은 문약을 초대하는 초청장이 아닐까. 문치, 무치 나누어 생각하는 자체가 틀렸다. 출중한 지도력을 갖춘 사람이면 장군 출신도 대통령이 될 수 있어야 할 것이다. 더욱 문신이 무신 위에 서려고 해서도 안 될 것이다. 기회균등의 나라라면 장군 출신이든 기업인이든 노동자든 교사, 의사, 변호사 등 누구나 대통령이 될 수 있어야 할 것이다. 오히려 사이비 지도자, 정상배는 걸러내야 할 것이다.

자기중심의 상도(商道)

왜곡과 거짓

일상의 커뮤니케이션은 얼마나 정확한가. 측정할 수 없다. 그러나 많은 다툼이 오해에서 연유함을 보면 불통이 상당할 것으로 추측할 수 있다. 흔히 사회적으로 물의를 일으킨 정치인들이 사과할 때 "본의는 아니었습니다" 하는데 그것은 듣는 사람이 잘못 들었다는 뜻이거나 그가 표현을 잘못했다는 뜻일 것이다. 듣는 사람의 염장을 질러놓고 본의가 아니라면, '그럼 진짜 본의는 무엇이야' 하고 오히려 진정성에 의심이 더 커질 수 있다. 마음이야 확인할 수 없어 알 수 없으나 이런 커뮤니케이션 오류는 왜 생기는가. 표현의 잘못이라면 말하는 기술의 미흡이지만 근원은 상대(듣는 사람)가 그의 말을 어떻게 받아들일까는 생각지 않고 자기식으로 표현한 것이다. 말하자면 자기중심적 사고(思考)가 빚은 커뮤니케이션 사고다.

보통사람들의 다툼은 오해 때문이거나 이해(利害)의 충돌인 경우가 대부분이다. 오해는 미스 커뮤니케이션으로 생기는데, 풀리면 '비 온 다음에 땅이 더 굳어진다'고 화해를 한다. 이해의 충돌일 때는 타협을 해야 하는데 커뮤니케이션이 정확하면 타협이 수월하지만 미스 커뮤니케이션이 되면 타협도 꼬인다.

커뮤니케이션은 여러 과정(단계)을 거친다. 말하는 사람(source)측에서 말하려는 의향(intention)이 생기면 이를 표현할 도구를 찾아야 된다. 즉 기호다. 언어(말이면 어느 나라 말), 그림, 음악, 손짓(수화) 등 많다. 이 단계에서 의향이 기호로 바뀐다(incode). 기호화로 메시지(message)가 작성된다. 그 메시지를 듣는 사람(receiver)에게 전달하려면 다양한 채널(channel)을 거쳐야 한다. 면 대 면이나 원거리면 전화, 편지 등 다양하다. 그 채널을 잘 건너려면 둘 사이에 프로토콜(protocol)이 맞아야 된다. 기쁨 기호를 보냈는데 슬픔으로 받아들이면 사고가 난다. 그렇게 전달된 메시지를 듣는 사람은 코드 풀이(decode)를 통해 자기의식으로 해석한다. 이런 여러 과정에서 각 단계마다 왜곡이 일어날 소지가 많다. 특히 의도의 단계에선 각 용어의 개념이 대단히 중요하다. 그 개념은 그의 교육과정과 경험을 통해 형성된다. 삶의 배경이 다른 사람 사이의 의사소통이 어려움은 그 때문이다. 먹는 배(梨)와 타는 배(舟)는 오해가 생겨도 쉽게 바로잡을 수 있지만 추상작인 문제는 대단히 복잡해진다.

추상적인 문제는 개념의 일치가 대단히 어렵다. 각인각색이다. 특히 이념으로 대립하는 사이라면 지난하다. '자유'를 놓고 보면 좌파-우파, 보수-진보, 여-야, 노-사, 학생-교수, 노(老)-소(少), 남-여에 따라 그 개념이 각기 다를 수 있다. 개념이 다르면 동문서답하고 싸우게 된다. 개념의 일치만 얻을 수 있다면 분쟁의 상당 부분을 해결할 수 있을 것이다. 개념의 불일치 때문에 남의 집 봉창 두드리는 것 같은 헛싸움을 하는 경우가 많은 것이다. 개념이 통일된 잣대로 재면 문제가 쉽게 해결될 것이다.

토론에서 이 단계를 소홀히 하는 경우가 많다. 특히 공적인 문제거나 다중을 대상으로 할 때는 이 단계의 노력을 많이 할 필요가 있다. 흔히 '그거야 다 아는 것 아니냐', '뻔한 것 아니냐' 하지만 실은 뻔한 것도 아니고, 다 아는 것도 아니다. 논문을 쓸 때나 법을 제정할 때는 개념 정의 단계가 있어서 그것을 분명히 하지만 일상의 대화에서는 그것이 생략되는데 거기서 엇나가게 되는 경우가 많이 생긴다. 그래서 서로 봉창을 두드리는 것이다.

정치인들은 싸움으로 먹고사는 싸움닭 같은 사람들이라서 보통사람과 다르다. 그들의 싸움은 계략의 충돌인 경우가 많다. 상대를 의도적으로 코너에 몰기 위해 계략을 쓴다. 의도적으로 왜곡하고, 억지 궤변을 늘어놓는다. 현란한 간지(奸智)가 총동원된다. 정직은 설 자리가 없다. 선대들이 그 악명 높은 당쟁에서 잘 보여줬다.

그러나 정직의 문제는 다르다. 거짓말을 할 때는 더듬거리거나 얼굴이 붉어지는 경우가 있어 들통이 나지만 천연덕스러운 거짓말에는 속아 넘어가기 쉽다. 정직한데 왜곡이 일어난다면 그것은 커뮤니케이션의 기술적인 문제다.

커뮤니케이션의 근본문제는 사람의 본색이다. 착한 사람은 상대가 나쁜 말을 해도 좋은 뜻으로 받아들여 싸우지 않는다. 그러나 악한 사람은 상대가 좋은 뜻으로 말해도 나쁜 뜻으로 받아들여 잘 싸운다. 우리가 지도자건 보통사람이건 싸움이 많음은 왜일까. 꼼수 때문이라면 비열한 심성 탓일 것이고, 이해가 안 됨은 지식의 차이 때문이 많다. 상대의 실수에 가멸찬 비난을 함은 잔인하기 때문이다. 배려와 관용의 마음이 있는 사람이라면 상대가 실수를 해도 그렇게 다투지 않는다. 우리는 지금 너무 각박하게 살고 있는 것 아닐까. 소리장도(笑裏藏刀), 가슴에 칼을 감추고 웃는 경우도 많다. 민주화로 상호존중의 평등을 이루면 해소될까.

여기서의 관심은 자기중심적인 사람들의 커뮤니케이션이다. 말은 그 사람의 성품, 속마음이 나타나게 마련인데 자기중심 성향의 사람들은 상대가 다른 뜻으로 생각할 수도 있다는 사실을 인정하지 않는다. 상대는 다른 뜻으로 말할 수도 있는데 오해가 생기면 '네탓'이다. 그리고 자기의견이 100% 받아들여지기를 바란다. 그들의 커뮤니케이션은 원 웨이다. 노사협상에서도 많이 보인다. 정치인들이야말로 그런 점을 감안해서 대화 토론을 많이 해야 하는데 그들은 더 절벽이다. 자기중심적 권위 때문이다. 그것은 커뮤니케이션 이전의 문제다. 소통부족은 한편의 책임이 아니다. 커뮤니케이션 오류는 말하는 측에도, 듣는 측에도 원인이 있을 수 있다. 가장 문제는 집단 간의 의사소통. 그들의 데모는 커뮤니케이션 차원의 문제가 아니다. 그들은 귀는 닫고 외치기만 한다. '대화하자'가 아니다. 그들은 승패, 항복을 요구한다. 타협하려는 민주적 태도가 아니다. '내 요구를 들어라', '내 주장대로 해라'. 일도양단(一刀兩斷, all or nothing)의 태도다. 야당은 '여당의 독주로 소통이 안 된다' 하고, 여당은 '야당이 발목을 잡아 국정운영이 어렵다'고 한다. 그들은 위치를 바꾸면 말도 바뀐다. 상대가 하던 소리를 그들이 하는 것이다. 양측을 다 경험하면 역지사지(易地思之)가 돼서 타협이 가능할 터인데 그들은 안 된다. 근본적으로 자기중심적 사고에서 벗어나야 달라질 수 있을 것이다. 자기중심적 집단은 커뮤니케이션이 벽에 부닥치게 마련이다. '나'만 있고, 상대는 없는 자기중심으론 평등이 이뤄지지 않는다. 그들은 똑같이 자기중심적이다. 그러면서 '민주화' '민주화' 하며, 상대는 민주화가 안 됐다고 비난한다. 민주화가 안 된 것은 똑같이 그들 자신인 것이다.

왜 이렇게 됐는가. 아무래도 전통문화와 민주주의 오접(誤接)으로 더 악화되는 탓 같다. 민주적 방식이 아니라도 '우리 말로 의논해서 서로 이익이 되는 방법을 찾아보자' 하면 된다. 꼭 민주적이다 아니다로 볼 문제가 아니다. 상대를 존중하는 정신이 있으면 민주주의의 법적 평등도 이루어지기 쉬울 것이다. 관용과 존중, 배려의 정신을 살려야 민주주의가 원활할 것이다.

자기중심적인 사람들은 그 틀에서 벗어나지 못한다. 그 치유는 오래 걸릴 것이다. 그런데 그럴 뜻도 없는 것 같다.

유교나 민주문화의 바탕이 된 기독교는 상대 존중과 배려, 관용의 정신이 같아서 둘이 만나면 그 정신이 배가되어 민주화가 수월할 것 같은데 반대현상이 빚어진다. 민주주의가 자유를 극대화하다 보니 자기중심주의로 가게 된 때문 같다.

내 마음의 곡척

"내 마음만 여겨서…"

흔히 들을 수 있는 말이다. 자기중심적 커뮤니케이션의 표본이다. 정직한 '나'가 거짓말쟁이를 '나'와 같이 정직한 사람으로 알았다가 낭패를 봤다는 뜻이다. 나를 미뤄 남을 안다는 것이 얼마나 위험한 일인가를 보여주는 예다. 상대방의 실체를 사실대로 알려고 하지 않고 다른 사람의 마음도 곧 자기 마음과 같은 것이라 여겼다는 것이다. 이 말은 그로 인해 뼈아픈 실패를 맛봤다는 자기반성이기도 하다. 자기중심은 실패로 이어질 수 있다는 교훈이다. 그러나 실제로 왜 잘못되었나 하는 교훈을 얻는 사람은 많지 않은 것 같다. 여전히 자기중심으로 나는 옳은데 상대가 틀렸다고 생각한다. 자기 생각에서 벗어나지 못하는 것이다. 그들은 또 같은 실수를 범하는 것이다. 보통사람들이 얼마나 자기중심적인가를 시사해준다.

"뻔하다", "네 얼굴에 그렇게 쓰여 있다"는 말도 같은 표현이다. 역시 타인의 얼굴 표정을 보고, 자기 마음으로 추측하는 것이다. 그 추측이 틀리면 오해를 하게 되고, 오해는 분쟁의 씨앗이 된다. 상대방의 말을 듣고 그의 마음을 아는 것이 아니라 상대방의 말은 무시하고 자기 눈으로 상대의 마음을 읽는 것이다. 그의 마음을 추단(推斷)해버림은 오해를 부르기 쉽다.

조선의 《경국대전(經國大典)》엔 〈추단조(推斷條)〉가 있다. 증거 없이 추단으로 처벌할 수 있게 한 것이다. 《실록》엔 그에 관련된 기사가 63건이 있다. 성종(成宗)은 장죄(贓罪)를 다스리는 일에 관해 승정원·의정부·

홍문관·옛 정승들이 의논케 했는데 "장죄를 범한 자를 반드시 정부의 의의(擬議)를 받은 다음에 시행한다고 하면, 옥사를 다스리는 관리가 처음부터 끝까지 의구심을 갖게 되어 즉시 추단하지 못하게 되므로, 늦어지는 자가 많을 것"이라는 의견이 나왔다. '의심하거든 맡기지 말고, 맡기거든 의심하지 말라'는 옛말을 들어 적격자를 얻어서 신임하였으면 옥사뿐만 아니라 모든 일을 다 다스릴 수 있도록 해야 한다고 강조했다(1479.5.4). 추단을 하라는 것이다. 비과학적 법 운용이다. 인권보다 능률을 더 높이 산 것이다.

정치권의 그 많은 싸움의 원인도 그런 주관적, 자기중심의 일방통행식 커뮤니케이션 때문이 많다. 그런 소통방식이 잘 통하는 곳도 있다. 선사(禪師)들은 황당한 몸짓과 이상한 말로도 서로 의사소통을 잘한다. 보통사람으로서는 뜻을 알 수 없는 기행인데, 그것으로 뜻이 통했다는 것이다. 부엌에서 막대기 두드리는 것을 보고 '너는 도가 통했구나' 하는 식이다. 어느 수준의 선의 경지에 오른 사람들이 하는 커뮤니케이션 방식이다. 직접 말로 하는 커뮤니케이션도 오해가 많아 갈등과 투쟁의 빌미가 되는데, 선문답에서 오히려 오해가 없다는 것은 텔레파시(?)의 힘으로 이뤄지는 소통으로 보통사람의 경지는 아니다.

자기중심적 커뮤니케이션은 '제 눈의 안경'식 대화로 이어진다. 그런 대화의 좋은 예를, 잘 알려진 바로, 조선을 연 이성계(李成桂)와 그의 스승 무학(無學)대사가 보여줬다.

"스님의 얼굴은 돼지로 보입니다."

이성계의 농에 무학은 엉뚱한 대답을 한다.

"대왕의 얼굴은 부처로 보이는데요."

여기서 이성계의 마음속엔 더 큰 오해가 빚어진다.

"스님도 아첨을 하십니까?"

"아니지요. 돼지의 눈엔 다른 사람도 돼지로 보이고, 부처의 눈엔 돼지도 부처로 보이지요."

《실록》에 있는 이야기는 아니다. 무학대사는 부처의 마음이고, 이성계의 마음은 돼지라는 통쾌한 해학이다. 이성계에게 '부처의 마음'을 알려주는 것이기도 하겠지만 자기식으로 상대를 보면 안 된다는 교훈도 담겨 있다. 그러나 두 사람 모두 사람을 보는 인식은 오류를 범하고 있다. 이성계가 부처도 아니고, 무학도 돼지가 아니다. 역으로 이성계가 돼지도 아니고 무학도 부처가 아니다. 이 대화는 자기중심적 사고가 얼마나 큰 커뮤니케이션의 오류를 부를 수 있는가를 보여주는 예이기도 한다.

자기중심적 사고는 특히 대인(對人)인식에서 오류를 범해 큰 낭패로 이어지는 경우가 많다. 선량한 사람이 악한 사람을 악한 사람으로 보지 않고, 자기의 선한 마음과 같은 선한 사람으로 보면 큰 낭패를 당할 것은 뻔하다. 선한 사람이 사기당하는 것은 대부분 그 때문이다. 자기의 선한 마음만 여겨 악한 사람의 사악한 마음, 거짓말과 사기, 협잡을 판별하지 못해 잘 속고, 배신을 당하는 것이다. 착한 사람이 망하는 이유다. 자기 마음만 여겨서 편하게 이야기했다가 낭패를 보는 사람들이 그들이다. '열 길 물속은 알아도 한 길 사람 속은 모른다'는 속담은 그런 함의를 담고 있다. 상대의 마음을 읽는 통찰력이 문제다.

사실을 사실대로 인식하는 눈, 그것이 바른 커뮤니케이션을 이루는 길이다.

태생적 한계

평등의 관점에서 보면 기업은 태생적 모순을 안고 있다. 기업은 생산의 3요소론을 떠나서 사람 중심으로 보면 자본가와 노동자로 구성돼 있다. 기술은 노동에 포함시킬 수 있고, 자본가는 주주와 사용자(경영자)로 나누어진다. 주주는 다시 대주주와 소액주주로.

이것은 좀 생각할 여지가 있다. 사람 중심으로 보면 노·자(勞資, 노동자와 자본가)가 같이 힘을 모아 시작했는데 왜 그 소유는 자본가에게만 귀속될까. 자본가에 귀속됨은 돈에 귀속됨이다. 회사를 물적 소유로 보기 때문이다. 인적 소유로 보면 구도가 달라질 수 있다. 기업의 종류는 다양하다. 개인회사 법인회사, 법인회사는 다시 주식이 주인인 주식회사(株式會社, company limited by shares), 사람이 주인인 합명회사(合名會社, general partnership), 그 절충의 합자회사 (合資會社, limited partnership)로 나누어진다. 그런데 우리는 거의가 주식회사다. 돈이 주인인 것이다. 주식회사는 4백여 년쯤 전에 영국과 네덜란드에서 인도로 진출하면서 시작됐는데 돈 중심이다. 기업이 돈의 소유가 된 것이다. 당시는 식민시대로 주종(主從)의 의식이 강했다. 그런 문화적 배경 속에서 창안된 주식회사의 노사관계는 역시 주종관계다. 우리 기업은 거의가 주식회사이다. 전통적인 주인과 머슴관계가 기업 내에서도 형성된 것이다. 대립과 갈등관계로 발전하게 된 것이다.

회사는 돈의 소유가 아니고 사람의 소유다 하면 회사제도가 근본적으로 달라질 것이다. 상속문제도 해결될 것이다. 현재는 경영권만 상속이 되는데 노동권도 상속이 될 수 있을 것이다. 실제로 노동자들은 그것을 원해서 노사교섭을 통해 실현하기도 하는데 법적으로 허용되지 않아 은밀히 추진한다.

특히 우리의 경우, 산업화가 시작될 때, 기업은 축적된 자본이 별로 없었다. 그 부족분을 정부가 도와주었다. 정부의 시혜, 금융지원이었다. 원래 금융기관은 돈장사(금융거래)하는 곳이나 그 자신 금융기관 돈이 부족해서 정부의 지원을 받는 처지라 정부의 지시를 따라야 했다. 이런 형편에서 그 기업의 소유권을 자본가에게 귀속시킴은 정부의 시혜를 자본가들이 독점하는 것이나 마찬가지다. 그들은 일할 기회를 만들어주었다고 하지만 그 창의의 대가, 경영의 대가가 너무 크다. 초창기 그들은 적정 수준의 임금을 지급한 것도 아니었다. 자본에 소유권 경영권 상속권을 몰아줌은 그 국가 시혜의 불평등이 너무 크게 된다.

이런 생각은 회사(주식회사)의 개념을 근본적, 혁명적으로 바꾸는 것이다. 이해가 어려울 것이다. 그러나 여기에 민본(民本)사상을 접목하면 어떻게 되는가. 회사는 돈이 주인이 아니라 사람이 주인이다 하면?

흔히 산업화시대를 무에서 유를 창조한 시대라고 한다. 노동자들도 임금노동 이상의 헌신을 했다. 그러나 그 보상은 경영권에 비해 상대적으로 적었다. 특히 창업노동자는 그랬다. 자본과 노동의 균형을 맞추려면 그 관계가 달라야 할 것이다. 우리의 경우, 주식회사 제도가 뿌리 깊은 '머슴'의식과 짝을 이루면서 악명 높았던 신분제적 차이를 잉태한 것이다. 한 솥의 밥을 먹는 사이로서의 공동운명도, 현대적 노사평등, 노사균형도, 정서적 동질감도 이뤄지지 않는다.

자연 노사문제는 복잡하게 얽혀들었다. 노사관계는 공동운명체가 아니라 불평등한 대립관계로 발전하면서 투쟁의 관계가 됐다. 기업이 명실상부하게 운명공동체, 한 식구라면 그런 대립관계로 발전하지 않았을 것이다. 노동자들은 개척기 산업전사였으나 회사가 발전하자 강성노조로 변해갔다. 노사분쟁은 격렬해졌다. 문화적 배경 탓이다. 머슴관계가 민주를 만나니까 대립, 투쟁의 관계로 발전했다.

그것은 인간관계가 더 악화시키기도 했다. 어려울 때 사용자(자본가)는 '우리 공생공사하자', '동고동락(同苦同樂)하자', '이 회사는 여러분의 것이다' 등 감언이설로 유혹했는데 동고(同苦)는 했으나 동락(同樂)은 안됐다. 그 배신감은 컸다.

민본(民本)사상을 바탕으로 하면 회사제도를 달리 창안할 수 있지 않았을까. 그러나 그런 혁명적 발상은 없었다. 서구의 제도를 그대로 들여왔다. 공자는 기욕달이달인(己慾達而達人)하고 기욕립이입인(己慾立而立人)하라고 했다. 의역하면 네가 돈을 벌고 싶으면 다른 사람도 돈을 벌게 하고, 네가 출세하고 싶으면 다른 사람도 출세하게 해주라. 그런 분위기라면 노사분규는 일어나지 않을 것이다.

그런 기업인을 만난 적이 있다. 앞에서 설명한 교포기업가. 오래전 미국의 4백대 부자에 오른 그가 "기업을 시작할 때부터 참여한 사람

중에 백만장자가 많이 나왔다"고 하며 아주 흐뭇해하던 그의 표정에 진정성이 묻어났다. 그는 식사도 종업원식당에서 손수 트레이를 들고 밥을 타서 종업원과 함께 먹었다. 물론 노사분규가 없었다. 노사관계의 새로운 전범을 보는 듯했다.

그런데 국내 기업인은 정반대의 모습을 보여줬다. 아주 오래전 화장실에서 최고재벌의 총수를 만났는데 비서 두 사람이 따라 들어왔다. 그는 손을 씻으러 왔는데 비서 한 사람은 수건을 손에 받치고 섰고, 또 한 비서는 수도꼭지를 틀어주었다. 그리고 먼저 들어온 사람이 나가려 하는데도 통로를 비워주지 않았다. 극단적으로 대비되는 두 기업인. 문화차이의 소산일까, 한 사람은 민주화된 기업인, 또 한 사람은 머슴의식에 찬 기업인. 혹은 종교의 영향?

현재의 노사관계는 주종(主從)의식과 민주평등의식의 충돌 같다. 거기에 자기중심주의가 작용하고. 해결의 실마리가 보이지 않는다. 주식회사제도 자체를 바꿀 수는 없을까. 그것은 새로운 의식(意識)이어야 가능하다. 의식이 바뀌고, 관념이 바뀌어야 한다. 민주주의의 시대에 맞게 변용할 수 없을까. 주식회사에 특히 공자의 경제도(經濟道) 서(恕)사상을 접목하면 어떻게 될까. 자기중심적 사고에서 벗어나 공존 공생의 길을 모색하면 새 길이 보일 것도 같다.

그러나 그것은 간단한 문제가 아니다. 회사제도도 바꿀 수는 있지만 많은 연구를 해보아야 할 것이다. 소유와 상속에 대한 개념이 달라지고 경영성과에 대한 책임도 똑같이 져야 할 것이다. 근로조건도 달라져야 할 것이다.

기업의 자유시장경제

《실록》엔 〈기업(企業)〉이 두 번 나오는데 현대와 같은 의미는 아니다. "조종(祖宗)의 기업(企業)을 이어받아"(연산군, 1502.9.15)라거나, "조종의 원대한 기업(企業)을 떨어뜨림이 없어야 할 것인데"(영조, 1733.6.9)라는 말을 보면 회사를 뜻하지는 않는다.

기업은 아직도 자기중심주의가 강하다. 소비자들은 휴대전화기를 바꾸면 당장 불편함을 겪게 된다. 글자판의 한글 표시기능이 각사 제품마다 다르기 때문이다. 모두 자기방식을 고집하고 있다. 한글 구조가 원체 우수하니까 곧 숙달하게 되지만 나이 많은 사람들은 그렇지만도 않다. 이런 문제는 KS(표준규격)로 진작 해결해 놓았어야 하는데 업계의 힘(?)에 밀려 방치한 것 같다.

컴퓨터 이전의 한글타자기 역시 제작회사들이 각자의 자판을 고집해서 끝내 통일되지 못하고 수명을 다했다. 정부는 통일 노력을 많이 기울였지만 성공하지 못했다. 표준화제도(KS)도 무력했다. 컴퓨터의 키보드는 어렵사리 글자판은 통일했으나 세세한 기능에서는 표시방식이 조금씩 다르다. 기업의 자기중심이 정부정책을 무력하게 만든 예다. 각사는 자기 것이 우수하다고 고집할 수밖에 없겠지만 국가가 소비자를 생각한다면 가장 과학적이고 편리한 방법을 찾아내 통일시켰어야 했다.

또 다른 예. 경영학은 소비자의 기호에 맞추라는 전략을 강조한다. '소비자는 왕', '구매자 시장', '고객만족경영'이다. 그런데 우리는 그게 원만치 않다. 당연하다. 산업화 초기엔 기업이 소비자에게 맞추는 것이 아니라 소비자가 기업에 맞출 수밖에 없었다. 판매자시장(seller's market)이었기 때문이다. 그러다 시장이 구매자 중심(buyer's market)으로 바뀌자 난처해졌다. '고객만족', '소비자는 왕'으로 의식을 바꿔야 하는데 이론으로는 배워 공감하지만 의식이 따라가지 못하는 것이다. 현란한 광고로 소비자를 유혹은 해도 생산자와 소비자의 위치는 여전한 것이다.

이에 비해 기독교의 황금률(黃金律)은 상대 먼저라서 고객만족이 쉽게 이뤄질 수 있을 것 같다. 고객을 먼저 대접하니 고객이 기업을 대접할 것은 당연하다. 그런 의식에서 고객만족경영이 나온 것 아닐까. 그들은 고객만족경영이 자연스러울지 모른다. 그러나 우리는 어렵다. 그런 의식이 아니기 때문이다. 우리는 '되로 주고 말로 받는다'는 생각이 있지만 그것은 이해타산 방식을 말하는 것이지 상대를 대접하는 생각은 아니다.

자기중심 사고로는 시장경제의 근간인 기회균등과 공정한 경쟁이 이뤄지기 어렵다. 그들은 사유재산제에 매달려 있으면서 자기중심의 특혜요구(조세 금융)를 한다. 자기에게 유리하면 자유경쟁을, 불리하면 보호를 요청한다. 얼마나 모순인가. 자기에게 유리한 시장경제만 하려 한다. 실력을 바탕으로 한 공정한 경쟁은 외면해서 실력 이외의 불공정경쟁(정실·부정·부패)이 만연한다. 대기업이건 소기업이건 정부에 대해서도 특혜와 보호, 지원을 요구한다. 자유경쟁풍토가 아니다. 정부도 이런저런 구실로 간섭하여 공정경쟁을 저해한다. 누구에게나 똑같이 평등하게 적용할 원칙을 생각하지 않는 것이다. 시장경제를 할 바탕이 돼 있지 않은 것이다. 기업과 정부는 실질과 원칙을 놓고 끊임없이 줄다리기를 한다. 정부의 회계(세무회계)는 자금의 사용 용도를 엄격히 제한하지만 기업(기업회계)은 융통성을 배제할 수 없다. 기업회계와 세무회계는 일치하지 않는다. 장부는 둘이 될 수밖에 없다. 공정경영도, 공정경쟁도 어렵게 된다.

'협객' 김두한시대의 주먹패들은 한 측이 도전장을 내면 대결 날짜를 정하고, 실력을 갈고닦아 약속된 장소에서 대결한다. 목숨이 왔다 갔다 하지만 정정당당하게 싸우고, 패자는 깨끗이 승자에 승복한다. 공정경쟁이다. 시장경제 체질이랄까. 시장경제를 할 수 있는 토양이랄까. 패배해도 물러나지 않고 복수혈전이나 계속하는 정치인들보다 주먹패들이 더 공정하다. 그들은 특혜만 노리는 경제인들보다도 공정하다. 그런데 요즘 깡패들은 생선회칼로 적의 등을 찌르는 암수를 쓴다고 한다. 암수도 머리를 쓰는, 넓은 의미의 실력이랄 수 있겠지만 당당한 공정경쟁이 아니다. 시류의 영향인가. 깡패나 기업이나 불공정경쟁면에서는 동질이 됐다. 주먹패가 기업경영에서 배운 것일까. 민주화가 정정당당에서 멀어지는 현상이 벌어지고 있는 것이다.

민주화를 맞았지만 자유경쟁면에서 우리는 아직 시장경제체질이 아니다. 군주시대엔 군자·대장부가 대의(大義)를 존중했지만 지금은 대장부가 없다. '자유'로 자기중심이 극대화한 때문일까, 실력·공정경쟁이 안 된다. '같이 살자', '평등(평준화)'도 공정경쟁을 저해한다. 그렇다고 평등이 되는 것도 아니다. 기업의 자유와 평등은 엇갈리는데 자유가 오히려 공정경쟁을 해치니 민주주의의 모순인가. 원칙은 평등하고,

경쟁은 자유로워야 하는 면에서 우리는 거꾸로 간다.

우리는 중국의 춘추전국시대 같은 치열한 자유경쟁의 경험이 없다. 삼국시대가 있었지만 그렇게 치열하지는 않았다. 실력으로 경쟁하는 풍토가 아닌 것이다. 실력경쟁의식, 자유경쟁의식이 뿌리내리지 않은 것이다. 그러니까 기업은 정부의 지원 특혜 따먹기에 열중한다. 이후 왕조는 인치로 모든 것을 권력이 좌우. 권력 지향적이 됐다. 시장경제 체질이 아닌 것이다.

노동자들의 자기중심

현재의 강성노조가 탄생하기 전에도 노총은 카운터 파트인 경영자단체를 인정하지 않았다. 노동자권익에 반대되는 단체라 대화상대로 삼을 수 없다는 이유였다. 대화 소통은커녕 대면(동석)조차 안 한 것이다. 배타적 자기중심이었다. 지금은 만나기는 하지만 노동자단체(노조)의 밑바닥 의식에는 여전히 그런 기류가 흐른다. 노사정위원회에서 노조 대표는 툭하면 뛰쳐나가 위원회 기능을 마비시킨다. 자기중심의 극치 같다.

노사교섭도 정치협상과 비슷하다. 정확히는 협상이 아니다. 노조원들이 머리에 붉은 띠 두르고 춤춤은 힘의 축적을 위한 분위기 조성용 이벤트다. 그들의 주장은 일방적이다. 제의가 아니라 '받아들여라' 하는 것이다. 사용자가 받아들이지 않으면 '불성실' 하다고 도덕적으로 매도한다. 정치판에서 상대 당을 '부도덕하다'고 몰아치는 것이나 같은 행태다. 교섭도 협상도 아니다. 굴복시키느냐, 항복이냐의 대결인 것이다. 협상의 조건을 따져, 양보할 것은 양보하고, 받을 것은 받는 협의 협상의 태도가 아니라 승패를 결하는 투쟁이다. 그 수단으로 도덕적 공격을 한다. '성실하지 않다', '진정성이 없다'. 협상이 원만히 진행될 리 없다. 자기의 조건을 관철(승리)하려니 자연 강경해지고 벼랑끝까지 간다. 상대를 굴복시키기 위해 모든 역량을 집중한다. 휴업·파업·대치가 많고, 투쟁이 극렬해지는 것은 정해진 수순이다.

그들은 경제이론에도 맞지 않는 과도한 요구를 한다. 적자 기업에서도 임금을 올리라 하고, 선진국의 동종 기업보다도 높은 수준의 임금을 요구한다. 생산성을 감안해 보면 우리 기업의 임금수준이 월등 높다. 생산성은 해외공장보다 국내 본사가 훨씬 뒤처져 있다. 함에도 급여는 많다. 국민의 따가운 눈총이 쏠리지만 그들은 개의치 않는다. 자기중심기질 탓 같다.

노조도 천차만별이지만 귀족노조의 경우, 노사교섭은 확실히 노동자 측에 힘이 실린다. 민주주의 하에서는 인수(人數)가 힘이다. 결국은 힘이 해결한다. 군사정부 시대엔 정부가 은밀히 개입했지만 이제는 어림도 없다. 그 밑바닥엔 자기중심이 있다. 자기중심이 자기정당성으로, 다시 이기로, 다시 자기우월로, 자기절대화로 발전한다. 거기서 왜곡이 일어난다. 상대의 정당성은 인정하지 않고, 자기의 정당성만 내세운다. 자기 공적을 과장한다. 성과(기여)보다 큰 보상을 요구한다. 그게 힘의 작용에 따라 때로는 사용자 측에, 때로는 노동자 측으로 기운다. '우리가 없으면 공장이 돌아가나 봐라.' 사용자는 '직장을 만들어 먹여 살리지 않는가.' 자기중심은 자기 공헌이 커 보이게 마련이다. 노동자가 사용자로 위치가 바뀌어도 노(勞)는 노고, 사(使)는 사다. 역지사지(易地思之)도 안 통한다. 여야관계나 마찬가지다.

노사관계는 일률적이 아니다. 힘이 있는 귀족노조와 힘이 없는 하청기업노조는 상반된 태도를 보인다. 이 경우 귀족노조는 하청기업의 사정을 봐주지 않는다. 귀족노조의 요구조건을 충족시키기 위해 하청기업의 조건은 점점 열악해진다. 그러나 그들은 하청기업노동자의 형편을 감안하지 않는다. '같은 노동자'의식, 동지의식은 그들 노조 안에서만 통용되고, 다른 기업의 노동자에는 미치지 않는다. 철저한 자기중심 탓이다.

일반적으로 노사관계가 원만하지 못한 원인은 자기이익우선으로 서로 신뢰를 상실한 때문이다. 노동자가 사용자를 '불성실하다'고 지적하는 것도 일리가 있다. 반대로 사용자가 노동자를 신뢰하지 못하는 것도 일리가 있다. 회사 사정은 안 보고 자기 몫만 챙기려 함은 노사 모두 자기중심·자기우선이 작용하는 탓이다. 자기가 세상의 중심이고, 상대는 나의 목적을 위한 수단이어야 하는 존재로 여긴다. 노사대립만 보지 기업 전체는 보지 않는다. '내 이익 먼저' 챙기다 보니 전에는 '기업은 망해도 기업인은 산다'는 풍토가 조성됐다. 힘의 균형이 역전되자 '기업은 죽어도 노동자는 산다'로 바뀌었다. '노사 함께'가 아니라 어느 편이든 자기만 챙기는 면에서 노·사 동질이다. '한 솥의 밥을 먹는 같은 식구'는 옛날의 낭만적 관계에서나 통했다.

이 때 혈구(絜矩)의 도를 노사관계에 적용시켜 보면 어떻게 될까. 사용자가 '노동자도 나와 마찬가지로 이익을 바랄 것이다. 그에게도 이익을 나눠 주자'고 하면 노사문제는 다 해결될 것이다. 공자의 경제도 (經濟道)는 현실적으로 무엇일까. 그것을 노사관계에는 어떻게 적용할 수 있을까. 공정(경쟁)과 평등(분배)이 아닐까.

그들은 일반적 민주원칙, 민주주의의 보편적인 원칙이 아니라 나 중심의 자유, 나 중심의 평등, 나 중심의 이익에 매달리니 노사관계는 점점 꼬인다. '나'만 보지 말고 서로 '너'도 동일하게 봐야 문제가 원만히 풀릴 것이다. 전통과 민주문화의 참 모습에서 배울 일이다.

'나 우선'을 가르치는 교육

자기중심을 부추기는 노래

"따르릉 따르릉, 비켜나세요. 자전거가 나갑니다. 따르르릉."

초등학교에서 가르치는 동요다. '내가 나가니 너는 비켜라'. 사람끼리 만날 때 어떻게 하라는 질서(예절)교육의 노래가 아니다. (내)자전거를 가지고 같이 놀자는 동류의식도 아니다. 재미있는 노래지만 무의식적으로 극도의 이기주의, 자기중심, 자기우선주의의 정신이 배어들게 되지 않을까. 어른 사회에서 다른 사람 밀어내기, 정적 쳐내기, 나만 잘살기는 이런 의식이 자라게 하는 영향을 미칠 수도 있지 않을까.

민주화에 역행하는 교육의 또 한 예는 지식교육이다. 기억만 늘려주고 사고력을 계발시키지 않는 교육, 지식만 가르치고 가치나 논리는 가르치지 않는 교육, 웅변만 가르치고 토론은 가르치지 않는 교육…. 입시 부작용에 쫓겨 다니다가 본질이 왜곡될 대로 왜곡됐다. '민주화'

에도 기여하지 못한다. 지식 위주의 입시용 교육은 현실 문제를 푸는 데 도움을 주는 사로(思路)를 넓혀주는 교육, 합리적으로 의논을 모으는 교육, 인식의 눈을 밝게 해주는 교육, 통찰력을 길러주는 교육, 지혜를 늘려주는 교육, 창의력을 길러주는 교육이 아니다. 지식은 많은데 생각은 경직된다. TV에서 학생의 지식을 겨루는 프로를 보면 고등학생도 상당한 지식을 쌓아 갖고 있음을 알 수 있다. 그러나 저 판검사, 언론인 출신의 국회의원 언행을 보면 인성교육 도의교육은 전연 받지 않은 사람들 같다.

지식은 뛰어난데 그 지식을 생각에 활용하는 능력을 어떻게 길러주는지, 현실문제 해결에 어떻게 활용하는지는 의문이다. 지식의 축적보다 어떻게 사는 것이, 공동체의 질서를 지키며, 나와 너의 관계를 원만하게 유지하며 살아야 하는가를 가르치는 것이 민주교육일 것이다. 그런데 그런 교육주제는 소외되고 있는 것 아닌가. 학생에게 밥 먹여주는 문제(무상)로 싸우는 와중에 학생에게 무엇을 가르칠 것인가 하는 본질문제는 뒤처지게 되고 만다.

교육방법도 문제다. 어른들은 이미 생각이 굳어졌기 때문에 아이들에게나 희망을 걸어야 할 것인가. 어른이 좋은 본을 보이고 아이들이 따라오도록 하면 제일 좋다. 민주화는 그 내용을 바꿔야 한다. 민주화교육은 가치체계나 질서, 생활방식, 경쟁방법을 바꿔야 할 것이다. 함에도 교육은 순수한 영역으로 남겨두기 위해 사회와는 분리하려고 한다. 사회 따로, 학교 따로 인 것이다. 사회에선 치열한 경쟁을 해야 하는데 학교에선 무경쟁교육이다. 학교교육이 사회로 나가기 위한 준비과정이라면 지금의 교육방향은 잘못된 것이다.

학교, 사회 따로가 아니라 오히려 학생 때부터 공정한 경쟁의 룰에 길들여지도록 해야 학생들도 공정경쟁에 길들여지고, 나아가 사회도 공정경쟁 풍토가 조성될 것이다. 아이들을 사회와 다른 가치관의 세계에서 키워서 아이가 사회에 나가게 하면 혼란에 빠지고 말 것이다. 물론 어려서부터 경쟁에만 매달려 비인간적으로 자라게 하면 안 될 것이다. 둘 다 필요한 것이라면 인간적 경쟁을 하게 가르쳐야 할 것이다.

사회의 가치관과 학생의 가치관을 다르게 가르쳐서는 실용주의 교육이 아닐 것이다. 제일의 교육과제는 민주가치를 가르치는 것이다. 학생들에게 어떤 민주주의 가치를 교육 시킬 것인가. 우리는 그것을 잘 해오고 있는가. 아니다. 지금 우리 민주주의가 저 꼴인 것은 학생들에게 민주주의 교육을 잘못 시켜서 일 것이다. 민주훈련 민주의식화를 제대로 안 시킨 결과다. 그들은 자유가 무엇인지, 평등은 어떻게 이루는지를 배우지 못한 것 아닌가. 지금은 어느 세대든지 민주주의 교육을 받고 자랐다.

특히 학교에서 바로 정계에 도비(徒飛)하는 사람들은 그렇게 보인다. 교실에서는 지식으로서의 민주주의를 배웠으나 바른 의식화가 덜 되고, 더욱 몸으로 실천하는 방법은 배우지 않았다. 나의 자유만 가르치고, 나의 자유와 너의 자유가 만날 때 어떻게 조화시킨다는 룰은 가르치지 않았다. 너와 나는 어떻게 평등을 이루어야 한다는 방법을 가르치지 않았다. 오히려 이 민주화시대에 자기자유의 극대화만 가르쳤다면 전근대적 구태를 답습해오고 있음이다. 민주파행은 필연적이다.

학교에서 바른 민주화교육, 민주훈련을 시켜서 습관화되도록 해야 정치판이 바른 민주화로 갈 것이다. 《실록》에 〈향교(鄕校)〉에 관한 기사는 4백45건인데 커리큘럼 같은 문제는 논의가 안 됐다.

네가 비켜라

교통사고가 세계 최고수준인 것도 '네가 비켜라' 교육 때문이 아닐까. 서로 '네가 비켜라' 하고 달리면 충돌할 수밖에 없다. 교통사고는 졸음운전 음주운전처럼 운전자의 물리적 과실 때문도 있지만 룰을 지키지 않는 질서 무의식도 큰 원인 같다.

교통사고가 많이 일어나는 사거리 교차로에서 꼬리 물기와 앞서 달려나가기로는 충돌이 많을 수밖에 없다. 그런 사고가 종종 일어난다. 그들은 똑같이 '네가 비켜라' 다. 꼬리 물기는 '나도'고, 앞서 나가기는 '나 먼저'다. 그런데 '나 먼저(나도)'와 '네가 비켜라'는 다른 사람이 아니다. 바로 그 자신이다. '나' 중심의 그는 양면을 지니는 것이다. 내가 나가니까 너는 좀 뒤에 오라, 나도 지나갈 터이니 너는 기다리라. 앞에서 아니면 뒤에서 충돌할 수밖에 없다. 이런 경우의 '네가 비켜라'는 어린 학생들이 부르는 동요 '내 자전거가 나가니 너는 저리 비켜라'와 유사하지 않은가. 그렇다고 그 노래를 부르던 학생이 자라서 '네가 비켜라' 족이 됐다고 단정할 수는 없으나 무의식 속에서라도 그 의식이 남아 있어서 어떤 영향을 미칠지는 모른다고 유추해 볼 수는 있다.

'네가 비켜라' 하는 노래를 가르치지 않고 길을 가다가 두 사람이 만나면 서로 어떻게 하고 지나간다는 룰을 노래로 가르쳐주면 어떻게 될까. 노래가 아이들에게 미치는 영향은 크다. 그러면 '네가 비켜라'족이 안 될지도 모른다. 실제로 그렇게 가르치는 외국도 있다고 한다. 실습을 통해 양쪽에서 학생이 올 때 서로 어떻게 인사하고, 어떤 룰(좌측, 혹은 우측통행)을 지키며 지나가야 하는가를 가르친다는 것. 교통질서뿐 아니라 인사까지. 사회질서를 명랑하게 만드는 교육 같다. 세 살 적 버릇이 여든까지 간다는 속담은 어려서 배운 것, 어려서 머릿속에 강하게 입력된 것은 어른이 돼서도 지워지지 않는다는 뜻이다. 그래서 학생교육이 중요한 것 아닌가. 그런데 교육당국도, 교사들도 그런 생각은 하지 않는 것 같다. 지식과 행동의 연결고리가 없는 것이다. 해서 지식은 지식, 행동은 행동식으로 따로 논다.

정치인들은 자신들의 행동이 학생들에게 미치는 영향은 생각지도 않는 것 같다. 지도자라는 사람들이 비교육적 언행을 서슴없이 자행함은 그 때문일 것이다. 그들은 그들의 행동이 아이들의 본이 된다는 생각은 않는 것 같다. 아이들과 어울리지도 않고, 아이들과 대화도 않는다. 아이들과 눈높이를 맞춘 대화를 하는 어른이 얼마나 되는가. 선거 때는 아이 안고 사진 찍기에 바쁘지만.

사회교육은 말할 것도 없다. 역시 지도자가 좋은 본을 보여야 할 터인데 지도자들은 그런 의식이 없어 보인다. 그런 의식이 있다면 그렇게 마구잡이로 투쟁을 하지는 않을 것이다. 그들의 언행에서 서민들이 배울 것이 무엇이 있는가. 그들은 가장 중요한 역할 하나를 방기함이다. 더 중요한 그들의 임무는 가치관 교육일 터인데 그들은 비리(非理) 비론(非論)이다. 그들은 지도가 아니라 보통사람의 도덕성 합리성 책임감 가치관도 가지지 못한 사람들 같다. 학생인권, 당연히 보호돼야 한다. 그러나 '나'의 인권 주장에 그치지 않고, '너'의 인권과 형평을 맞추고, 친구의 인권, 선생님의 인권도 동등하게 존중하는 인권교육이어야 할 것이다.

법이 틀렸다

극단적 자기중심주교육의 폐해 가운데 하나는 준법정신이 서지 않는 것이다. 자기에게 불리하면 법이 잘못됐다고 주장하는 사람들이 많다. 정치인들이나 시민운동가들, 고위직 사람들 중에도 법이 옳지 않아서 지키지 않는다는 사람들이 있다. 그런 사람일수록 격렬한 행동(운동)을 한다. 법이 잘 되고 잘못되고를 그들 각자의 기준으로 판단한다. 만인을 만족시킬 법을 만들기는 불가능하다. 그들은 자기가 법이라는 투다. 자기 잣대로 법을 잰다.

그들이 뿜어내는 정치투쟁의 동력은 거기서 나온다. 네가 틀렸고, 내가 정당하다. 내가 옳다. 너는 틀렸다. 만인이 자기가 법이라고 하면 법 없는 사회나 마찬가지다. 법은 '나'만의 것이 아니라 만인의 것이다. 법 없는 사회가 어떻게 될 것인가. 법은 만인이 약속한 정의인데 이를 부정하면 정의 없는 사회가 될 것이다. 사회 질서가 깨짐은 말할 것도 없다. 우리는 정의가 서기 어려운 사회임은 자기중심 때문이다.

법이 잘 못 될 수도 있다. 국회의원들은 만능도, 완전도 아니다. 법이 옳지 않다면 적법한 절차를 거쳐 고치면 된다. 각자의 판단으로 내 마음에 옳지 않은 법이라고 지키지 않으면 법은 설 수가 없다. 극단적인 자기중심이 법치사회를 해치는 것이다. '악법도 법'이라는 전통의 서양과 대비된다. 선출직 공무원들조차도 법이 틀렸으면 안 지켜도 된다고 한다. 그 판단은 누가 하는가. 각자가 하게 되면 법은 만인 각자의 법이 돼야 할 것이다.

법을 만드는 사람들의 태도에도 문제가 많다. 이해가 상반되고, 가치관이 다른 사람들이 입법흥정을 하는 과정에 이상한 방향으로 법이 만들어지기도 한단다. '괴물'이라고도 한다.

교육감 중에도 그렇게 말하는 사람이 있다. 정부 정책과 반대되는 시책을 펴려다가 중앙정부와 충돌하게 되니까 그가 내놓은 변명이 '법이 잘못됐다'였다. 민주주의 근간을 부정하는 것이다. 그것은 바로 독재다. 민주주의 사도들이, 국민의 선택을 받은 대의사들이 제정한 법을 잘못됐다고 지키지 않으면 어떻게 될 것인가. 그 교육감은 학생들에게 법이 무엇이라고 가르칠 것인가. 준법정신을 어떻게 심어줄 것인가. 극단적 자기중심으로 '나는 옳고, 너는 틀렸다'면 분쟁이 많아 질 수밖에 없다. 법이 틀렸다고 불신을 해서 권위를 잃으면 분쟁 해결의 도구를 잃음이다. 그다음에 올 것은 무질서다. 질서가 죽으면 힘이 말하게 될 것이다. 기관마다 자기기준이면 법은 설 수 없다. 힘이 말하는 사회는 무법사회거나 독재사회다.

또 하나는 정계에서 벌어지는, 타협이 어렵고 배신과 이합집산이 심한 현상이다. 자기이해(利害)만을 생각하다 보면 서로 충돌하게 된다.

이해가 합치하는 경우는 드물다. 이해가 같아 합치했더라도 곧 상반되게 된다. 그러면 갈라서게 되고, 또 새로운 동지를 찾게 된다. 결과적으로 배신이 된다. 자기중심이 심한 사람들은 '나를 따르라' 하지 타협하려고 하지 않는다. 우리 정치인들은 배신을 밥 먹듯이 하고, 이합집산이 일상화한다. 이합집산은 정도를 벗어나게 된다. 정치는 혼란스러워지고, 민주주의 기능은 제대로 발휘되지 못한다. 민주기능이 제대로 작동해서 합리적으로 합의를 이뤄간다면 이합집산도 막을 수 있고, 배신도 적을 것이다.

그런데 우리는 민주화가 될수록 이합집산이 늘어 혼란이 심해진다. 민주주의를 역으로 하기 때문이다. 나의 자유만 극대화하고 타인의 자유는 무시하며, 만인의 자유가 합의점을 찾지 못하기 때문이다. 그럼에도 일부 정치인들은 나의 자유를 더 늘리려고 할 뿐 너의 자유, 그의 자유와 균형을 맞추거나 타협하려 하지 않는다. 민주주의가 옆길로 샐수밖에 없다.

자유는 자기중심의 발로다. 자기중심과 자유는 함수관계다. 자기중심이 없으면 자유가 필요 없다. 자기중심에 충실하려는 강도에 따라 자유의 강도가 결정된다. 우리가 자유의 추구열이 강한 것은 예부터 유별난 자기중심 속에서 살아왔기 때문일 것이다. 문제는 그 자유가 합의점을 찾게 하는 것인데 우리는 그리로 나가지 못한다. 그것은 자유가 평등해야 가능한데 우리는 나의 자유만 소중하고 타인의 자유는 인정을 안 하는 것이다. 자유와 평등을 이해하는 의식이 성립돼 있지 않기 때문이다.

커뮤니케이션 교육의 부재

유럽의 민주주의가 성공한 배경의 하나는 고대 그리스의 대화(dialogue) 문화일 것이다. 소크라테스를 정점으로 한 철학자들은 끝없는 대화(産婆法)로 새로운 지혜를 찾아내는 지적 탐구를 이어갔다. 그들은 노소 간, 스승과 제자 간에 끝없는 대화를 나눈다. 소크라테스는 그런 대화가 청년들을 타락시킨다는 죄목으로 시민투표에 의해 사형을 당한 사실로 미뤄보면 반감도 상당한듯하지만 대화는 그들의 문화로 정착됐다. 그런 대화를 통해 그들은 사변(思辨)능력을 키우고, 중의를 모으는 방법을 터득하고, 컨센서스를 용이하게 이루어 가지 않았을까.

유교문화는 다르다. 공맹(孔孟)학당의 교육방법은 강연식이다. 현자(스승)가 학생에게 지식을 전달해주는 방식이다. 소크라테스 교육법과 완전히 다른 방식이다. 이 연역적(演繹的) 교육방법은 하향식 문화(top down)의 일환으로 제왕의 통치방식과 맥을 같이 한다. 민주적이 아니다. 우리가 실질적 민주화가 어려운 원인은 그런 의식화의 벽 때문이다. 의식구조나 생활관습이 평등이나 자유의 원칙을 소화하는데 수월하지 않은 것이다. 민주제도화는 쉽게 모방해 들였으나 중의(衆議)를 통해 중의(衆意)를 모으는 방식의 일은 잘 안 되는 것이다.

그 수단이 토의 토론인데 우리 문화에는 대중적 토론관습이 없다. 물론 정부(궁정)의 국정 논의는 토론이 활발한 면이 있다. 왕의 의사결정은 그들의 토론을 보고 결정됐다. 왕은 "도당(都堂)에서 의논해서 결정하시오" 하는 예가 많았다. 대신들은 "불가하옵니다" 하는 반대의견도 자주 내놓았다. 치자(治者)층은 자기의견을 발표하면서 토론을 활발하게 벌였다. 그것은 제도화가 된 점도 있으나 더 중요한 점은 왕의 성미다. 왕이 개방적이면 반대의견도 잘 받아들인다. 그래서 현명한 군주는 반대하는 의견이 안 나오면 어쩌나를 걱정하고, 암울한 군주는 누가 반대하면 어쩌나를 걱정한다고 한다.

지금은 민주제도화보다는 전통의식과 관습이 더 작용하는 것 같다. 민주화 세력의 대통령이 옛날의 암군(暗君)처럼 이견(異見)을 용납하지 않는 예가 많단다. 언론을 봉쇄하려고도 한다. 민주화는 그렇게 쉬운 것이 아님을 보여준다.

토론은 커뮤니케이션 방법과 기술, 관습을 통해서 이뤄져야 한다. 그런데 우리는 그런 준비를 얼마나 해왔나. 커뮤니케이션 방법과 관습을 민주적으로 바꾸지 않고 민주화를 한다고 함은 사상누각이다.

저 민주주의의 전당, 국회에서 벌어지는 행태를 보면 그 주인공들은 대화공부를 하나도 안 한 사람들 같다. 이견(異見)을 경청할 줄도 모르고, 자기주장을 논리적으로 개진하기도 서툴고, 의견이 다르면 그 공통점과 다른 점을 찾아서 조정할 줄도 모른다. 자기 의견을 일방적으로 강요하고 '나를 따르라' 하고, 설득하려고 하지 않고 힘으로 밀어붙인다. 안 되면 고함을 지르고, 욕설을 하고, 난동을 부린다. 커뮤니케이션 훈련이 안 된 탓이다. 민주화 훈련은 커뮤니케이션 훈련이다. 민주화를 하려면 준비과정이 필요한데 우리는 그런 훈련을 받지 못했다. 그래 정치판이 요동을 친다.

극단적 자기중심주의, '나만'주의는 '나만' 옳다. '나만' 존중받으면 된다. '나만' 잘 살면 된다. '나만'으로 간다. 지도자건 보통사람이건

'나만주의'에 빠지면 상대를 헤아리지 않는다. 소통이 어렵다. 나만 옳기 때문에 다른 사람의 말에 귀를 기울이지 않는다. 학교에서 남의 이야기 듣기교육을 얼마나 시키는지 의문이다. 어른들이 '나를 따르라', '시키는 대로 하라' 하는 태도가 그대로 전승되는 것 아닌가. 아니면 어려서 그런 교육을 시키지 않은 결과로 지금 어른 사회가 이 모양이 됐다?

심한 경우, 커뮤니케이션이 잘 안 되면 헤어지고, 심하면 배신 배반을 하게 된다. 국가의 경우, 옛날엔 배신이 아니라 배반이라고 했다. 《실록》에는 〈배신〉이 거의 거론되지 않았다. 단 4건에 불과하다. 반면 〈배반〉은 1천5백15건에 달한다. 배신이나 배반이나 의리 신의를 저버린다는 의미는 같은데 배반에 돌아선다는 뜻이 있어 반역의 의미가 있기 때문 같다. 국가는 배반했다고 하고 개인은 배신했다고 한다. 배반 죄는 있어도 배신죄는 없다.

한때, 말을 많이 하는 사람을 보고 '공산당'이라고 했다. '말이 많으면 공산당'이라는 속설이 생겨난 것이다. 그들은 '혁명'을 추진하면서 꾸준히 '인민'에게 토론훈련을 시켰다. 반성문을 써내고, 발표를 했다. '인민' 모두가 그랬다. 그러나 그것은 발표력을 기르는 것이지 대화, 토론 능력을 기르는 민주훈련, 민주적 토론, 커뮤니케이션 교육은 아니었다.

그런데 우리 민주화 세대는 커뮤니케이션 훈련을 얼마나 받았나. 개인적으로는 미국에서 커뮤니케이션 교육을 받은 사람이 많은데 국가 전체적으로는 확산되지 못했다.

3장
거짓의
덫

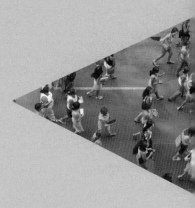

정직의 인프라

춤추는 거짓말

옛날엔 거짓말을 비어(飛語)라고도 했단다. 사실이 아닌 말을 '날아다니는 말'로 여겼던 모양이다. 한명회(韓明澮)가 성종께 사직 상소를 올릴 때 "유자광이 비어(飛語)를 가지고 신을 모함하려고 하고 전하께 꺼리는 바가 없으니, 옳다고 하겠습니까? (1476.3.1)"라고 했다. 《실록》엔 〈비어(飛語)〉가 29건 올라 있다.

그런 거짓말이 꽤 성했던 것 같다. 《실록》엔 〈거짓〉이 5천5백84건, 〈거짓말〉이 1천39건 올라 있다. 〈거짓말〉 속엔 〈비어〉도 포함돼 있다. 거짓과 비슷한 〈속임〉도 8백28건, 〈속임수〉가 4백11건. 대개 '거짓말을 조작하여', '거짓말로 고자질하여', 특히 명나라에 드나들면서 '거짓말로 사건을 일으켜' '공을 세워서 부귀를 얻고자 함'이 목적이었다. 의도적인 거짓말인 것이다. 거짓말이야 다 의도적이다.

거짓말은 죽을죄에 해당했다. 정종(定宗) 때 "박포가 간사한 뜻을 품고 거짓말에 넘어가 말을 만들고 틈을 얽어서 종친을 이간하고, 사직을 위태롭게 하기를 꾀하였으니, 왕법에는 반드시 주살할 죄입니다"라고 고하니 정종은 그대로 따랐다(1400.2.25). 그래도 조선 내내 거짓말이 횡행했다. 태조 땐 고려조에서부터 속임수로 농간을 부리던 환관을 죽이기도 했다. 이순신도 '거짓말죄'로 처형될 뻔했다.

거짓말과 연관된 〈정직(正直)〉 1백5건, 〈부정직(不正直)〉 1건, 〈사기(詐欺)〉 23건, 〈모략(謀略)〉 22건, 〈모함(謀陷)〉 39건이 보인다. 한글로는 〈모략〉이 1백99건, 〈정직〉이 1천9백5건에 달하지만 그에는 정직(停職), 정직(正職), 정직(貞直) 등 다른 한자 용어가 포함돼 있어 정확지 않다. 죽을죄 임에도 거짓말이 그렇게 성행했음은 왜일까. 특히 거짓말은 들통나게 마련임에도 성행했음은 기질적인 것인가. 어리석고, 눈앞의 이익에 급급하고, 부끄러움을 모르고… 등 여러 가지 이유가 있을 것이다. 거의 태생적이랄 수 있다. 성종은 '아첨하는 입술과 거짓말하는 혀(舌)는 족히 나의 정사(政事)를 해칠 것'이라고 경고하고, '백성을 다스리게 하면 그 탐폭(貪暴)하고 부극(掊克)함이 족히 나의 적자(赤子)를 해롭게 할 것'이라고 경고까지 했다.

최근에도 거짓말이 나라의 운명에 큰 영향을 미친 예가 있다. 대선에서 대통령 후보를 헐뜯던 큰 사건 3가지가 모두 거짓으로 사법판단이 내려졌다. 그 거짓말은 정권의 향방을 결정지었다. 그래도 거짓말로 당선된 사람에는 아무런 영향을 미치지 않았고, 거짓말한 사람만 가벼운 처벌을 받았다. 피해자만 억울하고, 국가가 흔들릴 뿐이었다.

거짓말이 선거전략으로 유효한 수단이었다. 거짓말을 왜 안 하겠나. 거짓말이라도 해서 당선되고픈 큰 유혹을 받을 것이다. 선거전에 다른 나라와의 전투에 사용하는 《손자병법(孫子)》를 활용하는 것일 것이다. 손자병법이란 위계(僞計)와 기계(奇計)다. 적을 속이는 것이다(兵者,詭道也). 전투는 누가 더 잘 속이느냐의 싸움이기도 하다. 그는 적과의 전투에서 속임수를 활용하라는 것이지 내부에서 국민을 대상으로 하라는 것은 아니다. 그러나 기업은 《손자병법》을 경영전략에 활용하는 연구를 한다. 이쯤 되면 국가의 거짓말, 기업의 거짓말, 개인의 거짓말이 뒤엉켜서 정직과 거짓에 대한 감각이 무디어질 수도 있을 것이다.

그것은 개인의 불행·불운의 수준을 넘는다. 국민은 두 번이나 속아 넘어갔다. 그런데 '속아 넘어가는 사람이 바보'라고 속이는 것을 당연시하는 사람들도 있다. 사는 것이 속이기 게임이라는 투다. 거짓말이 이익을 준다면 거짓말하지 않을 사람이 얼마나 될까. 거짓말 횡행은 무엇인가 얻는 것이 있고, 양심에 가책을 느끼지 않기 때문이다. 무의식적 거짓말은 없다. 112나 119에 허위로 전화를 거는 사람들은 '재미' 때문이라니 거짓이 태생적일 것이다.

공영방송에서도 숱한 거짓말로 더러는 법의 제재를 받기도 하고, 처벌은 아니라도 거짓말이라는 판단을 받았고, 그밖에도 거짓말 논란을 불러일으킨 프로가 많다. 그래도 그들은 무슨 구실을 붙여서 그 거짓말이 정당하다는 강변을 쏟아낸다. 정직을 중요시하는 의식이 있는지,

아예 자정 기능이 제대로 작동하는지도 의심이 될 정도다. 이쯤 되면 조야를 막론하고 정직에 대한 의식이 마비되었거나, 정직의 가치를 높게 보지 않음이다.

널리 보면 우리는 거짓말 세상에서 산다. 지식인 지도자들이 그 지경이니 보통사람들이야 말해 무엇 하겠는가. 시장의 상품은 얼마나 믿을 수 있고, 지식인들의 경력이나 논문은 또 얼마나 믿을 수 있는가. 병원에는 보험을 타기 위한 가짜 환자들이 널려 있고. 그들은 의사들과의 합의로 한다니 어떤 분야건 지식인의 양식도 믿을 것이 못 된다. 전문가들의 환경평가, 교통평가, 세무감사 등에도 거짓이 많고, 도처에 거짓이 널려 있다. 위장전입, 보상을 받기 위한 급조 과수원, 비닐하우스, 상가, 고속버스회사는 우등버스가 일반버스보다 배나 더 많고, 병원에서 의사는 만나지도 못하고 내는 특진비, 농수산물의 원산지 표시, 가짜 미술품(僞作)이 범람하고, 각종 자격증 대여, 원자력 발전소가 짝퉁 부품으로 운영되고, 고속철이 짝퉁 부품으로 달리고…. 끝이 없다. 아연할 뿐이다. 일상에서 너무도 많이 접하는 거짓이다. 양심이 마비됐음이다. 병원의 과잉진료는 이미 불감증에 걸렸고, 상품광고는 어디까지 믿어야 할지, 책 광고까지. 정치인들의 과장 발언은 진위조차 가리기 어렵고…. 지식인들이 저지르는 범죄다. 이들에게서 양심 도덕심은 기대할 수 없다.

일부 자격증 대여 같은 거짓행위에 대해서는 그것이 정직하지 못한 일이라는 사실 자체를 인식하지 못하고 있다. 무감각해진 것이다. 그러나 그것은 엄연히 가짜다. 자격증 제도를 악용하는 가짜 자격증으로 하는 사업은 대단히 위험할 수 있다. 가짜의사가 수술을 한다면 얼마나 위험한 일인가. 모범택시기사는 무사고 등 일정한 자격이 있는 사람에게 주는 것이다. 무사고를 장려하기 위한 인센티브다. 그들에게 개인택시 면허라는 특혜를 준다. 그런데 사고를 낸 운전자가 그 모범택시를 사면 그 사고 운전자는 모범운전자가 된다? 돈으로 자격을 산 것이다. 그래 모범택시는 비싼 가격으로 매매된단다. 더 심각한 문제는 그것이 정직에 반하는 제도라는 사실 자체를 인식하지 못하는 것이다. 모범택시의 매매를 허용한 제도도 가짜를 인정함이다. 모범택시를 장려한다고 만든 제도가 가짜 모범기사를 만들어주는 꼴이다.

그런 역사는 아주 오래다. 고려나 조선에서 나라에 큰 공을 세운 원훈, 공훈들에게는 왕이 토지와 노비를 하사했는데 원래 당사자들에게만 허용된 것이다. 그런데 그들 후손은 그 토지를 국가에 반납하지 않고 자기 사유로 만들었다. 그게 토지제도, 양반제도를 왜곡, 국가운명에까지 영향을 미친 것이다. 고려가 망한 한 원인이다. 현재의 헌법은 '훈장 등의 영전은 이를 받은 자에게만 효력이 있다'라고 분명히 해 놓았다. 그러나 독립유공자 민주운동가(?)등에 대한 보상은 다른 문제다.

선거에 진 정당은 항상 '국민의 선택을 겸허히 받아들이며 국민의 선택을 받도록 국민의 뜻을 받들어 더욱 노력하겠다'고 무릎을 꿇고 사죄한다. 그러나 그들의 말(사죄)은 하루를 못 간다. 그들의 행태는 똑같은 것이다. 국민은 막가파식 정쟁에 넌더리를 내고, 반복되는 거짓말에 진저리를 내는데 돌아서서는 바로 그 짓을 계속한다. 국민의 뜻을 살피기나 하나. 그들은 최상의 공격무기가 최고의 과장(거짓)이라는 사실을 안다. 해서 거짓을 멈출 수가 없다. 그것을 아는 국민에게 그들의 말은 권위를 잃을 뿐이다. 보통은 거짓말이 들통나면 부끄러워서 고개를 숙이지만 일부는 감옥에 가면서도 당당하다. 지도자일수록 거짓이 많은가, 참이 많은가를 판별하기 어렵다. 정부의 단속은 역부족이고, 그 주인공들은 '다 거짓말을 한다', '거짓말을 해야 먹고 산다'고 거짓말을 당연시한다. 거짓말 공화국이 돼 있다. 거짓말은 양심을 버림이다. 양심을 버리고도 부끄러워할 줄을 모른다. 모두 거짓말의 피해자가 된다. 이러고도 우리가 문명국 선진국이라고 자랑할 수 있을까. 이렇게 거짓말이 보편화되고, 양심을 버리고도 부끄러워할 줄 모르는 선진국 문명국이 있는가.

우리는 거짓말에 대한 뉘앙스가 참 묘하다. 그래도 직설적으로 '거짓말'이라고 하는 경우는 드물고 다른 말을 쓴다. '빈말', '헛소리', '허언(虛言)', '둘러대기'…. 지금은 '짜가', '짝퉁'이라는 신조어까지 만들어냈다. 단어마다 뉘앙스와 사용목적 사용처가 다르지만 공통적인 것은 '거짓말'이라면 화를 내지만 다른 말들은 도덕적으로 매도하지 않는다는 사실이다. '빈말 좀 했기로서니', '적당히 둘러댔지' 하고 씩 웃으면 그만이다. '익은 밥 먹고 허언이나 농하고' 눈 한번 흘기고 넘어가기도 한다. '헛소리 그만해' 언성을 높여 한번 무지르면 그만이다. '허언'은 유식한 사람이 자기 입을 더럽히지 않기 위해 하는 점잖은 말이고, '거짓말'엔 악의가 있지만 다른 말은 악의가 없다고 보는 것 같다. 전반적으로 말 뒤집기를 부끄러워 안 한다. '모두 거짓말을 하는데 나라고 정직하게만 살 필요가 있어?' 정직하면 손해 보는 것 같아서다.

물론 위증(僞證) 등의 거짓말은 법적으로 처벌을 받는다. 범죄사실을 감춰주거나 돈이 관련되는 거짓말들이다. 뒤집어 보면 돈에 관련되는 거짓말에는 엄격하고, 그밖에는 관대하다? 법관들도 관용을 베푼다. 매도하지도 않고, 당연히 당사자도 부끄러워하지 않는다. '사이비'에 이르면 더욱 아리송해진다. 국회는 청문회에서 거짓 증언을 한 증인을 고발한 적이 있지만 처벌은 흐지부지됐다. 그런 고발은 겁을 내지 않을 것 같다. 국가 전체적으로 거짓을 큰 악으로 보지 않는 것이다. 상대적으로 정직이 높은 가치를 인정받지 못하는 것이다. 국가적으로 거짓을 막을 장치가 안 돼 있는 것이다. 지금 사회 풍조를 보면 선지자들이 왜 거짓을 나라를 망하게 한 첫째 병폐로 꼽았는지 알만하다.

거짓과 참의 경계

특정 사안이 아니라 한 인간의 총체적인 도덕성을 판단하기는 대단히 어렵다. 보아야 할 언행이 너무 많기 때문이다. 그래도 어떤 사람을 보고는 '도덕군자 같은 사람'이기도 하고, '파렴치한 사람'이기도 한다.

정치현장에서 느껴지는 곤혹스러움은 선거 때 후보들의 도덕성에서 우열을 가리기 어려운 점이 아닐까. 특히 도덕성은 막상막하인 경우가 많아서 판별이 어렵고, 잘못하면 오판할 가능성도 있다. 선거에서 거짓말은 엄격히 규제하지만 도덕성은 덮어두고 다른 측면을 보는 경우가 많은데 후보자가 '나는 도덕적으로 우월하다'고 강변하면서 상대를 도덕적으로 폄하하면 오히려 역겨움을 살 수 있다. 도적이 '나는 군자다' 하면 비웃음을 사는 것처럼.

어쨌거나 지도자면 보통사람들보다는 더 높은 도덕성이 요구되는 터라 그들의 도덕성을 논외로 할 수도 없다. 적어도 최고통수권자는 거짓이 있어서는 안 된다는 최후의 보루가 되어야 할 것이다. 대선후보 검증에서 정직의 문제를 철저하게 따짐은 가치 있는 일이다. 그런 과정을 거치면 적어도 대통령이 공개적으로 거짓말하는 일은 없지 않을 것인가.

미국에서는 거짓말 때문에 탄핵을 받은 대통령도 있으니 우리와 차원이 다르다. 우리는 공개적으로 거짓말을 하는 사람을 대통령으로 뽑기도 한다. 대통령선거에서도 거짓말을 대수롭지 않게 여기는 것이다. 특히 자기편의 거짓말은 불문에 붙이는 경향이다. 편이 중요하지 도덕성은 아무것도 아니라는 투다. 그래 최악의 거짓말쟁이가 차악의 거짓말쟁이를 비판하는 역효과가 날 수도 있다. 문제는 국민의 도덕성이다. 국민이 거짓말을 대수롭지 않게 여기면 국가의 정직성, 대통령의 정직성은 서지 못한다.

특히 이 시대를 주도하는 지도세력 중에 부정직이 도를 넘은 사람들이 많은 것 같다. 특정 개인의 문제가 아니다. 그들이 자랑하는 민주화운동의 필수 코스, '위장취업'도 분명한 거짓이다. 그들은 목적(민주화)이 선하니 부정직을 저질러도 무방하다는 투다. 목적을 위해서는 수단은 어떠해도 좋다는 생각이 뿌리 깊은 것이다. 그러나 그 위장취업으로 어려움에 처한 기업은 어떻게 되는가. 부정직을 민주화의 수단으로 삼아서는 안 될 일이다.

위장취업 문제는 과거 독립운동 시절로 거슬러 올라갈 수도 있다. 독립운동가들도 위장취업을 했다. 그때나 지금이나 전략적 거짓이라는 점에서는 동질이다. 단, 그때의 상황과 지금의 상황이 같은 것이라고 할 수 있을지는 의문이다. 독립운동가들의 거짓은 국가를 위한 전략이었고, 지금의 정치세력은 정권을 위한 전략, 사욕을 위한 것이다. 질적으로 다르다. 그런데 위장취업자들은 독립운동을 위한 위장취업은 인정하지 않고 자기들 위장취업만 미화한다. 아마 이들로부터 친일파로 단죄받는 독립운동가 중에는 크게 억울한 사람도 있을 것이다.

아무리 정당한 것이라도 두 단계 세 단계 넘어가다 보면 다른 부작용을 낳기도 한다. 지도층이 거짓말을 하면 차하위로 확산되게 마련이다. 지도층이 퉁퉁 쏟아내는 둘러대기, 빈말, 헛소리는 어디까지가 진짜이고 어디까지가 거짓인지 분간할 수 없게 만든다. 그것이 국민 전반으로 퍼지게 되면 단순 거짓말이 된다. 특히 가짜박사(학위위조)는 단순한 거짓이 아니다. 시장에서의 짝퉁상품은 보통사람들의 정직에 대한 무감각을 보여주지만, 가짜 박사는 표절과 함께 지성의 마비를 보는 것 같아서 침통하다. 표절의 경우는 좀 다른 점이 보이기는 한다. 후배에게 '이 글 좀 읽고 문제점을 찾아봐' '이 원고 좀 손봐줘' 하던 관행이 어느 날 갑자기 표절로 몰리니 판단이 어렵다. 정직에 대한, 특히 학문적 정직성에 대한 개념이 정립되지 않아서 무의식적으로 벌어진 사태 아닐까. 학문하는 자세에 엄격성도 없고. 정직성에 대한 새 잣대를 마련함이 필요할 것 같다. 그런 문제에 대해 너무 무감각했던 허술함이 보이는 것이다. 반면 예술품 가짜는 목적이 분명하니 분명한 거짓이다.

공적 거짓, 사적 거짓

옛날엔 삼덕(三德 : 正直·剛·柔)을 아는 자를 삼로(三老)라고 하여 정직이 높이 평가됐다. 세종 때 한성부윤은 정직하지 못하다고 탄핵됐다. 정언(正言) 정갑손(鄭甲孫)이 면대하여 간했다. "한성부는 곧 옛날의 경조부(京兆府)입니다. 굽고 바른 것을 분변하고, 사납고 강한 자를 탄압하는 자리오매, 반드시 강명(剛明)·정직한 사람을 써야만 능히 제 직책을 다할 수 있거늘, 지금 부윤 심보(沈寶)는 일찍이 탐오(貪汚)를 범하여, 그 자신이 바르지 못하오니, 어찌 다른 사람을 바르게 할 수 있겠습니까. 청컨대 그 직위를 빼앗아 정직한 사람에게 주옵소서."(1422.11.4) 그러나 세종은 심보의 아내가 종실에 관련이 있고, 또 공신의 아들이라고 윤허하지 않고, 심보에게 속히 취임하라고 명했다. 세종이 거짓에 둔감했다?

현대는 가짜와 부정직이 범람하기 때문인가, 정직에 무감각해진 것 같다. 정직이 보편화되고 부정직은 예외가 되어야 할 터인데 그 반대로 된 것이다. 진실을 말할 때는 '솔직히'라는 말을 앞세운다. 보통은 정직하지 않다는 투다. 원래는 지도층이 본을 보여서 보통사람들이 따라가야 정상일 터인데, 실제로는 보통사람들이 그들의 거짓말과 도덕성을 걱정한다. 그러나 국민도 그들의 거짓을 제어하는 단호함은 보이지 않는다. 정직에 대한 위기가 아닐 수 없다.

교육이 입시제도를 둘러싸고 방황하는 사이 정부는 인간의 기본가치에 대한 교육을 방기해버렸다. 도덕성 교육은 일부에서 필요성만 강조되다가 그들의 한숨과 함께 사라졌다. 인성교육에 관해서는 최근에 〈인성교육진흥법〉이 만들어져 그 안에 정직이 들어 있으나 실천 노력은 보이지 않는다. 가짜와 부정직의 발호는 교육이 제 역할을 하지 못한데 궁극적인 책임이 있다. 또 하나의 원인은 물질적 풍요에만 매달려 질주하는 시대정신.

거짓을 몰아내는 가장 좋은 방법은 정직하지 못한 사람은 지도자로 뽑아주지 않는 것이다. 그러려면 누가 가장 정직한가, 누가 거짓말을 잘하는가를 알아야 할 것이다. 지금 지도층이 하는 짓을 보면 그들이 국민에게 정직을 가르치기를 기대할 수 없고, 국민이 정직해져서 지도층을 정화해야 할 것 같다. 그들은 너무도 태연히 거짓말을 한다. 부정직한 사람은 지도자로 발붙이지 못하게 해야 할 터인데 거짓이 일상이 되다 보니 모두 거짓과 정직에 무감각해진 것 같다. 이념은 따져도 정직을 따져보지 않는다. 이념에 매몰돼서 거짓말쟁이를 뽑는 것이다.

정직하지 못하면 당당하지 못하다. 우리 사회기풍에 당당함이 보이지 않는다. 모두 계산에 능하고, 이익 살피기에 기민하다. 당당하지 못하면 대인(大人)의 풍모가 아니다. 당당함이 없으면 공정도 이룰 수 없다. 대인이 없으면 대국을 만들지도 못한다. 그런 도덕성으로는 선진국에 진입하기는 불가능하다. 야비한 선진국이 있는가. 선대는 군자

대장부를 지향했는데 지금은 왜 이렇게 왜소해졌을까. 호연지기(浩然之氣)를 기르지 않아서? 좀 잘살게 되니 호연지기는 말조차 없어졌다. '소인은 이익에 밝다(喩於利)'는 공자의 말 속에 답이 있는 것 같다.

가장 악질적인 부정직은 힘 있는 자들에 의해 저질러진다. 그 하나가 판검사들의 전관예우(前官禮遇). 그들은 퇴직을 하면 1년 안에 평생 먹을 것을 번다는 속설은 정직을 뒤집는 데 대한 대가일 것이다. 그들이 승소를 많이 한다는 의미는 죄 있는 사람을 죄가 없다고 뒤집어주는 데 대한 보상일 것이다. 그래 억울한 판결을 받는 사람들이 얼마나 많을 것인가. 그들의 눈에서는 피눈물이 날 것이다. 그들은 법 정의를 깨고, 정직을 깨는 두 가지 면에서 죄인이다. 법을 지켜야 할 사람들이 법을 훼손하는 것이다. 고양이에게 생선을 맡긴 꼴이다?

역시 강자들에 의해 저질러지는 또 하나의 예, 힘 있는 가해자들이 힘없는 피해자들에게 저지르는 죄악이다. 그들은 단순히 죄를 없애주는 것이 아니라 피해자를 가해자로 만들어 낸단다. 가해자에겐 축복이겠지만, 피해자는 억울함으로 피를 토할 것이다. 6.25전쟁 때 그렇게 억울하게 죽은 사람들이 많았던 것 같다. 6.25 직후 미아리 공동묘지엔 억울하게 죽었다고 원한의 피를 철철 흘리는 비석이 참 많았다.

우리가 사건이 많고, 죄가 많음은 정직과 부정직에 둔감하기 때문일 것이다. 우리의 정직 인프라는 취약하기 짝이 없다. 가장 위험한 부정직은 교사들의 부정직 교육. 그들은 사실을 사실대로가 아니라 사실을 그들이 믿는, 믿고 싶은 것만 가르친다는 것이다. 그것은 수렁이다. 학생의 장래는 물론, 나라의 장래도 크게 우려된다.

망국에 이르는 거짓

나라에 따라 거짓에 온도 차가 크다. 거짓말 때문에 대통령이 하야한 나라에 비교해보면 우리는 무감각이나 마찬가지다. 물론 아름다운 거짓말도 있다. 가족이나 사랑하는 사람이나 친구를 위해 자기가 안 하고도 자기가 했다고 책임을 뒤집어쓰는 일이다. 희생적 거짓이다. 알프스를 배경으로 한 어떤 영화에서 빗나가는 동생을 구하기 위해 동생이 저지른 악행을 자기가 했다고 뒤집어쓰는 늙은 형의 모습은 눈산에 긴 잔상(殘像)을 남긴다. 소설이지만 한 생명을 살려낸《마지막 잎새》의 거짓은 또 얼마나 아름다운가.

문제는 의도가 좋으면 거짓말을 해도 되는가인데 판단하기 참 어려운 문제다. 실질적으로 많은 사람들이 동의할만한 경계를 긋기란 불가능하다. 주관적인 판단에 맡길 수밖에 없다. 학자들은, 사람은 몇 분에 한 번씩 거짓말을 한다는 연구결과도 내놓고 있다. 거짓말과 거짓 행동(이중성)은 언제나 존재한다. 거짓말과 함께 산다고 해도 과언이 아니다.

인류 역사상 수많은 전쟁에서 승자는 흥하고 패자는 망했다. 그러나 한 나라의 흥망이 전쟁의 승패로만 결정지어지는 것은 아니다. 도덕적 타락도 그에 못지않다. 도덕적 타락이 전쟁 패망의 원인이 되기도 한다. 로마 같은 대제국도 그런 평가를 받는다.

아무리 불가피하다고 해도 의도적 거짓은 정당화될 수 없다. 문제는 역사, 문화, 이념, 전략을 초월하여 표면상은 거짓이 나쁘다고 하면서 뒤로는 거짓말을 잘하는 사람들이다. 남의 거짓말은 비난하면서 은밀하게 거짓말을 잘하는 사람들도 많다.

최근 우리 사회는 정직과 거짓에 무감각, 마비된 것 같다. 병적 상태다. 이 병이 나을 것이라는 기대나 희망을 걸 수 없을 것 같다. 속이지 않고서는 살 수 없는 수준이 아니라 보통보다 잘 살기 위한 수단이 된 것이다. 그래 중증이고 악질이다. 상대적으로 정직한 사람들은 손해를 보게 된다. 정직하면 기업을 경영할 수 없는 나라, 그래서 모두가 썩었다고 탄식, 한숨짓는 소리가 높다. 이것은 보통의 수단으로는 시정이 불가능하다. 전쟁수준의 노력을 하지 않으면 안 될 것이다. 문화전쟁이다.

근래엔 형식상 거짓은 아니지만 거짓에 버금가는 꼼수가 횡행한다. 그들은 법의 경계를 넘나드는 지능적인 거짓 행동과 거짓말을 저지른다. 꼼수방송은 꼼수를 고발하는 것인지 꼼수를 부리는 것인지 애매하다. 젊은이들이 그에 환호함은 무슨 뜻일까. 그러는 사이 거짓 무감각이 중증으로 돼 가는 것 아닐까. 거짓 무감각이 거짓 활용까지 나간다.

거짓을 전략적으로 가장 잘 활용한 사람은 조조라고 하지만 북한도 그에 못지않을 것 같다. 그게 전략적 우월성인지 도덕적 추락상인지는 판단하기 어렵다. 북한이 큰 거짓말을 하고도 잘 넘어감을 보고 우리 측 사람들은 무엇을 느낄까. '거짓말도 힘 있게 밀어붙이면 통하는구나?' 양치기 소년의 거짓말은 세 번 만에 들통이 났지만 그들은 거짓말도 백번을 하면 사람들이 믿게 된다고 한다. 우리도 무의식중에 그 영향을 받아 정직과 거짓말에 무감각해져서 은연중에 거짓말을 많이 하게 되는 것 아닐까.

문제는《손자병법(孫子兵法)》이다. 그는 승리전략으로 각종 암계(暗計) 간계(奸計) 위계(僞計)를 현란하게 개발해서 총망라해 놨다. 물론 그것은 국가 전략이다. 그러나 개인도 암묵적으로 영향을 받게 되지 않을까. 기업은 이미 거기서 많이 배우는 것 같다.

정직보다 충효(忠孝)

부모의 죄는 덮어주라(子爲父隱)

아무리 부도덕한 나라라도 거짓을 장려하는 나라는 없다. 그러나 전략적으로 거짓말을 많이 하는 나라는 있다. 공산국가들이다. 거짓말의 효과는 당장에 나타난다. 그러나 장기적으로는 마이너스로 돌아간다. 우리 속담에도 '거짓말은 사흘을 안 간다'고 했다. 거짓말로 '신용을 잃으면 다 잃는 것이나 마찬가지다'. 그들의 본령은 결국 거짓말로 망했다. 한국의 좌파는 방향을 전환하지 않고 그들의 대안세력이 되어 사회주의의 새로운 메카가 되려 한단다. 대단한 기백이긴 한데….

　우리의 경우 그들의 영향이 없다고 할 수 없다. 거짓말이 통한다는 의식을 무의식중에 심어준 것이 사실 같다. 그러나 북쪽의 공산주의는 70여 년에 불과하다. 공산주의가, 우리가 거짓말을 많이 하게 하는 원인일 수는 없다.

우리는 특별히 '정직해야 한다'라거나 '거짓말하지 말라'를 강조하는 가르침이 많다. 정직은 삼덕(三德)의 첫 번째, 화랑의 세속오계는 3번째 '친구는 신의로써 사귀라(交友以信)'고 했다. 유교가 오륜에 '붕우유신(朋友有信)'을 둔 것의 영향일 것이다. 오상(五常, 仁義禮智信)에도 '신(信)'이 들어 있다.

우리가 수천 년 정신적 영향을 받아온 불교의 십계는 4번째가 '거짓말하지 말라'다. 불교는 10악(惡) 중 네 가지가 입(말)에 관한 것으로 구4(口四)라고 한다. 모두 거짓말에 관계되는 것이다. 그 하나는 '허황된 말(妄語)'. 옳은 것을 그르다, 그른 것을 옳다, 본 것을 못 보았다, 못 본 것을 보았다고 하는 거짓말이다. 다음은 '두 가지로 하는 말(兩舌)'. 이 사람에게는 저 사람 말을, 저 사람에게는 이 사람 말을 전하여 두 사람 사이를 이간질하고 싸움을 붙인다. 처음에는 칭찬하다 나중에는 비방하며, 만나서는 옳다 하고 딴 데서는 그르다 한다. 거짓증거로 벌을 받게 하거나 남의 결점을 드러내는 말이다. 세 번째로 '나쁜 말(惡口)'. 추악한 욕지거리로 남을 꾸짖는 일을 지적한다. 특히 인격모독이나 명예훼손을 하는 막말도 여기에 속한다. 마지막으로 '비단결 같은 말(綺語)', 구수한 말을 늘어놓으며, 애끓는 정열로 하소연, 음욕으로 이끌고, 슬픈 정을 돋워 남의 마음을 방탕케 하는 것이라고 설명한다. 공자가 말한 교언영색(巧言令色)과 유사하다.

근래에 들어온 기독교는 보다 구체적으로 십계명 9번째 '이웃에게 불리한 거짓증언을 하지 말라'고 한다. 우리는 '거짓'이나 '정직'이 아니라 '신의', '신뢰'를 더 강조해왔다. 정직해야 신의, 신뢰를 받을 수 있다. 그러나 정직과 신의가 완전 일치하는 것은 아니다. 신의는 약속을 지키는 문제이고, 정직은 사실이냐 아니냐다. 약속과 관계없이 사실(실상)을 말하느냐 아니냐가 정직이냐 거짓이냐의 갈림길이다.

그런데 수천 년 동안 우리의 정신적 스승이었던 공자는? 그는 원래 인생은 정직한 것이라고 했다(人之生也直). 정직하지 않고도 생존하는 것은 요행히 형벌을 면한 것이다(罔之生也幸而免). 정직이 천성이지만 정직하지 않고도 살아감은 요행으로 형벌은 면한 경우라고 하는 것은 정직하지 않으면 형벌을 받는 것이라는 뜻이 함축돼 있다. 그는 나라를 경영하는데 필수적인 세 가지 조건, 즉 경제력, 군사력, 신용 중에서 가장 중요한 것은 신용이라고 함으로써 정직해야 함을 강조하고 있다.

그러나 그는 정직성의 가치를 최고로 치지만 고지식한 것과는 좀 다르다고 융통성을 보인다. 섭공(葉公)이라는 제후가 공자에게 '우리에게는 대단히 정직한 자가 있어서 그 아비가 양을 훔치자 고발했다(吾黨有直躬者 其父攘羊而子證之)'고 자랑하자, 그는 '우리의 정직한 자는 다르다. 아버지의 일은 아들이 감춰주고, 아들의 일은 아비가 감춰주는데 정직이 있다(吾黨之直者 父爲子隱 子爲父隱 直在其中矣)'고 말한다. 정직에 융통성을 부여하는 것이다. 아니면 혈연, 인륜이 정직보다 상위라는 뜻이다. 거짓에 대한 단서조항이지만 혹여 이 말이 우리에게 거짓말에 대해 둔감하게 만든 원인을 제공하는 것은 아닐까. 구실만 정당하면 거짓말을 해도 좋다는 함의를 달므로 마치 우리 법이 단서조항으로 본 조항을 무력하게 만들 듯이 정직을 무력하게 하는 풍토를 만들어낸 것 아닌가.

최근엔 노인부양제도에 거짓을 조장하는 듯한 틈새가 있단다. 가난한 노인도 자식이 있으면 정부의 보조를 못 받는다. 자식이 부양하면 다행이지만 않으면 낭패다. 이런 경우 '자식이 없다'고 한다는 것. 누가 잘못이라고 할 수는 없으나 거짓말에 대한 감각을 무디게 함은 틀림없을 것이다.

미국에서 근래 한 교통경찰관이 교통위반 차량을 잡고 보니 어머니였다. 그는 어머니에게 딱지를 떼고 벌금은 대신 물어주었다. 영국에서는 거리의 혼란 중 상점을 파괴한 아들을 당국에 고발하여 처벌받게 한 어머니도 있다. 법과 정을 구분한 이 경찰관이 더 위대해 보이는 것이다. '악법도 법이니 지키라'는 소크라테스의 가르침이 그들의 의식 속에 살아있음이다. 물론 그들도 이 뉴스를 해외토픽으로 내보내는 것을 보면, 그럴 경우 아마도 대부분은 그 어머니를 놓아주는 것이 아닌가 추측되기도 한다.

정치는 바른 것(政正也)

다시 공자. 그는 거짓을 용인한 것은 아니다. 그는 정치는 바른 것이라고 했다. 국가경영의 제일 중요한 요소를 신뢰라고 한 것과 같은 맥이다. 정치는 정직하지 않으면 안 되는 것이다. 그러나 맹자가 '군자는 항산(恒産)이 없어도 항심(恒心)이 있지만 소인은 항산이 있어야 항심이 있다'고 한 것을 보면 보통사람이 정직하기는 상당히 어려울 것으로 보인다. 항심이 없으면 정직하기 어렵다.

다시 공자의 직궁(直躬). 직(直)은 바른 것(正), 굽지 않고 곧은 것(不曲)

이다. 궁(躬)은 몸으로 실천하는 것이다. 이때의 직은 지금 우리가 의미하는 정직과는 좀 거리가 있는 것 아닐까. 그러니까 직궁은 곧은 사람, 고지식한 사람, 곧이 곧 대로의 사람. 물론 그런 사람은 정직한 사람이다. 그들은 일편단심을 보인다. 대표적인 사람들이 충절의 사람들. 옛날 교과서에 나오던 백이(伯夷), 숙제(叔齊)가 표상이었다. 우리는 온통 백이, 숙제뿐이었지만 중국은 다르다. 그와 대비되는 인물, 그러니까 배신이 아니라 상황에 융통자재한 사람, 융통성이 많은 사람의 상징인 유하혜(柳下惠), 도둑의 대명사 도척(盜跖)의 형이다.

우리나라에도 척화파와 주화파가 있는 것처럼 백이와 유하혜는 충성파와 현실파로 대비된다. 그는 '누구를 섬긴들 임금이 아니냐(何事非君)'고 해서 '충신은 두 임금을 섬길 수 없다(不事二君)'는 충신과 대비된다. 우리 같으면 변절자에 해당하는 사람이다. 조선조 조정에서는 〈백이(伯夷)〉에 관한 이야기는 1백17건인데 〈유하혜〉에 관한 이야기는 24건에 불과하다. 맹자는 유하혜를 매도하지 않고, 두 사람을 똑같이 성인(聖人)이라고 했다. 현실적으로는 두 사람 다 필요하다는 사실을 인정한 때문일 것이다. 그에는 정직이 바탕이 되기도 한다. 이익 때문에 융통자재한 것은 아니고 충심으로 그렇다는 것일 것이다. 이익 때문에 배신하는 정상배들과는 다른 것이다. 그러나 우리의 지식인들에는 영향을 미치지 못한 것 같다.

중국 진나라 때의 지록위마(指鹿爲馬. 사슴을 가리키면서 말이라고 한다)사건을 보면 대신들도 권세 앞에서는 사슴을 말이라고 왜곡했다. 그러나 옛날 중국 조정이든 우리나라 조정이든 바른 소리, 정직한 말 하다 죽은 충신도 많다. 정직하려면 목숨을 거는 값비싼 대가를 치러야 하는 것이다. 정직은 군자나 대장부나 용기 있는 사람이라야 지킬 수 있는 덕목이기도 하다.

그런데 똑같은 인의와 충서의 문화권에 속하는 일본은 우리보다 훨씬 정직하다고 한다. 그들은 억울하게 죽은 주군(主君)을 의리로 복수하고 국가의 법을 지키기 위해 모두 자결한 49 낭인의 영웅적 이야기가 국민 속에서 추앙된다. 정(情)과 법의 충돌에 대한 심각한 고민인 것이다. 거기서 표면상의 원칙(建前)과 본심(本音)을 공공연하게 갈라서 말하는 관습이 생긴 것일까.

우리는 민족의 큰 스승 도산(島山)이 '농담으로라도 거짓말은 하지 말'라고 한 데에 그런 고민의 흔적이 나타난다. 무의식중에 부정직에 오염될 것을 경계함일 것이다. 그러나 그런 그도 조선총독부의 자금을 독립자금으로 썼다는 주장이 일어 논란이 일었었다. 당시 조선총독부를 속여 30만 엔을 얻어서 독립운동에 썼다는 설이 있다. 조선총독부는 이완용 내각에 대한 국민의 불신이 너무 크자 청년 내각을 구성키로 하고 도산에게 의뢰했다는 것이다. 도산은 응하기로 하고 그 돈을 받아서 중국으로 도피, 독립운동에 썼다는 것이다. 정직을 제일의 덕목으로 여긴 도산은 적에게도 속임수를 쓰지 않았을 것이라는 주장과 적의 돈으로 독립운동을 했으니 좋은 일 아니냐는 주장이 맞선다. 후자는 거짓이 독립운동의 수단이 된 셈인데 최근 민주화운동가들이 위장취업을 투쟁의 수단으로 삼은 것과 어떻게 다른 것일까.

춘원(春園)은 우리나라의 고치지 않으면 안 될 큰 병, 8가지 중 거짓말이 제일 큰 병, 나라를 망하게 한 병이라고 지적하고 '민족개조' 운동을 벌였으나 민족반역자에 올라 무산됐으니 안타까운 일이다.

거짓의 지혜

유명한 《토끼전》은 이름도 두 가지다. 《토끼전(兔生員傳)》과 《별주부전(鼈主簿傳)》. 토끼전은 토끼의 관점에서 보는 것이고, 별주부전은 거북이의 관점에서 보는 것이다. 《실록》엔 이 이야기가 없다.

　《토끼전(별주부전)》. 거북이가 용왕 딸의 병을 고치는데 필요한 토끼의 간을 얻기 위해 육지에 올라 토끼에게 '바닷속에 섬이 하나 있는데 샘은 맑고 수풀은 무성하고 과일은 맛이 좋으며 추위와 더위가 없고 송골매도 침입하지 못한다. 아무 걱정 없이 편안하게 살 수 있는 곳이다'라는 거짓말로 유혹하여 데리고 가다 토끼에게 '지금 용왕의 딸이 병이 들었는데 토끼의 간이 약이 되는 까닭에 너를 업고 왔다'고 말하자 속은 것을 안 토끼는 거짓말로 응대한다. '나는 신명의 후예라 능히 오장을 꺼내 씻어 넣을 수 있다. 일전에 간과 심장을 꺼내 씻어 잠깐 바위 아래에 두었는데 너의 달콤한 이야기를 듣고 곧바로 왔구나. 되돌아가야 간을 용왕께 바칠 수 있다. 나는 간이 없어도 살 수 있으니 서로 좋지 않겠는가.' 거북이가 그 말을 믿고 토끼를 뭍으로 다시 데리고 나오자 토끼는 도망치며 말한다. '어리석구나, 어찌 간 없이 살 수 있는 자가 있겠는가?' 둘은 거짓말 대결을 한 셈인데 토끼가 이겼다. 토끼가 더 꾀가 많고, 현명하다는 뉘앙스를 풍긴다.

　이 이야기는 단순한 우화로 그치지 않는다. 삼국통일 전 신라의 김춘추(金春秋)는 고구려를 염탐하려 방문했다 연금되고 말았다. 그는 죽음을 면하기 어렵게 되었는데 청포(青布) 3백 필을 고구려왕이 총애하는 신하 선도해(先道解)에게 몰래 주자 그는 음식을 차려 와 함께 술을 마시다가 《토끼전》 책을 주고 돌아갔다. 토끼의 지혜를 활용하라는 암시였다.

김춘추는 그 책을 읽고 고구려왕에게 거짓말로 '귀국이 요구하는 두 성을 할양하겠습니다'고 했다. 그는 그 거짓말로 고구려에서 풀려나 목숨을 건진다. 그러나 신라는 그 두 성을 반환하지 않았다.

조선조에 내려오면 더 헷갈린다. 조선을 연 이성계(李成桂)는 고려 말, '거짓 임금을 폐하고 참 임금을 세워야 된다'는 대의(?)로 우(禑)와 창(昌), 두 임금을 폐했다. 그들이 거짓 임금인지 참 임금인지는 알 수 없으나 문제는 임금 폐위의 명분으로 거짓을 들었다는 사실이다. 거짓은 용납될 수 없다는 함의를 담고 있는 것이다.

그러나 세종조에는 좀 달라진다. 사간원이 후에 명재상이 된 황희(黃喜)에 대하여 "일찍이 재보(宰輔)가 되어 난역(亂逆)의 죄를 거짓으로 가볍게 다루었고, 또 위에서 묻는 데 대하여 사실대로 대답하지 아니하였으니, 그가 충성되지 못하고 정직하지 못한 마음을 품어 말과 행동에 나타난 것이 명백합니다. 황희를 형에 처하여 신하가 충성하지 못하고 정직하지 못한 자의 경계로 삼으십시오"(1422.2.22)라는 소를 올렸다. 그러나 세종은 그를 처벌하지 않았다. 세종은 정직보다는 사람을 더 중시했음이다.

왜군을 물리쳐 나라를 구한 이순신도 '임금을 기망했다'는 구실로 사형을 해야 한다는 상소가 올라갔다. 부정직은 죽을죄에 해당할 만큼 중하다는 의미다. 이순신은 절이도의 전투에서 적의 머리 71급을 베었는데 명나라 진도독(陳都督)이 40급을 빼앗고 계유격(季遊擊)이 5급을 빼앗고 순신에게 독촉하여 다만 26급을 벤 것으로 장계를 꾸미라고 했다. 그는 도독의 말대로 26급을 베었다고 거짓 장계를 올렸다. 그리고는 별도로 장계를 만들어 사실대로 치계했다. 명나라에서 사실을 밝히라고 하자 조선 조정에선 "지금 실제 장계를 보내면 반드시 도독을 큰 죄에 빠뜨릴 것이니 거짓 장계를 보내는 것이 합당하다"고 거짓 설명을 했다(1598. 10.4).

김춘추의 '지혜'는 천여 년이 지난 후 1980년대에 재현된다. 내란음모사건'으로 사형선고를 받고 구금됐던 한 민주투사는 군사정부 대통령에게 편지를 썼다. '본인은 앞으로 국내외를 막론하고 일절 정치활동을 하지 않겠으며, 국가의 안보와 정치의 안정을 해하는 행위를 하지 않겠음을 약속드리면서 각하의 선처를 앙망하옵니다.' 물론 설(說)이다.

3일 후 대통령은 그를 석방, 미국으로 보내주었다. 그가 토끼전이나 김춘추의 이야기에서 힌트를 얻은 것인지는 알 수 없으나 김춘추와 그 구도가 똑같다. 거짓말의 지혜(?)가 생명을 구한 것이다. 그는 정치활동을 재개하여 대통령까지 되었다. 생명을 구한 거짓말은 단순한 거짓이 아니라 하나의 지혜로 오히려 찬양되기까지 하는 것 아닌가.

이명박정부 출범 후 광우병 파동을 불러온 MBC PD수첩의 보도가 허위사실에 근거한 거짓 보도로 명예를 훼손했다는 고소에 대해 대법원은 "과학적 사실의 진위는 밝혀지지 않은 상태"이므로 "허위보도"로 인정했으나 벌을 주지는 않았다. 거짓에 대한 관용이라고 할까. 사실이 아닌 보도라도 특정인의 명예를 훼손할 목적의식이 없으면 처벌할수 없다는 것이다. 보도 내용은 거짓이지만 명예훼손은 아니라고 배상할 필요가 없다고 판결한 것이다.

지금 정치인들이 자기 말을 뒤집는 일을 아무 부끄러움 없이 감행함은 거짓에 대한 무감각이 그 잠재의식으로 남아 있기 때문이 아닐까. 《실록》에 〈참소〉가 1천4백23건, 〈기망〉이 8백53건, 기사로 다루어짐을 보면 옛날에도 의도적 거짓이 많았음을 알 수 있다.

위 사실들에서는 행위가 명분을 따라가지 못한다. 거짓은 죽을죄지만 그렇게 집행하지는 않는 융통성을 보여준다. 그런 융통성이 이어짐인가. 국회에서 한 위증은 1년 이상 10년 이하 징역에 처하도록 돼 있으나 국회는 위증죄로 고발하겠다는 엄포만 놓고 실제로 고발한 것은 거의 없다. 거짓은 위법이지만 처벌할 필요는 없다는 의식이 작동함이다. 거짓을 심각한 문제로 보고 있지 않음이다. 거짓이 횡행할 수밖에 없다. 지금도 조야 간에 얼마나 많은 거짓말이 횡행하고 있는가. 도덕 자연 하는 정치세력도 마찬가지다.

실사구시(實事求是)와 정직

사실과 추측

추기급인(推己及人)이 미치는 또 하나의 영향은 과학적 인식을 가로막는 것이다. 사실을 사실대로 인식하는 것이 과학적 객관적 인식방법이다. 어떤 문제든 옳은 선택을 하려면 정확한 사실 인식이 전제돼야 한다. 사실을 사실대로 보는 눈이 필요하다. 실사구시의 태도다. 그러나 추(推)는 '미루어 짐작하는' 것이다. 짐작은 추측이다. 그것은 마음의 작용이다. 육안으로 보는 것이 아니라 마음의 눈, 심안(心眼)으로 보는 것이다. 추측은 사실이 아닐 수 있다. 틀리기 쉬운 것이다. 자연을 추측으로 인식하면 오류가 되기 쉽다. 추상적인 사회현상은 더하다. 심하면 환상이 될 가능성도 있다. 똑같은 현상을 보고도 인식이 달라지는 것은 눈으로 보지 않고, 마음으로 보기 때문이다. 눈으로 보아도 마음이 앞서면 틀리기 쉽다.

인식이 마음에 치우치면 보이는 것 중에서도 믿고 싶은 것만 보게 된다. '나'가 중심이기 때문이다. 인식의 대상이 사람인 경우는 자기 마음을 객관화해서 '너와 나는 동질', '같은 마음'일 것이라고 속단해버리는 것이다. 지나친 자기중심이 자연인식 사람인식에서 오류를 범할 가능성이 높아진다. 왜곡된 인식은 세상을 바로 보지 못한다. 그게 사회인식의 문제로 넘어가면 오판의 가능성이 더 커진다. 그러면 세상에 대응하는 자세도 바르지 못하게 된다. 그래 사회적으로, 정치적으로 혼란에 빠지는 원인이 되기도 한다. 사실에 입각한 대응책이 아니라 '나'의 생각에 입각한 대응책이기 때문에 각인각색이 된다.

실사구시가 《실록》에 처음 오른 것은 영조 5년(1729.2.6)이다. 영조가 종부시정(宗簿寺正) 양득중(梁得中)을 인견했는데 그가 말했다. "사문(斯文)의 시비가 하나의 번복하는 기괄(機括)이 되었습니다. 이른바 '세도(世道)를 부식(扶植)하고 사문을 보위한다(扶世道衛斯文)'란 여섯 글자는 참으로 허위이며 가식입니다." 영조가 "유신(儒臣)의 말은 시의(時議)를 크게 놀랍게 함을 면하지 못할 것 같으니, 나는 유신의 마음을 알고 있다" 하였다. 양득중이 다시 말했다. "근래에는 허위가 풍속을 이루고 있습니다. 하간왕(河間王) 덕(德)은 한(漢)나라 때의 어진 공족(公族)이었는데, 그의 말에 '실사구시(實事求是)'라 하였으니, 참으로 격언(格言)입니다."

이에 영조는 승지에게 '실사구시' 네 글자를 써서 들이라고 명하였다. 허위와 가식에 찬 유교에 대한 반동으로 시작된 것이다. 이후 〈실사구시〉 기사는 그의 대에 6건이 나오고 끝이다. 헌종 때 1건. 정조 때는 안 보인다.

지금 사회적으로 정치적으로 반목과 증오와 투쟁이 만연하는 근인(根因)은 인식의 오류가 아닐까. 대북문제에서도 사실 여부는 접어두고 믿고 싶은 것만 믿으면서 북한을 '돕자', '말자' 한다. 이념이 인식의 문제를 가로막는 것인지, 인식이 잘못돼서 잘못된 이념을 추종하게 된 것인지 판단하기 어렵다. 여기서 내재적 접근법이 나오는데 이는 사실을 사실대로 보는 실사구시가 아니라 그들을 그들의 눈으로 보는 것이다. 우리의 눈으로 그들을 보는 것이나 그들의 눈으로 그들을 보는 것이나 사실과는 다를 수 있다. 사실은 사실대로 보아야 한다.

우리는 큰 사회적 문제를 정확한 사실인식을 바탕으로 결론을 내지 않고 믿고 싶은 사실을 전제로 결론을 내려서 분란의 불씨를 남기는 문제들이 많다. 실사(實事)를 하고 결론(求是)을 내려야 되는데 문제를 역으로 푸는 것이다. 언론은 결론을 내놓고 증거를 꿰맞추려고 하니까 기사가 조작된다. 역사적 대사건도 사실인식이 정확하게 내려지지 않아 갈등이 종식되지 않는다. 제주 4.3사건, 각종 권력형 비리, 미제 사건, 광주5.18, 광우병, 사드 등 부지기수다. 사법판단은 권위를 잃고, 정의는 아리송해지며, 정부의 결정에 불복하고, 사회는 증오와 반목에 싸인다. 재판도 엎치락뒤치락한다. 재심을 통해 사형이 무죄가 되기도 한다. 사실에 입각한 재판을 안 한 때문이다. 전반적으로 그런 분위기가 조성된다. 언론의 추측성 기사는 많은 비판을 받는다. 그럼에도 사실인식을 엄격하고 철저하게 하는 노력을 기울이지 않는다. 결국은 교육의 책임일 것이다. 교육도 반성하지 않는다. 오류의 소신을 맹종한다. 흔히 우리는 존재(存在)보다 당위(當爲)가 앞선다고 하는데 추기급인의 영향일까, 지력(智力)의 한계일까. 여하튼 한국적 사유법의 한 특징임은 틀림없어 보인다.

추기급인은 긍정적인 영향, 부정적인 영향 다 있을 수 있다. 기업의 사장이 '내가 돈을 벌고 싶으면 다른 사람도 돈을 벌고 싶을 것이다. 우리 종업원에게도 돈을 벌게 해주어야 하겠다' 하면 그 회사에선 노사분규가 일어나지 않을 것이다. 그러나 의심이 많은 사람은 자기가 남을 의심하는 만큼 남도 자기를 의심할 것이라고 여겨 경계의 눈을 멈추지 않을 것이다. 남의 돈을 슬쩍한 경험이 있는 사장이면 부하를 모두 도둑으로 의심할 수 있다. 도둑은 다른 사람도 도둑으로 보고, 선량한 사람은 다른 사람도 선량하게 본다. 해서 선량한 사람은 다른 사람이 나쁘게 말해도 선량하게 받아들여 싸우지 않지만 선량하지 않은 사람은 다른 사람이 좋게 말해도 나쁘게 받아들여 오판을 하게 된다. 추기급인은 좋다 나쁘다 어느 한 방향이 아니다.

그러나 사물인식의 문제에 적용해서는 안 될 것이다. 사물인식은 주관적 인식이 아니라 과학적, 실사의 관점이라야 바른 인식을 할 수 있다. 추기급인은 특히 민주문화를 받아들이는 입장에서 활용할 점, 보완할 점을 구별해야 할 것이다. 이념가들은 사실인식보다 관념을 앞세우는 태도는 고쳐야 오류를 범하지 않을 것이다.

뿌리 깊은 현실 부정

6.25때, 통한의 사실 하나는 '수도 사수'였다. 당시 대통령은, 북한 공산군이 물밀 듯 밀려들자 자신은 서울을 빠져나가면서 '서울을 사수한

다'고 방송했단다. 많은 서울시민들이 그 말을 철석같이 믿고 집에 있다 비극을 맞았다는 것. 정부는 서울이 위험하다고 발표하면 피란 가려는 사람들이 초래할 큰 혼란을 우려했단다. 최근의 연구는 그것은 사실이 아니라고 한다. 대통령은 인민군 탱크가 미아리까지 밀려왔을 때 경무대(현 청와대)에서 퇴거했다는 것이다. 역사적 사실인식이 바르지 못하여 어떤 오판을 하고 있는가.

더 거슬러 올라가면 임진왜란 때도 그런 사고방식을 본다. 일본의 관백 도요토미(豊臣秀吉)가 과연 조선을 칠 것인가를 살피러 갔던 통신사가 일본은 '조선을 칠 것이다', '치지 않을 것이다'라는 두 가지 보고를 했을 때 조선 조정은 '일본침략' 의견을 받아들이면 민심이 흉흉해질 것을 겁내서 받아들이지 않고 '불침략' 의견을 받아들였다. 정사(正使)의 의견을 무시하고 부사의 의견을 받아들였으니 당시의 현실회피 사고방식을 미루어 짐작할 수 있다. 거기엔 당파와 정변까지 얽혀 왕이 바른 결정을 하기가 참 어려웠던 것 같다.

지금도 비슷한 일이 벌어진다. 대통령이 '경제위기'를 인정하면 경제가 심리적 영향을 받아 더 나빠질 것이기 때문에 '위기'라고 말할 수 없다고 한 정권도 있었다. 신문에 대한 불만도 사실여부를 떠나 '세상이 나쁘다고 보도하지 않으면 세상은 살기 좋은데…' 딴지를 건다는 심사에서 오는 것 같다. 마치 도둑이 발생했는데 '도둑맞았다'고 보도하지 않으면 '도둑이 없는 세상'으로 된다는 투다. '눈 가리고 아웅' 심리인가.

어떤 정권의 총리는 실사구시(實事求是)를 강조하곤 했는데 후에는 흐지부지됐다. 이념정권과 결이 달라서였을까? 지금 지도층의 지력이 몇백 년 전의 실학자에게도 미치지 못하는 것인가. 여하튼 정책은 우왕좌왕하면서 혼란에 빠진다. 근본적으로 밝은 이성이 작동하지 않기 때문 같다. 적어도 실사구시를 하겠다면 이 인식의 단계를 확실히 해 놓아야 할 것이다. 그러나 실제로는, 이 단계는 접어두고 다음 단계인 대응단계로 넘어가서 편이 갈려 갑론을박, 대결이 지속된다. 제대로의 실사구시를 하려면 인식단계에서 치열한 검증이 있어야 된다. 극대 극으로 갈린 가치판단을 융합하기는 쉬운 일이 아니지만 그래도 그 단계에서 적극적인 융합(통합) 노력을 해서 공약수를 확보하면 다음의 대응은 분열과 갈등을 줄일 수 있을 터이다.

어떤 정부는 그 방도를 잘 알아서 '토론 공화국'을 내세웠다. 그런데 토론을 인식의 단계에서 시작하지 않고 대응단계에 곧바로 들어가니 공감을 찾지 못해 대립만 깊어졌다. 토론이 아니라 투론(鬪論)이 됐다. 토론방법에 문제가 있다. 특히 대중매체에서 공개 진행하는 토론은 '결투적'이다. 찬성과 반대로 딱 편을 갈라놓고 공방을 벌이게 하니 남의 약점 공격과 자기주장 방어에 급급한다. 자기가 보지 못한 것을 남의 눈을 통해 보게 되고, 자기의 부족한 지식을 남의 지식으로 보충하고, 자기의 생각이 짧음을 남의 지혜로 깨우치게 되는 효과는 거두지 못한다. 산파적(소크라테스)토론이라면 생산적이지 않을까. 찬(贊)반(反)의 선택이 아니라 개념을 통일하고, 유불리를 따져본 다음에 선택을 하면 제3의 결론도 도출될 수 있지 않을까.

인식의 단계에서 치열한 융합(통일)과정을 거쳐야 할 부문의 예를 들면 우선 '경제위기'문제. 흔히 경제현실을 보는 눈은 정반대로 갈린다.

하나는 IMF 때보다도 더 어려운 '위기'다. 또 하나는 '호황으로 가고 있다'. 수출과 외환보유고, 무역수지가 사상 최대를 기록하고 경제성장률도 3%를 넘는다. 대기업은 조 단위의 순익을 내는 곳도 있다. 낙관론자들은 말한다. '거시경제지표를 보라. 경제가 왜 나쁘단 말이냐.'

그러나 비관적 '위기론자'들의 눈은 다르다. 실업률이 높고, 음식점 소상인들 폐업이 늘어나고, 택시가 울상이며, 서비스업이 쇠퇴하고, 중소기업 자영업자들이 무너진다. 그들은 말한다. '지금 경제는 미증유의 위기에 처해 있다.'

경제현실을 보는 눈도 '제 눈의 안경'일 수 있다. 자기 사업이 잘되는 사람은 경제가 심각하지 않다고 볼 것이고, 사업을 접은 사람은 '심각하다' 할 것이다. 정부야 이들 전체를 보아야 할 터이나 이들 역시 보고 싶은 편만 보기 쉽다. 더욱 통계는 현실을 정확하게 반영하지 못하는 경우도 있다. 체감경기는 통계수치와 어긋날 때가 많다. 통계를 읽는 기술도 정확해야 한다.

어느 현실을 보느냐에 따라 대응책은 달라진다. '위기'라면 경기 진작책을 펴야 하고, '호황'이라면 오히려 정반대의 진정책이 필요하다. 그런데 문제는 눈이 바르지 못해서 현실(사실)을 바로 보지 못하는 것이냐, 현실은 바로 보지만 숨은 의도 때문에 사실(현실)을 왜곡하느냐이다. 정치인들은 국민 마음의 움직임이 '현실 자체'보다 더 중요하다. 국민의 환심을 살 수 있다면 후에 더 큰 파국이 와도 우선은 현실을 숨기고 본다. 심하면 조작하게 되는데 정직한 사람은 주저할 것이고, 부정직한 사람은 밀어붙일 것이다.

현실인식의 취약성은 네티즌 사이에서도 광범하다. 많은 댓글이 황당한 인식을 바탕으로 의견을 올린다. 사실을 정확하게 알아보려는 마음이 없어 보인다. 많은 사람들이 편견과 선입견에 쌓여 있는 의견을 강변한다. 사실인식이 잘못되면 건전한 의견이 나올 수 없다.

현실 회피인가, 무시인가

꿩은 매가 쫓아오면 갈포기에 머리만 처박고 숨는다. 몸통은 그대로 노출된다. 매를 피할 수 없음은 물론이다. 서양은 이런 경우 '타조'를 쓴다고. 무서운 현실이 앞에 닥칠 때 그것을 이길 수 있는 강자는 정면 대응하지만 이길 승산이 없는 약자는 피해 숨는다. 어려서 들은 바로 호랑이를 '호랑이'라고 하지 않고 '눈 큰 짐승'이라고 했다. 호랑이가 무서우니까 이름도 부르지 못하게 한 것이다. 당국이 해결하기 어려운 문제를 대할 때도 비슷한 태도를 보인다. 어물쩍 넘어가려 한다. 호도책이 남발된다.

호도책은 현실을 직시하지 않는다. 그러나 어려운 현실에 일시적으로 눈을 가린다고 문제가 근본적으로 해결될 수 없다. 또 다른 부작용만 낳는다. 당국이 '경제위기가 아니다' 해도 사람들은 피부로 느끼는 체감경기를 더 믿는다. 실감이 나기 때문이다. 이때 정부가 '경제가 좋다'고 강변하면 경제상황이 좋지 않은 사람들은 오히려 무슨 속임수가 있구나 해서 정부를 의심하게 된다. 요즘은 SNS가 얼마나 빠른가. 정부는 신뢰만 잃는다. 신뢰를 잃음으로써 초래되는 부작용은 어떻게 할 것인가. 어느 부작용이 더 큰가. 신뢰를 잃으면 다 잃는다는데…. 그래도 일시적인 호도책에 매달림은 '눈 감고 아웅'하는 약자의 심리가 작용하기 때문일 것이다.

　현실을 제대로 보지 않는 대응책의 한 예는 '카드대란'. 카드는 신용을 전제로 한다. 그런데 우리는 신용지수가 대단히 낮다. 거짓 증언과 허위약속과 가짜를 보라. 신용을 지키지 않는 비율이 몇 %인지는 알 수 없으나 카드정책이 현실을 바탕으로 했다면, 가려내기는 대단히 어렵지만 그래도 그 부실지수만큼은 카드를 발급하지 말았어야 했다. '카드대란'은 목적(욕심)만 있고 현실을 보지 않은 결과다.

　수도 없이 바뀌는 입시제도에서도 볼 수 있다. 다양한 교육주체 간에 최대의 만족과 최소의 불만족을 이뤄내기는 사실 지난한 일이다. 문제는 '경쟁을 피할 수 없는' 교육현실을 무시하고 '무경쟁교육'이란 목적에만 매달린 것이다. 교육현실의 밑바탕엔 '남보다 앞서려는 우월의식'과 '남만큼 따라가려는 평등의식'이 얽혀 있다. 또 하나의 교육현실은 유별난 교육열. 예부터 문모(文母, 문왕의 모)의 태교와 맹모(孟母)의 삼천(三遷)은 교육열의 표상으로 회자되는데 많은 부모들은 자식의 교육에 '최고'의 봉사를 한다. 자녀교육을 위해 부부가 이역만리 떨어져 살고(기러기 아빠), 아예 이민까지 가지 않는가.

　입시제도의 문제는 경쟁과 교육열이라는 두 현실을 인정하는 바탕에서 풀어야 실사구시적일 것이다. 한 측면만 본다거나 한 측면은 인정하지 않는 시각은 실사구시의 태도가 아니다. 모순되는 우열경쟁교육 평준화교육을 다 만족시킬 수 없다면 '무경쟁'이 아니라 '공정경쟁'이 더 바람직할 터이다. 알지만 눈 감고 목적(평등교육)에만 매달렸다면 실사는 않고 구시만 한 셈이다. 자식에게 모두를 거는 부모들은 제도나 법을 지키기보다는 실효를 좇는다. 이들을 만족시키거나 막아낼 완전한 제도는 없다. 이들은 어떤 입시제도도 다 뚫는다. 이들 앞에 법은 무력하다. 비현실적인 '무경쟁' '평등(평준화)'교육을 실현하려고 하니 여러 가지 부작용이 생길 수밖에 없다. 제일 큰 피해는 교육목적 왜곡. 지금 우리의 교육목적은 무엇인가.

또 하나 간과하지 않으면 안 될 교육현실은 불신이다. 도덕지수가 그렇게 높지 않은 것이다. 고교의 내신성적은 믿을 수 없다. 그들의 내신성적은 사실적이 아니기 때문이다. 조작은 소수만이 아니다. '팔은 안으로 굽는다'는 속담처럼 자기 학생 진학시키려는 교사의 충정(?)은 조작도 불사케 한다. 학부모나 마찬가지로 교사의 도덕수준도 내신성적의 부정직을 막지 못한다. 교사가 엄정하게 사실대로 하려 해도 학부모의 압력에 버텨내지 못한다. 결과는 '고교의 내신성적은 믿을 것이 못 된다.' 내신성적제는 해결책이 못 된다.

수십 년간 교육행정은 교육현실을 외면하고 부작용에 쫓겨 다니느라 방황했다. 현실을 외면하면 문제가 풀릴 수 없다. 이 문제의 바탕은 정직이다. 정직을 확보하기 전에는 이 문제가 풀릴 수 없다.

또 신입사원을 뽑을 때 스펙문제도 마찬가지다. 스펙을 보느냐 안 보느냐 이전에 그것을 얼마나 믿을 수 있느냐를 따져 보아야 한다. 지금 많은 스펙 증명은 조작되고 있음이 사실이다. 사실이 아닌 스펙을 가지고 이러쿵저러쿵 함은 모래 위에 집짓기나 마찬가지다.

또 하나의 실사문제는 경찰 정원문제. 도둑이 많고 질서를 안 지키면 경찰이 많아야 하고, 도둑이 적다면 경찰의 수를 줄여도 될 것이다. 그런데 실제로는 예산에 따라서, 혹은 외국의 인구비례를 참고해서 우리는 어떠해야 한다고 주장한다. 우리가 도둑이 많으냐 적으냐는 도외시된다. 외국의 예도 도둑대비 경찰의 비례는 무시된다. 최근 검경 간의 업무영역을 둘러싼 갈등은 범죄(특성) 현실에 어떻게 효과적으로 대처하느냐는 문제는 도외시되고 권한 갈라먹기 싸움 같은 행태를 보임은 역시 실사구시와는 동떨어진 태도다. 각종 자유화 모두 마찬가지다. 자율이 되면 규제를 풀고, 안 되면 제한을 둬야 할 것이다.

언론도 마찬가지다. 사실보도가 심각한 위기에 처했다. 언론은 실체를 사실대로 보여주지 않는 경우가 많다. 사회에 미치는 영향을 고려해서 역겨운 장면이나 욕설 등 비신사적 행동은 걸러낸다. 그것은 조작이다. 악마에게 화려한 신사복을 입혀주고, 악녀에게 꽃신을 신겨주었는데 그가 숨어들어 악행을 저지른다면 어떻게 할 것인가. 악마 악녀의 실체를 미화해서 독자의 판단을 흐리게 하여 적절한 대책을 세우게 함이 옳은가, 감추어주었다가 악행을 당하게 함이 옳은가. 트로이목마가 오면 장대한 겉만 보고 성문을 활짝 열어주어야 하는가, 그 속에 감추어진 병사를 보고 경종을 울려 막게 해야 하는가. 그런데 데모화면에는 역겨운 장면을 내보내지 않는다고 악마를 천사로 둔갑시키는 악마의 편집으로 미화해서 보여준다면 트로이목마에 성문을 열어줌이다. 더 근본적인 문제는 사실접근, 사실인식, 사실판단의 방법과 기술을 연마하지 않는 것이다. 반성을 안 하니까 사실보도는 벽에 부닥친다. 오보가 범람하게 된다.

현실 무시나 기피에서 한 걸음 더 나아가면 현실을 조작하게 된다. 과거 미국의 잉여농산물에 기대어 호구를 이어가던 비참한 때, 농업통계는 믿을 수 없었다. 미국의 지원을 더 얻어내려 통계를 조작했다는 것. 통계를 바탕으로 문제를 푸는 것이 아니라 문제해결에 유리하도록 통계를 조작하는 것이다. 선한 목적이라고 해도 통계를 불신하는 데서 오는 부작용은 또 어떻게 할 것인가. 여론조사가 의심을 사는 것도 그 연장선상이다. 여론조사가 조작되는 것 아닌가, 특정인에게 유리하도록 유도되는 것이 아닌가, 의심을 산다. 여론조사가 조작된다면 민주주의가 골병들 것이다.

현실호도나 조작이 너무 많이 퍼져 있는 것 같다. 사실보도를 생명으로 해야 할 언론이 연출을 시킨 사진을 보도하고. 공영방송이 공준도 공심도 없다면 황색방송마지도 못하다. 정파언론은 나름대로 정직하지만 공공을 표방하면서 왜곡보도를 한다면 기만적 부정직이다. 뻔한 사실을 왜곡보도하는 언론은 자기신용만 떨어트릴 뿐이다. '악마의 편집'은 그야말로 악마다. 언론이 신뢰를 잃으면 사회적 절망으로 이어진다. 그런 언론은 존재할 가치가 없다.

사실인식과 판단의 문제가 가장 심각한 분야는 법조분야인 것 같다. 지금 판검사들 중엔 사실판단을 하지 않고, 관념판단을 하는 사람들도 있는 것 같다. 이들의 손에는 사람의 생명과 운명이 걸려 있는데 사실재판이 아니라 관념재판을 한다면 억울한 사람들이 얼마나 많이 나올 것인가. 과학은 첨단으로 가는데 이들은 조선시대로 후진하는 것이 아닌지?

거짓말할 자유

자유의 한계

자유의 찬미는 어디까지인가. 완전한 자유, 무한 자유를 바라는 사람들은 충동(욕망)이 시키는 일이라면 무엇이든 하려고 한다. 모든 금지(禁止, 터부)를 거부한다. '영원한 활화산'으로 찬미된 4.19의 자유는 무엇을 가져왔나. 광우병 촛불 속엔 순수하지 못한 의도가 숨어 있었지만 미화된다. 정직을 생명으로 아는 청년들이라면 그 반(反)촛불이 타올랐을 것이다. 그 속임수에 분노했어야 한다. 그러나 사과도 않고, 미안함도 보이지 않는다. 조금, 아주 조금의 양심이라도 있다면 '그때 미안했다'고 해야 마땅하지만 그런 사람은 아무도 없다. 촛불은 양심을 태워버렸는가. 비겁함인가, 조용하다. 법도 관대하다.

대중은 책임을 지지 않는다. 질 수도 없다. 그야말로 자유다. 그들의 자유가 초래하는 결과에 대한 책임이 없다. 권리는 있으나 대가는 지불하지 않아도 된다. 결과가 해악이 돼도 책임을 물을 수 없다. 특히 정직의 의무로부터 자유로운 사람들은 거짓에 대한 책임을 지지 않는다. 민주주의의 허점이다. 책임이 없는 사회는 포식자들이 들끓는 황야(荒野)와 같다.

그런데 첨단문명이 거꾸로 가서 진실을 가려 주고 조작까지 하는 사람들을 도와준다면 비극이다. 사이버세계가 속이고 속는데 아주 효과적인 공간으로 등장하고 있다. 광우병뿐 아니라 사회적 파장을 일으킨 많은 사건들이 진위논란에 휩싸이고 있다. 과학은 그 해결에 도움을 줄 수 있는데 반대로 작용할 수도 있다. 그 공간에서 거짓 정보가 계속 생산된다. 거짓 정보는 믿고 공감하는 사람이 있기 때문에 만들어진다. 믿는 사람이 없으면 그런 헛수고를 하지 않을 것이다. 그것도 책임으로부터 자유롭기 때문에 벌어질 것이다. 그러나 거짓의 자유는 불신이란 대가를 치르게 된다.

또 자유는 간지(奸智)의 승리를 가능케 해준다. 우리 근세사에선 간지가 주류처럼 돼 있다.《실록》에는 간지를 탄식하는 기사가 2건 올라 있다. 하나는 중종 때 집단 상소다. "아, 성묘(成廟) 때에는 나라에 선정이 있고 백성에게 선속(善俗)이 있으며, 때맞추어 잘난 사람들이 나서 뛰어난 사람을 그 사이에서 뽑으니, 도학을 창도하여 밝히고 기강을 붙들어 세워, 이제삼왕(二帝三王)의 교화를 이루게 하기를 바랐더니, 불행히 혼조(昏朝)를 당하여 소인 유자광(柳子光)·임사홍(任士洪)이 일국의 간지로서 이들을 거의 일망타진하니, 국가와 사문(斯文)의 화가 극단에 이르렀는데…. 그 뒤부터 조야가 아비는 그 아들을 경계하고, 형은 그 아우를 경계하여, 경술(經術)로 자신을 다스리지 못하게 하고, 오직 장구(章句)·사장(詞章)에 힘써서 과거 공부를 익혀 작록을 급한 일로 삼게 하며, 도학·경술을 업으로 삼는 사람을 보면 반드시 화문(禍門)이라 자칭하고 서로 눈짓하며 놀랍게 여기니, 이 때문에 군자다운 사람은 벼슬하지 않고 집에 들어앉아 제 몸만 닦고, 다만 강개하여 스스로 흥분할 뿐이었습니다." (1517.10.27)

〈간계(奸計)〉를 질타하는 소리는 간지보다 좀 많다. 모두 1백84건. 태종이 세운 제릉(齊陵. 태조의 능)의 비문에는 다음 글이 있다. "온갖 제도가 함께 새로워졌다. 공(功)이 높으면 상주지 아니하고, 덕이 크면 용납하기 어려운 법이다. 참소와 간계(奸計)가 서로 얽어서 모함하니, 점점 번지고 젖어 들어오는 것이 헤아릴 수 없었는데, 정창(定昌)이 유약하고 암우(暗愚)하여 이럴까 저럴까 하고 결단을 내리지 못하였다." (1404. 2.18)

자유지상주의자들은 조작의 자유, 음모의 자유, 거짓말할 자유까지 보호하라는 투다. 표현의 자유는 무한궤도를 달리는 열차 같다. 거짓과 참의 경계 자체가 없는 것 같다. 법은 거짓에 대해 추상같은 매를 들지 않는다. 표현의 자유가 진실과의 한판 대결에서 이긴 꼴이다. 한 식용유업자가 영업을 시작하면서 당국의 허가를 받기 위해 정성을 들여 만든 백 퍼센트 진짜 기름을 시제품으로 당국에 제출했더니, 당국은 '가짜'라고 허가를 내주지 않았다. 그래 그 신참업자는 기존업자들이 하는 방식으로 적당히 가짜를 섞어 제출했더니 '진짜'라고 허가가 나왔단다. 기존의 기름 장사들이 받치는 가짜의 기름 맛에 길들여진

당국자의 입은 가짜 기름과 진짜 기름의 맛을 뒤바꿔 알고 살아온 것이다. 가짜가 진짜를 이기는 세상이다. 이익만 된다면, 편을 위해서라면 거짓말을 해도 좋다.

정직의 가치를 몰라서일까, 자유가 거짓을 조장해서일까. 아무래도 자유가 거짓을 조장한 결과가 여기에 이른 것 같다. '정직하라', '사람은 정직해야 한다'는 절대명령은 사라져가는 셈이다. 국제적으로 한국인을 '거짓말을 잘하는 사람', '정직하지 못한 사람', '신뢰할 수 없는 사람'이라는 브랜드가 찍힐까 두렵다. '거짓말을 잘 하는 사람'은 결국 '신용이 없는 사람'이 될 것이다.

유언비어가 표현의 자유면

헌법의 정신을 최종적으로 판단하는 헌법재판소는 기본권의 제한은 명확한 법 규정에 따라 최소한이 되어야 한다고 판결했다. 기본권이라면 자유다. 허위사실을 표명하는 행위도 표현의 자유로 기본권의 보호를 받아야 한다고? 악의적 거짓말에 국가기관이 면죄부를 주는 것 아닌가? 그런데 다른 민주국가에도 허위사실 유포 자체를 처벌하는 법률이 거의 없다는 점도 위헌판단의 근거가 됐다고? 그들이 그렇다면 그렇다고 할 수밖에 없을지 몰라도 상식적으로는 납득이 되지 않는다. 거짓이 무죄라고?

그동안 인터넷상의 거짓말은 살인무기가 되어 많은 사람, 특히 연예인들을 자살로 몰아넣었다. 자살이지만 사회적 살인이다. 그렇게 사회문제가 된 사건이 얼마나 많은가. 국가 안위에 관계되는 것들도 있고.

헌재는 인터넷 표현의 자유를 폭넓게 보장해야 하는 이유로 인터넷이라는 매체가 가진 '쌍방향성'을 들었다고. 인터넷을 '가장 참여적인 시장', '표현 촉진적인 매체'로 규정하면서 "정보 수신자가 실시간으로 반론과 반박을 통해 익명성이나 무차별적인 전파 가능성을 차단하는 것이 가능하다"고 봤다는 것. 인터넷은 전파 속도가 너무 빨라서 통제 불능의 상태인데도 무차별 전파 가능성을 차단할 수 있다고 봤단다.

단지 그 폐해 가능성은 인지했음인가, "만약 허위의 통신에 의해 법익 침해의 실질적 위험이 발생할 것이 명백한 경우라면 구체적으로 내용을 적시해 (법으로) 규율해야 할 것"이라며 헌법 37조2항에 따라 '인터넷 표현의 자유'도 제한할 수 있다고 밝혔단다. 그 행동 하나하나를 어떻게 구체적으로 적시한단 말인가. 그런 사례들은 너무도 많고, 새로운 유형이 계속 나타날 터인데. 그다음에 법조문을 만들려면 항상 뒷북을 치게 마련이니 최초의 행위자(범법자)는 항상 유유히 법망을 빠져나갈 수 있을 것이다.

우리의(표현의) 자유는 사람을 죽이는 거짓말까지 용인하기에 이른 것인가. 국회도 그 예방법을 논의만 하고 제정하지 않는다. 북쪽은 국가단위의 거짓말 전략을 자유자재로 구사하고, 남쪽은 개인의 악의적인 거짓말도 기본권으로 보호한다? 특히 대중적 집단은 법 위에 서려고 한다. 거짓의 천국인가, 대중의 천국인가? '거짓' 천국은 첨단문명을 타고 더 기승을 부린다?

거짓말 죄는 '표현의 자유'에 밀린다. '표현의 자유'로 거짓에 면죄부를 준다. '표현의 자유'가 '거짓의 자유'로 둔갑하는 것이다. 더 나아가면 거짓은 누구를 위해서일까. 물론 거짓말하는 사람을 위해서다. 거짓말하는 사람은 누구인가. 거짓은 노리는 것이 있다. 장난삼아 하는 거짓말도 있지만 대개는 뚜렷한 목적이 있다. 거짓말은 크게 두 가지다. 하나는 약속하고 지키지 않는 것이다. 지키지 않을 약속을 하는 것이다. 물론 약속을 지키려고 했으나 사정이 여의치 않아 불가피하게 지키지 못하는 약속도 있다. 그 진실은 그의 마음속에 있어서 가려내기 어렵다. 거짓은 그 의도성을 판단하기 어려운 것이다. 다른 하나는 사실이 아닌 것을 말하는 것이다. 목적의식이라기보다는 사실오인에 따른 실수다. 댓글을 보면 사실을 잘못 알고 주장을 앞세우는 사람들이 많다. 물론 그 주장은 옳지 않다. 치밀하지 않고 건성건성 넘어가는 사람들이 저지르는 실수다. 그들은 습관적인 거짓말쟁이가 되기 쉽다. 그런데 그들은 주장이 많고 목소리가 커서 여론을 주도하기도 한다.

많은 사람들이 거짓말과 꼼수를 따라간다면 어떻게 될까. 개인 간의 거짓에 대해서는 책임을 묻는 경우가 많은데 공공을 대상으로 하는 언론매체의 거짓에 대해서는 관대하다. 어떤 결과가 초래될 것인가. 개인 간의 거짓은 그 폐해가 그들 사이에 국한되지만 공중 대상의 거짓말은 그 폐해를 계량할 수 없다. 그들은 엉뚱한 여론을 만들어 나라를 엉뚱한 방향으로 끌고 갈 수도 있다. 꼼수가 통하고, 괴담에 놀아난다면 아무래도 의식구조, 인식능력, 사유능력, 사로(思路), 사변(思辨), 가치관이 잘못되었음이다. 이 대명천지, 문명사회에서 그런 일이 벌어짐은 그 근원이 어디일까. 한 마디로 정신구조의 문제다. 우리의 문화를 다시 돌아봐야 한다.

거짓말, 괴담, 꼼수는 잡아내기도 어렵고, 판별하기도 어려워 예방도 어렵다. 법은 많은데 정의는 서지 않는다. 사건도 많고, 사각지대(死角地帶)도 많다. 대개는 사후 처리법 단속법이고, 예방법, 지표(指標)법이 되지 못하기 때문이다. 종합능력, 추상(推想)능력이 부족하고, 담당자들도 자기중심적이기 때문이다. 똑같은 사건이 법관에 따라 다른 판결이 나오는 예가 많다. 법은 판검사의 '마음대로'가 되기 쉽다. 법이 권력자나 법조인의 자의(恣意)법이 되면 사실상 법 없는 사회가 되고 말 것이다.

사건은 점점 기기묘묘해질 것이다. 범죄는 날고, 법은 길 것이다. 자유 지상(至上)으로 거짓은 날개를 달았는데, 법은 기고 있다. 하나님의 말씀이 곧 법이던 문명권에서는 법이 사는데 사람중심의 문명권에서는 법이 흩어져 힘이 살지 못한다. 특히 자유지상에서는 법도 사람중심이 되어 하나의 뜻을 살리지 못한다. 대의(大義) 공의(公義)가 살지 못한다.

특히 정치권력이 국민의 손으로 넘어가자 온갖 거짓이 난무한다. 마타도어, 흑색선전, 유언비어, 괴담, 세풍, 북풍, 병풍…. 풍(風)자가 들어가면 거의가 거짓이다. 거짓으로 국민의 마음을 사려는 것이다. 그것은 다른 측면에서 보면 국민이 그에 잘 넘어간다는 뜻이다. 국민의 지력이 문제인 것이다. 모든 원인과 책임은 돌고 돌아 결국은 국민의 손에 넘어가게 된다. 국민이 만들어내는 것이 아니라 국민의 마음을 얻으려는 자들이 만들어 내는 것이다. 그게 유효하다면, 국민이 그에 잘 넘어간다면 어찌할 수가 없다. 국민의 수치이고, 민주주의의 약점이기도 하다.

상명주의(尙名主義)와 공리공론(空理空論)

실질을 중시하는 사람은 진실을 중시하고, 말로 사는 사람은 이름에 매달린다. 유학자 현상윤(玄相允)은 이름을 숭상하는 것을 상명주의(尙名主義)라고 했다. 그게 조선이 망한 이유 중의 하나라고까지 했다.

탈북자를 '새터민'으로 부른다. '새터'는 한글인데 한자(民)와 결합을 시켜서 생경한 말을 만들어냈다. 창의력이 뛰어난 때문일까. 우리는 새 이름 짓기에 대단히 능한 재주를 보인다. 얼마 전부터는 사이버 시민을 '네티즌'이라고 부르더니 다시 '누리꾼'이란다. 물론 둘은 취지가 다르다. 전자는 명칭을 바꾼 것이고, 후자는 영어를 한글화한 것이다. '벤또'를 '도시락'으로 한 것처럼 한글화로 IT분야에서도 갈무리, 해우소 등 멋진 이름들로 속속 한글화가 이뤄진다. 모두 옛날 우리가 쓰던 순수 우리글인데 부활시키니 멋져 보이기도 한다.

우리는 명칭 바꾸기 도사다. 명칭(이름)을 잘 바꾼다. '운전수'라더니 '운전사'로 바꾸고, 다시 '운전기사'로, '운전기사양반'이라고, '기사'도 부족해서 '양반'을 붙여준다. 스님도 처음에는 '지웅(知雄)'이었는데 '중'으로 됐다가 다시 '스님'으로 바뀌었단다. 청소부는 환경미화원으로, 식모는 가정부로, 사환도 '도우미'. 오래전이지만 경무대(景武臺)는 청와대로 바뀌었고, 손톱 다듬는 사람은 예술가(네일 아트)로 격상시켜주고…. 모두 실(實)은 보지 않고 명(名)만 보기 때문이다. 원인보다 결과를 중시함이다. 그래 명칭에 매달린다.

명칭을 바꾸는 이유는 다양하다. 권위주의의 상징 같다, 남녀차별이다, 모욕적이다, 평등에 어긋난다. 인권에 반한다. 지금 시장은 '전임이 지은 이름은 싫다', '이름은 내가 지어야 한다'. 자기중심주의의 발로다. 그러나 일본은 50년 전에도 운전수(運轉手)였고 지금도 운전수다. 서양은 '아카데미'를 2천5백여 년간 그대로 쓰며 고유명칭이 일반명사화했고. 우리 교육기관은 태학(太學), 국자감(國子監), 성균관(成均館). 나라가 바뀌니 이름이 바뀌는 것은 당연하다?

그러나 이름이 존경을 부르는 것이 아니라 행실이 좋으면 이름이 존경을 받고, 행실이 나쁘면 그 이름도 경멸을 당한다. 운전자는 이름 때문에 폄하를 받는 것이 아니라 본인의 태도에 따라 존경도 받을 수 있고, 사랑도 받을 수 있고, 멸시를 받을 수도 있다. 명칭은 기호(code)일 뿐이다. 명성은 그 실(實)에 따른다.

말은 자체에 등급이 있는 것도 아니고, 모멸이 있는 것도 아니다. 쓰기 나름이다. 조선인(朝鮮人)은 명칭이지만 일본인이 '조센징(朝鮮人)'이라고 모멸의 뜻을 담으니 나쁜 말이 됐다. 조선인의 하는 짓이 그들의 마음에 안 드니까 의미를 왜곡한 것이다. 우리 자신도 '엽전'을 그렇게 쓴다. '얼간이', '쪼다' 등은 애초에 멸칭(蔑稱)으로 만들어졌고.

현상윤은 허명(虛名)에 빠져드는 것은 유학사상(性理學) 때문이라고 한다. 입신양명 출세하여 부모 앞에 나아가는 것을 효의 최종목표(立身揚名 以顯父母 孝之終也)로 삼은 데 기인한다는 것이다(朝鮮儒學史). 기업에 다수의 중역을 두는 것이나, 관직을 차용하는 것(借啣官職), 한번 공직에 올랐던 관직(官啣)을 종신토록 사용하는 것, 모두 같은 현상으로 분석했다. 기업의 경우 회사 안의 정식 직위와 밖으로 명함 직함이 다른 것도 다 그런 이유다. 안에서는 과장이 밖으로는 부장행세를 하게 함은 실은 부장의 역할을 할 만한데 안으로 대우는 과장으로 평가절하하는 것이거나 직원을 거짓 행세하게 하는 것이다. 지금도 그 풍습이 그대로 이어짐은 그 뿌리가 그렇게 깊기 때문이다. 일생 호칭할 직명을 얻기 위해 생기는 부작용이 유학사상의 폐해라고 통박하는 것이다.

왜 이름에 그렇게 목을 매는가. 단순히 허영(명예) 때문인가. 아니면 또 다른 실이 있어서인가. 사실 직함은 단순히 부르는 이름이 아니다. 그에 상응하는 대접을 받는다. 실용인 것이다. 사회적으로 참봉이면 참봉의 대우를 받고, 국장이면 국장의 대우를 받는다. 하나의 신분증명서인 셈이다.

명칭(名)과 내용(實)이 다르면 거짓이다. 그러나 이 경우 거짓이라는 의식이 없다. 실과 명이 달라도 문제시하지 않음은 정직에 둔감하기 때문일까. 공인들은 서류가 형식에 맞는가만 따지지 그것이 실제와 일치하는가는 따지지 않는 경우가 많다. 확인을 안 한다. 그러니 거짓을 행하기가, 사기를 치기가 얼마나 수월한가. 사기로 대출이 되고, 사기로 인·허가가 난다.

'도의의 나라'를 지향하던 선비들이 허명에 매몰돼서 갖가지 거짓을 행했으니. 겉은 도덕이지만 속은 이익이었다는 증거 아닌가. 이익사회에선 양심이 무력해진다. 양심의 가책 같은 것은 없다. 가짜와 거짓이 탄로돼도 부끄러워하지 않는다. '다 하는 짓인데', '나만 재수 없이 걸렸다', '먹고 살기 위해서' 등 여러 가지 변명을 붙인다.

그런데 그런 허명은 본인이 조작하는 것이 아니라 상대가 대접하는 뜻에서 부풀려 붙여주기도 한다. 사기꾼과 국민의 합작인 셈이다. 사기에 대해 그만큼 무감각하다는 증거다. 그러니 사기하기가 얼마나 쉬울 것인가. 자연 사기 치는 사람도 많고, 사기당하는 사람도 많게 된다. 서류와 실제의 상위는 기업에서 공공연하다. 분식회계(粉飾會計) 결산분식이 그런 예다. 특수한 예가 아니라 대부분의 기업이 한단다. 그래 당국도 고백을 하면 용서해주기도 한다.

한가지, 상명주의는 이름과 개념을 바르게 하자는 정명주의(正名主義)와는 다름이다.

그는 공리공론을 조선을 망하게 한 유학의 폐해로 지적했다. 공리공론이야말로 실용을 떠나 말싸움만 한 것이다. 그들이 추구한 도학(道學)은 관념의 세계이지 실세계와는 거리가 멀다. 이기(理氣)논쟁은 사변(思辨)이긴 하지만 논리나 실용과는 너무 거리가 멀다. 문화는 철학이나 논리의 세계를 탐구해야 하지만 그들은 당위(當爲)만 따짐으로써, 그 당위를 무리하게 현실에 적용하려고 함으로서 현실과 간극이 생긴 것이다. 물론 그 의식(意識)이 제도나 정책의 바탕이 되기도 한다.

불신(不信)시대

약자의 거짓말

약자, 대개 패배자의 거짓말은 동정을 산다. '여북하면 거짓말을 할 것인가', '그도 거짓말이 나쁜 짓인 줄은 알지만 불가피하게 거짓말을 했을 것이다.' 약자의 거짓말은 살기 위해 불가피한 것으로 받아들여진다. 어떤 이득을 취하려는 공격적인 거짓말이 아니라 피해를 보지 않기 위한 방어적인 거짓말로 보기 때문이다. 그래 비난하기보다 동정한다. 선의의 거짓말은 거짓말이라고 하지 않는다.

성경에서도 아브라함은 갈릿에서 숨어 살 때, 이삭은 이집트에서 망명생활을 할 때 각기 아내를 누이라고 거짓말을 했다. 그들은 거짓말이 탄로났을 때 그곳 권력자에게 아름다운 아내 때문에 살해당하지 않을까 겁이 나서 그랬다고 실토했다. 기독교의 10계명에 8번째로 '거짓말하지 말라'는 내용이 들어 있지만 그들을 비난하는 사람은 없는 것 같다.

어머니나 아버지가 굶주린 배를 참으면서 자식에게 밥 한술 더 먹이려고 '나는 배가 고프지 않다', '나는 이웃집에서 많이 먹었다'고 하는 거짓말에 이르면 눈물을 흘리게 되지 그게 거짓말이라고 문제 삼지 않는다. 약자, 가난한 자의 애절한 거짓말, 동기가 선하고, 남에게 해를 입히지 않는 거짓말, 무지한 자의 거짓말은 대체로 용서된다. 그러나 그게 악의적인 거짓말인지, 무의식적, 불가피한 거짓말인지는 가리기 어려운 경우가 많다. '나도 거짓말이 나쁜 줄은 알지만…' 또 용인을 하다 보면 거짓에 무감각해지기도 하고.

약자, 무식한 자의 거짓말이라도 남에게 치명적인 피해를 주는 악의적인 거짓말에 이르면 참담해진다. 가짜 음식, 가짜 식품(식재료)이 대표적이다. 노점상이 몸에 해로운 줄 알면서 썩은 생선에 화공약품을 칠해서 판다던가. 농약을 뿌린 콩나물이나 고춧가루를 파는 것은 아무리 가난한 사람들이라도 용인해줄 수 없는 거짓이다. 그 어려운 처지, 그 무식을 생각하면 애처롭지만 용서하기에는 죄가 너무 무겁다. 우리 주변에선 그런 거짓말이 너무도 많이 횡행하고 있다. 시장에 넘쳐나는 '짝퉁상품'이 대부분 그런 것 아닌가.

그래 선의의 거짓말을 용인하다 보면 난처한 일이 발생한다.

약자의 거짓말은 대개 용기가 없어서이거나 몰라서이다. 그들은 또 책임도 질 수 없는 경우가 많다. 그렇다고 방치할 수도 없는데 어떻게 해야 할 것인가. 학생은 거짓말을 해서는 안 된다는 것을 아는데 커 가면서, 살아가면서 배우게 된다. 어찌해야 되나.

강자의 거짓말

강자의 거짓말은 성격이 다르다. 그들은 거짓말을 좋지 않은 동기, 탐욕으로 시작한다. 이치에 닿지 않는 거짓말을 배짱으로 밀어붙이기도 한다. 정권마다 그런 사례는 너무도 많다. 대개는 명분에 맞지 않는 일, 속으로 다른 목적이 있는 일을 추진하면서 억지 명분을 강변한다. 뻔한 거짓말로 보이는 사안인데 '믿어라'고 강압한다. 국민은 지능이 낮아서 그런 거짓말도 판별하지 못할 것으로 아는 것인지, 믿으라고 강압하면 이유 불문하고 믿을 것으로 생각하는 것인지 알 수 없으나 국민이 물로 보이기 때문일 것이다. 독재자가 아니면 할 수 없는 일이다. 그래 참기 어렵고, 역겹다. 그래도 믿는 척하면서 참지 않을 수 없는 것이 또한 약한 국민이다. 그 결과는 정부에 대한 불신이다. 어느 정권을 가릴 것 없이 정부의 말을 액면대로 믿는 국민은 많지 않다. 믿지 않는데 거짓말을 하려니 궤변이 된다. 궤변은 속아 넘어가는 사람에게나 유효한데 통하지 않으면 강압을 한다. 국민과 정부는 점점 멀어지게 된다.

조선에서 간신의 대명사 같은 임사홍(任士洪)이 젊어서는 법의 불신을 우려하는 모습을 보인다. 한 지방관으로 임명된 자가 궁벽한 고을이라고 부임하지 않았는데 명종이 몇 달이 못 되어 다시 임명하자 "이미 명하여 법이 정한 기한에 의하여 서용하지 않아야 하는데, 일찍이 몇 달이 못 되어 갑자기 명하여 도로 서용하였으니, 법을 불신할까 염려됩니다."(1472.12.7)

성종이 중들에게 도첩(度牒, 출가승려에게 발행해준 공인장)을 남발하자 성균관 생원들이 항의한다. "지금 이들 도첩이 없는 중들은 모두 전일에 군역을 피하고 부세(賦稅)를 도피하여 법을 범한 백성들입니다. 비록 법에 의거하여 징계하지는 못할지라도, 도첩을 주는 것이 가하겠습니까? 국가의 법이 이로부터 불신(不信)되지 않을까 두렵습니다(1483.9.11).

퇴계도 명종에게 "왕도(王道)란 탕탕평평한 것이어서 속일 것을 예측하지 않고 불신(不信)할 것을 억측하지 않는 것입니다. 진실로 착한 마음으로 왔다면 받아들일 뿐인 것입니다"라고 말하며 머리 숙여 애원하는 왜노의 청을 허락하라고 했다(1545.7.27).

거짓말은 크건 작건 역겹다. 부자들이 가짜 상품을 판다거나, 원산지증명을 위조하는 일, 바다 가운데서 중국어부로부터 고기를 받아다가 국산이라고 속여서 파는 일, 가짜 명품, 예술작품의 위작은 더욱 괘씸하다. 학자들의 거짓 학위, 논문 표절, 언론의 조작기사, 유물 위작…. 그들은 이미 학자도, 예술가도, 언론인도 아니다. 그런 가짜, 거짓말, 거짓행동이 넘쳐난다. 법으로 모두 단속할 수 없을 정도다. 그런데 '법대로'를 외친 대통령 후보를 선택하지 않은 사실을 보면 많은 국민은 거짓을 그렇게 나쁘다고 생각지 않는 의식인 것 같다. '부정선거', '민주화'를 위해서는 대중의 분노가 폭발했지만 정직에 대한 의식은 무엇인가.

사실보도, 정직한 보도

사실보도는 언론의 영원한 과제다. 그런데 그 사실보도가 최근 큰 위협을 받는다. 정직한 보도냐는 의문이 높아져서다. 사실보도와 정직한 보도는 같은 것이지만 다를 수도 있다. 사실보도는 사실 확인, 사실 접근의 문제지만 정직한 보도는 의도적인 왜곡이 있느냐에 관계되기 때문이다. 가짜뉴스는 기술적인 오보라기보다 의도적인 조작 뉴스다.

지금 가짜뉴스 논란이 심하다. IT기술의 발달로 조작이 가능해졌기 때문도 있고, 불순한 의도로 기자가 된 사람들도 있기 때문이다. 기술적인 오보도 있지만 의도적인 것이 더 많을 것 같다. 민주화로 언론의 문이 열리자 정론(政論)지, 준비가 안 된 '나도 기자' 족이 대거 등장했기 때문이다. 언론의 신뢰는 크게 떨어졌다. 기자는 자긍심과 사명감을 갖고 일정한 수련을 거친 사람들이 했으나 근래엔 그렇지 않은 사람들이 많아졌다. 권위정부 시절엔 사이비를 단속했으나 민주화 후론 소수 언론도 똑같이 중시한다. 알 권리가 절대권이 되고, 뉴스원 접근이 용이하며, 뉴스가 정보로 가공되는 등 격변에 따라 언론의 개념도 달라진 것 같다.

가짜뉴스의 범람은 이익만 좇는 세태를 반영함이다. 언론과 특히 이익집단 정치집단과의 관계가 밀접해짐에 따라 언론기관은 '기업'이 되고 언론인도 직업인이 됐기 때문이다. 가짜뉴스는 오보와는 다르다. 의도성이 작용하며, 게다가 정직의식은 희미해졌다. 정직을 생명으로 하는 언론인이 얼마나 될 것인가.

그런데 문제는 가짜뉴스가 권위를 자랑하던 제도언론에서도 나온다는 사실이다. 그것은 이익을 추구하는 것이건, 불이익을 방어하는 것이건 다분히 정치적 동기가 작용할 것이다. 언론의 타락이라고 할지 변화라고 할지 판단이 어렵다. 최근의 정치적 격동기에 언론이 보인

자세는 변질이다. 독자가 그것을 용인할지 어떨지에 그들의 운명이 달렸을 것이다.

가짜 뉴스는 세계적 현상이다. 공정(fair)이 정체성이라고 할 만큼 정직을 추구하던 미국도 요즘 가짜(fake)뉴스가 범람한단다. 퓰리처상이 상징하듯 사실보도 정신이 투철하게 이어져 내려오고 있는 미국의 언론계가 왜 그렇게 됐을까. 퓰리처는 사실과 말의 구분을 분명히 했었다. 1백50여 년 전, 당시 보잘 것 없는 신문사의 기자가 된 그는 출근 첫날 이웃 양복점에서 화재가 났다. 경찰이 그 종업원을 잡아가면서 방화범이라고 했다. 주인에게 앙심을 품고 범행을 했다는 것. 그러나 그는 억울하다고 항변하면서 끌려갔다. 지금 우리 언론이라면 그를 방화범으로 기사화했을 것이다. 그러나 그는 그 종업원의 항변에 귀를 기울였다. 별도로 조사를 해본 결과 그가 아니라 그 주인이 보험금을 타내기 위해 방화를 했다는 사실을 알아냈다. 그는 기자 첫날 유명기자가 됐다. 그의 기자정신이 미국언론의 귀감이 되어 그의 이름을 딴 언론상이 생기게 되었고, 그 상은 미국에서, 아니 세계에서 권위 있는 언론상이 됐다.

그런데 미국은 지난해 10대 가짜 뉴스까지 선정하여 발표한 기관이 있다. 미국 언론계의 사실추구정신이 쇠퇴한 것일까. 미국언론의 추락일까. 시대흐름(時流)에 떠밀려감은 확실한데, 동시에 신뢰를 잃는 것도 확실할 것이다.

우리는? 조선의 언관(言官)제도는 춘추필법(春秋筆法)을 모태로 한 이상적 국론제도였다. 투철한 시시비비(是是非非)정신이 일편단심 정신과 짝하여 기개가 대단했다. 독야청청의 태도로 목숨을 거는 사람들도 있었다. 그들은 사명감과 자부심이 넘쳤다. 그러나 쉽게 타락한 언관들도 있다. 5백 년 동안 언관들이 제대로 역할을 한 것은 1백여 년에 불과하단다. TV사극에서도 보는 바로 정치적 음모나 악명 높은 당쟁(士禍, 史禍)에서는 언관들이 전위대 역할을 했다. 정파에 쏠리며 공명정대한 시각에서 시시비비를 논하지 않고 의도적으로 사람을 잡는 집단상소를 올리는 것이다. 그 위력이 대단해서 한번 그들에게 찍히면 그 마수에서 벗어나기 어려웠다. 그렇게 많은 사람들이 희생됐다. 옛날이나 지금이나 권력이 문제다.

《실록》의 〈언관〉기사(한글)는 2천5백72건(한자 言官은 1천3백41건). 〈간관(諫官)〉은 9백47건, 〈사관(史官)〉 3천1백7건이다. 이들은 탄핵(3,234)을 논하고, 공론(公論 1,005)을 모으는 일을 했는데 그들의 의견(상소)은 타당한 것으로 인정받아서 영향력이 컸다. 〈궤변(詭辯) 15〉, 〈공론(空論) 9〉, 〈귀설(鬼說) 1〉 관련 기사는 극히 적었다. 〈시시비비(是是非非) 20〉, 〈춘추필법(春秋筆法) 12〉 기사도 거의 없다. 언관의 의견이나 태도에 대한 비판은 없었던 것일까. 당쟁은 그들이 '아무개를 탄핵하시오' 하는 집단상소로 시작한다. 음모꾼들은 그것을 위한 사전준비로 그 부서를 장악한다. 치밀하게 준비하는 것이다. 언관이 당쟁의 첨병이나 전위대 행동대가 된다면 순수한 언관은 아니다. 그 탄핵 가운데 음모였음이 밝혀진 것이 많다. 타락한 언관의 폐해가 얼마나 컸는가.

언론은 최근의 정정으로 위상은 큰 도전을 받게 됐다. 정치적 의도가 작용한 것으로 의심을 받는데 너무도 가짜뉴스가 많이 보도된 것이다. 그들은 '보고 싶은 것만 본다'는 데서 한 걸음 더 나가 '내가 보도하고 싶은 것만 보도한다'는 배짱까지 보였다. 조선 당쟁에서 전위대 역할을 하던 언관들과 닮아 보이는 것이다. 자연 독자로부터의 불신과 비판이 쏟아져 신문을 절독하는 독자가 많이 생겼다. 위기를 맞은 것이다. 앞으로 그들이 어떤 스탠스를 취할 것인가가 주목된다.

언론의 큰 병폐 중 하나는 사실을 추적하는 정신이 희박한 것이다. 그들은 말과 사실을 구분하지 않는다. '팩트', '팩트'하지만 실체를 추적하지 않고 말(발표)을 추적한다. 말(발표)을 사실로 추적하려니 발표하는 사람, 그들이 스타덤에 올린 취재원의 뒤를 주로 따라다닌다. 법원이나 검찰, 경찰청 앞에 상시로 그 많은 사람이 진 치고 있음은 씁쓸한 일이다. 그들은 현장으로 가서 사실을 추적해야 한다. 실사구시의 정신을 조금만 유념해도 그렇게 하지는 않을 것이다. 그들이 추적하는 것은 공리공론(空理空論)이 되기 쉽다. 과거 선거의 암적 존재였던 흑색선전(黑色宣傳)은 제삼자의 고발보다 현장에서 확인하여 실제의 사실을 보도했다.

이들의 행태는 문화적 배경도 작용할 것이다. 고대 그리스 철학자들은 실체(substance, 본질)를 끊임없이 추구해왔다. 이데아(idea) 세계를 실체라고 믿었다. 세계는 무엇으로 구성돼 있는가. 그것은 사변(思辨)이기도 하지만 실체에 관한 관심이 작용하는 것이다. 우리는 현자(공자, 맹자)가 어떤 문제에 정의를 내려주면 그것을 숙지하는 노력에 매몰됐다. 우리는 태생적으로 사실, 근원, 원인의 원인을 찾는 정신이 박약하다. 그래 실재보다 당위가 앞서는 사유(思惟)구조로 발전했다. 근세 실사구시(實事求是) 학풍이 일었으나 주류가 되지는 못했다. 공리공론의 전통이 지금도 그대로 이어지는 것 같다. 특히 수많은 개인언론이 나타나는데 그들은 현장취재보다는 자기주장을 쏟아내는데 열을 올리고 있다. 그들의 현장은 정부청사와 광화문광장일 뿐이다. 언론사를 퇴직하고도 현장으로 달려가던 투철한 기자정신의 선배도 있었지만 귀감이 되지는 못하는 것 같다. 공리공론에 매달려도 공심(公心), 공의(公義), 진리, 정의 같은 가치추구 정신은 보이지 않는다.

의도적 거짓말

기업인들은 할 수 없이 거짓을 행한단다. 법대로 해서는 기업을 경영할 수 없다는 것이다. 일반적인 경영자 의식이 그런 것이다. '노동법(근로기준법)대로 하면 기업을 할 수 없다.' '세법대로 하면 기업을 할 수 없다.' 그래 잡히면 감옥에 가게 됨을 알면서도 분식회계를 하고, 이중장부를 만든다. 누구나 걸면 걸린다는 것이다. 옛날 예외가 있기는 했다. 세무 당국이 어떤 기업을 아주 철저히, 음료수 하나도 받아먹지 않고 세무사찰을 했는데 아무런 하자도 밝혀내지 못했다는 전설 같은 이야기가 전해지기도 한다. 특별한 예외다.

옛날의 거짓 중에도 황당한 것이 많았던 것 같다. 송덕비(頌德碑 9), 선정비(善政碑 11), 청덕비(清德碑 0), 애민비(愛民碑 0), 불망비(不忘碑 0) 등이 가짜로 만들어지기도 했다는 것이다. 특히 가렴주구·토색질로 백성의 고혈을 빨던 지방관들이 백성을 윽박질러 거짓으로 만들게 하는 경우도 있었단다. 의도적 악의적인 거짓이다. 그 악평에도 불구하고 조정에서는 거론을 별로 안 했던 것 같다. 그 후예들이 지금 가짜 자격증, 가짜 증명서, 가짜 학위를 아무 거리낌 없이 양산하고 있는 것 아닐까. 사이비 기자, 사이비 작가, 사이비 예술가, 학교의 내신성적 조작, 취업용 성적 조작, 가짜 경력증명이 횡행하는 풍조는 그 전통이 아주 오랜 것 같다. 하긴 정쟁 자체가 거짓의 싸움이기도 했다.

사전적 의미로 '사기(詐欺)'는 '이익을 취하기 위하여 못된 꾀로 남을 속임', '남을 꾀여 속여 해침', '꾀로 남을 속임'이고 '거짓말'은 '사실과 어긋나게 말하거나 꾸밈', '사실과 다르게 꾸며대어 하는 말', '실상이 없는 말', '속이는 말'이다. 둘은 비슷하지만 사기는 이익을 위해 적극적으로 거짓을 꾸미는 행위이다. 거짓말보다는 사기가 더 악의적이고 공격적이다. 거짓말은 사기의 한 수단으로 공격적이기도 하고, 피해를 막기 위한 방어적인 것도 있다. 둘 다 부도덕하긴 마찬가지다. 선의의 거짓말, 불가피한 거짓말로 용인되는 경우도 있어 판단이 어렵다. 선거 때 시비의 대상이 된 거짓말은 불가피한 것은 아니었다.

거짓말을 주공격 표적으로 삼은 정당은 국민들의 도덕성을 믿어서였을 것이다. 거짓말을 아무렇지도 않게 생각하는 국민이라면 그런 선거전략은 실효가 없어서 내세우지 않을 것이다. 실제로 우리 국민은 얼마나 정직한가. 대수롭지 않게 생각하는 것 아닌가. 거짓말이 들통난 후보도 종종 당선되는 것은 그 때문일 것이다. 그래 거짓말이 그치지 않는다. 어찌 보면 도덕성을 재는 최상의 바로미터인데, 유권자들은 아직은 엄격하지 않은 것이다. '거짓말'로 몰리던 후보가 압도적 표 차이로 당선됨에는 여러 가지 이유가 있을 것이다. 하나는 그가 실은 거짓말을 안 했는데 공격을 받는 경우다. '헛방' 공방이 그것이었다. '헛방'이라면 공격을 퍼부은 후보가 결과적으로 거짓말한 것이 된다. 사실과 다른 '거짓' 공격을 받았다면 피해자가 되어 역으로 동정을 살 수 있을 것이다.

또 하나의 경우는 도덕성보다 더 중요한 것이 있다는 것이다. '거짓말'로 몰린 후보는 경제를 들고 나왔는데 국민이 그를 선택했다면 도덕성보다 실리를 보았음이다. 거짓말이란 부정적 가치보다 경제 살리기란 긍정적 가치를 더 중요시한 것이다. 다소 부도덕한 점이 있을 수 있지만 그의 경영능력을 사는 것이다. 그것은 시대상황에 따라 달라질 수 있다. 경제상황이 심각하다면 도덕보다 경제를 선택할 것이다. 선거에서의 선택은 상대적이기 때문이다.

그러나 법적으로는 엄격하여 국회의원의 경우 경력 하나를 속여도 법 적용을 엄격하게 하여 당선이 무효가 된다. 그러나 그것은 경력 등 명백한 신고사항에 관한 것이지 일반적인 거짓말이나 거짓 행동에 관한 것은 아니다. 그것은 역시 국민의 평가에 의지해야 한다.

그러나 일반적으로 거짓말에 관대한 편이다. 실수를 했더라도 사과하면 용서하고, 눈 감고 넘어가곤 한다. 정직한 사회, 진실된 사회가 되기엔 아직 시간이 더 필요한 것일까. 예의의 나라이긴 했어도 정직한 나라는 아니었다는 반증일까. 그 원인의 하나는 인식 능력, 총체적으로 지적능력에 관계된다. 진실에 충실하려는 의지가 약한 면도 있지만 사실은 분석하고 종합하는 지적능력은 부족한 것이다. 재판도 진실에 입각하여 공정치 못하고, 언론도 사실보도를 하지 못한다. 과학 분야 종사자들도 그런 점이 있음은 실망스러운 일이다. 과학자들도 권위나 질투심 때문에 과학을 순수 과학의 눈으로 보지 않고 정치적인 처리를 한 적은 없는가. 전반적으로 지적성숙을 위한 노력이 필요해 보인다.

눈 있는 자는 보라!

예수는 외쳤다. '귀 있는 자는 들어라.'

그의 말씀을 들으려 모여든 청중 중에 귀 없는 사람은 없을 터인데 왜 굳이 '귀 있는 자'를 강조할까. 해석하기는 조심스럽지만, 상식인의 입장에서 이해한다면, 그의 말에 정신을 집중하라는 수사(修辭)일 수 있고, 그의 말뜻을 새겨 하나님의 말씀을 듣도록 강조함이 아닐까. 귀는 뜻의 통로이니. 반면 눈은 인식의 창이다. 그가 '귀 있는 자'는 강조했어도 '눈 있는 자는 보라' 하지 않았다. 말씀(뜻)이 사물인식보다 중요해서일까. 말씀의 뜻은 새기는 데 따라 의미가 달라지지만 보는 것은 '보이는 대로'(百聞不如一見) 명백해서일까.

그런데 요즘 우리 세상 돌아가는 품새를 보면, 말의 뜻도 사실인식도 혼란스러워진다. 특히 눈으로 보면 확실한 사물의 인식이 크게 혼란스럽다. 실사구시의 관점에서 보면, 감히 그를 모방하여 '눈 있는 자는 보라' 함이 필요하지 않을까. 세상을 '갈가리 찢는 갈등'이나 일마다 충돌하는 내분의 원인이 동일한 사상(事象)을 보고, 해석하는 시각이 너무 엇갈리는 데서 발원하는 듯해서다.

사실에 대한 해석이나 평가는 다를 수 있지만 인식내용이 달리 보임은 지각능력에 문제가 있음이다. 첨예하게 대립되는 시각도 결국은 사실인식이 상이하기 때문일 터다. 우리의 사유(思惟)구조는 '있는 사실'의 인식문제보다 '있어야 하는 당위'의 문제에 더 집착해온 전통이 지금도 연면히 이어져 인식능력은 과거보다 한발도 더 나가지 못했음이다.

개혁은 현실인식에서 출발하는데 현실부정을 전제로 한다. '잘못됐다.' 그래 '바꾸어야 한다.' 그래야 목적 지향의 의지가 강하고, 방향이 뚜렷하다. 그들은 '시대가 변하니 우리도 고치자'가 아니다. 현실진단은 생략하고, 목적만 앞세우기도 한다. 현실을 간접적으로, 혹은 관념적으로 인식하는 사람들이다. 그래 '단절의 역사'가 되기도 한다. '원년', '제2건국', '제2의 제헌국회' 등이 그 구호다.

그들은 '나부터 고칠 터이니 당신들도 따라와라'가 아니다. 솔선수범(率先垂範)이 아니다. '우리 함께 고치자'도 아니다. '나는 선하고 바르니 너만 고쳐라' 한다. 속내는 '너는 쳐내야 한다'. 개혁이 아니라 인적청산으로 간다. 생사의 투쟁판이 된다. 조선의 대표적 개혁가 조광조(趙光祖)도 그런 인적청산에 매달리다 자기가 패퇴하여 목숨까지 잃었다. 목적 의지가 강한 그들은 독선, 독단, 오만으로 흐르다 그들이 매도하던 반대편의 전제자(專制者)를 닮아간다. '민주'도 '개혁'도 오리무중이 되고 세력싸움만 벌어진다.

개혁가들은 이상주의자들이다. 이상주의자들일수록 현실을 보지 않는다. 당위·목표만 있다. 그러면서 '실사구시로 개혁하겠다'라고도 하는데 진담도 있고 허언(虛言)도 있다. 허언의 예는, 한국인의 심성을 파악해서 정책과 연결시키는 데는 솜방망이인 것이다. 한국인의 심성에 가장 효과적인 정책, 한국인의 심성을 가장 효과적으로 동기유발 시키는 정책을 창안해내지 못하는 것이다. 그들은 말은 실사구시지만 실사는 안 하고 구시만 하려 든다. 기업정책을 예로 들면 기업인들은 과욕인가 아닌가, 공공의식이 있는가 없는가, 독선적·독단적인가 아닌가, 도덕적인가 아닌가 등을 살펴서 동기유발책과 규제의 수준을 이끌어내야 하는데 '재벌은 탐욕스럽다'는 선입견으로 재단한다. 차라리 '실사구시'를 꺼내지 말고, '우리는 이념과 이상을 추구한다'고 하면 정직할 일이다. 말은 풍성하지만 그 말에 대응하는 현실이 없으면 말은 말대로, 현실은 현실대로 따로 놀게 될 것이다. 결국 공론(空論)이 될 수밖에 없다. 그들은 자연 남의 나라 성공사례에 매달린다. 그러나 그 나라에서 성공한 정책이 우리나라에서도 성공할 것이란 보장은 없다. 실질이 다르기 때문이다.

개혁은 현실을 바탕으로 이상을 추구해야 성공한다. 공자도 위정자는 백성의 먹고사는 문제의 해결에 최우선을 두어야 한다고 했다. 실사구시는 현실문제에 접근하는 방법의 문제다. 정부마다 개혁을 내세우는데 정확한 실사로 구시를 안 하기 때문이다.

실사의 입장에 서도 눈에 보이는 것이 다 확실한 것은 아니다. 영국의 철학자 럿셀은 눈앞의 책상이 확실하다는 증명을 하려면 몇 페이지에 달하는 설명이 필요하다고 했다. 특히 추상적인 문제의 인식은 지성에 의하기 때문에 더 어렵다. 실제는 지각대상이 되는 객관적 사실의 인식도 엇나가는 예가 많다. 실학자들은 그 원인을 알았던 것 같다. '마음을 두지 않으면 보아도 보이지 않고, 들어도 들리지 않으며, 먹어도 그 맛을 알지 못한다(朴世堂, 思辨錄)' 했으니 보는 눈이 문제가 아니라 향하는 마음이 문제라는 것이다. 눈에도 종류가 많다. 있는 대로의 육안(肉眼), 지혜로운 지안(智眼), 총명이 서린 혜안(慧眼), 형안(炯眼), 마음을 보는 심안(心眼), 영혼을 보는 영안(靈眼)…. 천리안(千里眼)을 비롯해서 법안(法眼), 불안(佛眼), 천안(天眼)에 이르면 세상의 참 모습을 원근, 상하, 전후, 주야를 가리지 않고 잘 볼 수 있을 것 같다. 외눈은 세상이 잘 보인다고 했지만(一目瞭然) 짝눈이나 사팔눈은 아니다.

이런 여러 가지 눈을 통해 안목이 생긴다. 그의 운명을 결정하는 것은 그의 안목이다. 사실에 대한 정확한 인식이 요구됨은 그 사실이 원인이 되어 초래할 결과와의 연결고리를 바르게 하기 위함이다. 원인이 좋아야 좋은 결과를 낳을 것이다. '눈 있는 자는 보라!' 그래서 역사적 사실을 사실대로 밝혀냄이 필요할 것이다. 역사적 사실(史實)이 주관적으로 왜곡된 점이 너무 많은 것 같다. 그 진실을 객관적으로 밝혀내야 할 것이다.

거짓의 나라

조선을 '환상의 나라'라고 한 학자가 있다. 사실이 아니라 관념을 좇는 나라라는 뜻 같다. 사실을 무시하고 관념을 좇다 보면 결국은 거짓말을 하게 된다. '거짓의 나라'가 되는 것이다. 조선은 부국강병 같은 웅지를 추구하지 않고 도학(道學)이란 관념에 빠져 살았는데 결국은 쓰러지고 말았다. 현란한 간지(奸智)의 경연을 벌여 간사한 꾀를 내고, 악지가 세고, 잔악한 인간들이 승리했다. 현인(賢人) 군자 대장부를 몰아내고, 간웅이 승리한 역사, 백성으로서는 욕된 삶을 살았다. 그게 거짓의 나라, 조선의 실상이다. 거짓의 나라는 한 발 더 나가면 자기 스스로는 아무것도 하지 못하면서 남이 이루어 놓은 것을 탐한다.

역사상 거짓을 사실로 만든 환상의 압권은 《실록》의 〈태평성대 75〉 〈성군(聖君) 186〉 칭송이다. 암매한 임금을 〈성군(聖君)〉이라고 아첨하는 비열한 사대부 군상들. 그들이 승리해서 국정을 농단한 역사가 조선이다. 임금 앞에는 〈태평성대〉라는 아첨사(阿諂辭)가 오르지만 백성들은 거의 질곡(桎梏)과 공포 속에서 살았다. 욕되고 욕된 역사였다. 물론 〈태평성대〉, 〈성군〉이 전부 아첨하는 말은 아니다. 어떻게 하면 성군이 된다, 그런 내용도 있다.

멍청한 임금을 요순 같은 성군(聖君)이라고 추켜세우기도 한다. "성조(盛朝)가 개국하매 세 성군이 잇달아 일어났으나" 참찬문하부사 권근이 치도 6조목을 태종에게 권고하는 가운데 한 말이다(1401.1.14).

"하늘이 성군을 내시사 우리 동방에 은혜로 주시니." (세종 7년 대제학 변계량의 화산별곡 중에서. 1425.4.2)

"우리 성군은 하늘이 내신 분이니, 높으신 덕은 신묘함을 이름하기 어렵네." (성종 6년 악장의 종헌, 1475.2.26)

"이제 전하께서는 총명예지(聰明睿智)한 성군으로서 신무(神武)의 함부로 죽이지 않으시는 덕을 지니셨으니, 신은 비록 우매하지만, 결코 전하께서는 족히 유익한 정사가 있음을 알 수 있습니다." (숙종 7년 송시열의 수차, 1681.1.3)

태평성대(太平聖代)도 많다. "일시동인(一視同仁)하여 먼 지방이나 가까운 지방이라 하여 간격이 없었다. 무릇 봉후(封侯)·건국(建國)한 해외의 여러 나라 군장(君長)들로 하여금 그 민중을 통솔케 하고, 모두가 조종(祖宗)의 성헌(成憲)을 준수하며, 무사태평함을 도모하여 모두 태평성대에 이르게 하였다." (문종의 교지, 1450.8.4)

"한명회가 술에 취하여 여러 번 태평성대를 일컬었으며, 또 어탑(御榻) 앞에서 머리를 조아리며 넘어지니, 중관(中官) 10여 인이 붙들고 나갔는데, 한명회는 사모가 떨어지는 것도 깨닫지 못하였다. 활쏘기가 끝나자 오른편이 이겼는데, 표피(豹皮)를 각기 한 장씩 하사하였다." (성종 9년 활쏘기 대회에서, 1478.10.26)

"이 몸이 다행하게 거룩한 일 보게 되어, 춤추고 노래하며 태평성대 하례합니다." (성종 19년 선농(先農)에 제사 지내며) 임금이 선농에 친히 제사하였다. 대가(大駕)가 돌아오자 기로(耆老)·유생(儒生)·여기(女妓)들이 차례로 가요를 올렸다(1488.윤1.22).

현대에 와서 우리는 거짓말을 잘하는 나라이고, 모르는 사이에 거짓말에 잘 넘어가는 나라가 됐다. 거짓말은 더욱 보편화됐다. 공무원, 교수, 지성인, 예술가, 시인…. 국민 모두가 거짓을 대수롭지 않게 생각하고, 황당한 거짓말이 많다. 복마전(伏魔殿)이라는 소리를 듣는 공공기관이 많다. 문화재 수리·보존 현장도 그렇단다.

4장

질투의
함정

부민(富民)과 부국(富國)

평등욕, 우월욕, 차등욕

사람의 생각은 변한다. 남의 뒤에 쳐지면 같아지려 하고, 같아지면 앞서려 한다. 쳐졌다가 같아지면 만족하고 '이제는 같이 가야지' 하지 않는다. 앞서려면 자연 경쟁하게 되는데 공정 공평의 정신을 지키는 사람도 있고, 그런 것에는 전연 관심이 없는 사람도 있다. 《실록》에선 이 문제를 그렇게 비중 있게 다룬 것 같지 않다. 〈공평(公平)〉은 1백8건, 〈공정(公正)〉 1백79건, 〈공명(公明)〉은 66건뿐이다. 〈공평정대(公平正大) 10〉〈공명정대(公明正大) 11〉〈공평무사(公平無私) 13〉.

우리는 '같다'는 의미에 관련된 말이 많다. 대개 균(均)자, 등(等)자, 동(同)자, 평(平)자, 일(一)자, 제(齊)자가 들어간다. 《실록》에 등장하는 말들은 〈평등 76〉, 〈균등 554〉, 〈균일 232〉, 〈균평(均平) 113〉, 〈균당(均當) 4〉, 〈균제(均齊) 9〉, 〈균분(均分) 1〉, 〈균배(均配) 3〉, 〈균배(均排) 1〉, 〈제일

〈齊一(齊一)〉 18〉, 〈대동(大同) 1,036〉, 〈동등(同等) 15〉, 〈동일(同一) 30〉….

'같다'는 두 가지로 나눌 수 있다. 하나는 사람 중심의 평등(平等)이고, 또 하나는 물 중심의 균분(均分)이다. 평등은 권리 같은 것이고, 균분은 나눌 때 쓴다. 사람에 관련될 때는 사해평등(四海平等, 0), 일시동인(一視同仁, 66)은 윗사람, 임금이 시혜를 베푸는 뉘앙스다.

건국이념인 홍익인간(弘益人間)도 '널리 인간을 이롭게 한다'니 베푼다는 시혜의 의미 같다. 그러나 추상적이어서 인가, 생경하게 멀어진 말이 되어 잘 사용되지 않는다. 그에 비해 성경에선 '옷이 두 벌 있는 사람은 옷이 없는 사람에게 나눠줄 것이오(누가)'라고 구체성을 띤다. 구체성이 있어야 실감이 나고, 친근해진다. 그래도 우리는 불교의 영향일까, 베푸는 자비(248)의 마음이 깊다. 고난을 받는 사람에게 인정을 잘 나눈다.

'같다'거나 '나눈다'고 할 때 여러 말들이 두루 쓰여서 의미와 용처를 정확히 나누기가 어렵다. 《실록》에선 〈대동〉이 제일 많이 나오고, 다음은 〈균등〉, 〈균일〉, 〈균평〉 순이다. 등균(等均), 제동(齊同), 제동(濟同)은 다른 도서에는 나오지만 《실록》엔 없다.

우리의 평등이 제도적으로 구체화된 것은 임시정부의 삼균주의(三均主義)다. 정치, 경제, 교육의 균등(均等)과 독립 민주 균치(均治)를 공리(公理)로 하는 것이다. 임시정부의 '대한민국 건국강령(建國綱領)' 총칙*에 들어 있다. 이 총칙엔 단군의 건국이념인 홍익인간과 이화세계(理化世界)도 들어 있다. 조소앙(趙素昻)이 제창했는데 쑨원(孫文)의 삼민주의(民族.民權.民生), 캉유웨이(康有爲)의 대동사상 등의 영향을 받았을 것이라는 것. 현재의 우리 헌법은 임시정부의 법통을 잇는다고 했으니 형식상은 삼민주의 정신도 이어졌어야 한다. 그러나 삼민주의는 말도 없다. 임시정부를 건국으로 보느냐 안 보느냐를 가지고는 치열하게 싸워도 정작 그 정신은 팽개친 것이다. 정신적 기둥이 되지 못했다.

◎ 대한민국건국강령 [大韓民國建國綱領] 總綱

一. 우리나라는 우리 民族이 半萬年來로 共通한 말과 글과 國土와 主權과 經濟와 文化를 가지고 共通한 民族正氣를 길러온 우리끼리로서 形成하고 團結한 固定的 集團의 最高組織임.

二. 우리나라의 建國精神은 三均制度의 歷史的 根據를 두었으니 先民이 明命한 바 「首尾均平位하면 興邦保泰平」 하리라 하였다 이는 社會各層 各級이 智力과 權力과 富力의 享有를 均平하게 하여 國家를 振興하며 太平을 保維하리라 함이니 弘益人間과 理化世界하자는 우리 民族이 지킬 바 最高公理임.

三. 우리나라의 土地制度는 國有에 遺法을 두었으니 先賢의 痛論한 바 「遵聖祖至公分授之法하여 革後人私有兼倂之弊」라 하였다 이는 紊亂한 私有制度를 國有로 還元하라는 土地革命의 歷史的 宣言이다 우리 民族은 故規와 新法을 參互하여 土地制度를 國有로 確定할 것임.

四. 우리나라의 對外主權이 喪失되었을 때에 殉國한 先烈은 우리 民族에게 同心復國할 것을 遺囑하였으니 이른바 望我同胞는 勿忘國恥하고 堅忍努力하여 同心同德으로 以捍外侮하여 復我獨立하라 하였다 이는 前後殉國한 數十萬 先烈의 典型的 遺志로써 現在와 將來의 民族正氣를 鼓動함이니 우리 民族의 老少男女가 永世不忘할 것임.

五. 우리나라의 獨立宣言은 우리 民族의 赫赫한 革命의 發因이며 新天地의 開闢이니 이른바 「우리 祖國이 獨立國임과 우리 民族이 自由民임을 宣言하노라 이로써 世界萬邦에 告하여 人類平等의 大義를 闡明하며 이로써 子孫萬代에 告하여 民族自存의 正權을 永有하라」 하였다 이는 우리 民族이 三一憲典을 發動한 元氣이며 同年 四月十一日에 十三道 代表로 組織된 臨時議政院은 大韓民國을 세우고 臨時政府와 臨時憲章 十條를 創造發表하였으니 이는 우리 民族의 自力으로써 異族專制를 顚覆하고 五千年 君主政治의 舊殼을 破壞하고 새로운 民主制度를 建立하며 社會의 階級을 消滅하는 第一步의 着手이었다 우리는 大衆의 핏방울로 創造한 新國家 形式의 礎石인 大韓民國을 絶對로 擁護하며 確立함에 共同血戰할 것임

六. 臨時政府는 十三年 四月에 對外宣言을 發表하고 三均制度의 建國原則을 闡明하였으니 이른바 「普通選擧制度를 實施하여 政權을 均하고 國有制度를 採用하여 利權을 均하고 共費敎育으로써 學權을 均하며 國內外에 對하여 民族自決의 權利를 保障하여서 民族과 展

族 國家와 國家와의 不平等을 革除할지니 이로써 國內에 實現하면 特權階級이 곧 消亡하고 少數民族의 侵沒을 免하고 政治와 經濟와 敎育權利를 고로히 하여 軒輊이 없게 하고 同族과 異族에 對하여 또한 이러하게 한다」하였다 이는 三均制度의 第一次 宣言이니 이 制度를 發揚擴大할 것임.

七. 臨時政府는 以上에 根據하여 革命的 三均制度로써 復國과 建國을 通하여 一貫한 最高公理인 政治 經濟 敎育의 均等과 獨立 民主 均治의 三種方式을 同時에 實施할 것임.

이에 비해 중국은 쑨원의 삼민주의를 계승(辛亥革命), 발전시키며 지금껏 이어오고 있다(毛澤東). 중공은 이것을 수정하여 '만주족 축출(韃虜驅除), 중화의 회복(中華恢復), 공화국 건립(民國建立), 토지 소유의 균등(地權平均)' 등 4대 강령으로 만들었다. 신삼민주의는 '인민을 위해 사용하고(權爲民所用), 감정은 인민과 연결되고(情爲民所繫), 이익은 인민을 위해 추구한다(利爲民所謀)'는 것이다. 대만은 삼민주의의 균부(均富)사상에 따라 경제체제를 중소기업 위주로 만들었다.

평등과 균등은 차별이 없이 같다는 의미인데 우리 헌법은 전문(前文)에는 균등, 본문에는 평등을 쓴다. 헌법 전문에 두 번 나온다. '기회'와 '국민생활의 향상'에는 '균등'을, '모든 사람', '양성', '선거의 원칙' 등에는 평등을 써서 용처에 따라 약간 달라지는 뉘앙스를 보인다. 사람 권리엔 평등, 나눔 분배엔 균등이란 의미가 분명해진다. 그것은 불특정 다수에 해당한다. 정치는 평등, 경제는 균등, 그런 차이가 보인다.

그런데 그게 '너'와 '나'의 관계로 되면 의미가 좀 달라진다. 너와 나 사이엔 나눔의 문제도 있으나 대우의 문제가 훨씬 더 중요하고 복잡하다. '너'의 대우는 예절로 풀면 되지만 문제는 생각이다. '너'의 생각을 어떻게 대우할 것이냐. '나'의 생각과 '너'의 생각이 같을 경우에는 문제가 없지만 다를 경우 서로 어떻게 대우할 것이냐.

누구나 '나의 생각은 옳다'에서 출발한다. '너의 생각'은 생각지 않는다. 그러나 '너'는 또 다른 '나'다. 그 다른 '나'도 옳다는 생각으로 만날 때 어떻게 할 것이냐. 이때 '나'의 생각만 옳은 것이다, 하면 평등이 아니다. '너'의 생각도 옳을 수 있다고 인정해야 평등이다. 자유도 마찬가지다. '나'의 자유를 보장받으려면 '너'의 자유도 보장해줘야 평등하다.

이 문제는 간단해 보이지만 현실적으로 풀기가 대단히 어렵다. '너'와 '나'의 생각과 자유가 만날 때 대개는 '나만 옳다'고 한다. 그러면 충돌할 수밖에 없다. 세상의 싸움은 이런 자유의 충돌, 생각의 충돌이다. 서로 '너는 틀렸다', '나를 따르라'해서 벌어진다. '나'나 '너'가 복수로 되면 양상은 대단히 복잡해진다. '나'와 '너'가 복수로 되면 진영으로 나누어진다. 진영 간 선의의 경쟁이 아니라 생사를 건 투쟁을 하게 되면 싸움은 치열해질 수밖에 없다. 우리 민주주의의 수준은 아직 그런 단계에 머무는 것 같다. 그래 도처에서 싸움이다. 우리는 이 평등문제의 원만한 해결 1단계에도 가지 못한 것 같다. 싸움 양상이 그렇다.

평등의 문제를 잘 해결해야 민주주의가 원만해질 것이다. 정치인들은 '나'가 가장 강한 사람들이다. 이들은 그래서 만나면 충돌, 싸움이다. 사실 이 문제를 근원적으로 해결할 수 있는 힘은 종교가 가지고 있다. 어떤 종교든 '사랑과 존중', '사랑과 배려'를 가르친다. 이 '사랑과 존중'의 마음을 길러주면 자연히 평등이 이루어질 것이다. 그렇다고 그게 정치의식을 가지고 나서서는 안 될 것이다. 인간에서 출발해서 인간에서 멎어야 한다. 인간의 마음에 머물러야 한다. '사랑과 배려'의 마음의 싹이 돋게 하면 충분하다.

그런데 우리 종교인들 중엔 '사랑과 존중'의 차원에서가 아니라 정치의 문으로 바로 들어가는 사람들이 많다. 그들은 '사랑과 존중'의 마음을 길러주지 않고, 정치화두에 정치투사 정치전사가 된다. 정치문제를 한층 복잡하게 만든다.

옛날 옛적부터

중국은 옛날 옛적부터 평등, 정확히는 균등(분배)의 개념이 서 있었던 것 같다. 고대 하(夏)·은(殷)·주(周) 3대에 걸쳐 실시된 정전법(井田法)은 토지를 9등분해 8사람이 하나씩 나눠 경작해 갖고, 하나는 공동으로 경작해 나라에 세금으로 바치는 전제(田制)다. 농업이 산업에서 절대적인 위치를 차지하고 있었음을 감안하면 균등의식이 꽤 철저했음을 알 수 있다. 개인 소유의식이 아직 생겨나기 전이니 정부 주도의 균등의식이었을 것이다.

그 후에 북위(北魏) 때 균전법(均田法)이 시작되어 수(隋)나라를 거쳐 당(唐)나라 때까지 계속됐다. 그때의 국토는 모두 국가 소유니까 경작지를 백성들에게 고르게 나눠주고 세금을 받아들이는 전제다. 80%는 본인이 사망하면 국가가 환수하고, 20%는 세습했단다. 정전법은 평야지라야 가능한 제도라서 산악지방까지 실시하기는 애로가 있었다는 것이다. 이 제도 역시 균등, 균배(均配)의 원칙을 전제로 한 것이다. '평등'은 계급에 관계되니 균등이 적합한 의미일 것이다. 이름 자체가 균전법이다.

균전제는 정전제의 결점을 보완해서 평등분배를 강화한 것 같지만 실제로는 그렇지 않았던 것 같다. 오히려 이상적인 제도가 깨지니까 그에 준하는 제도로 시행하려 했던 것 같다. 그래도 균등의 개념은 계속 살리려고 한 것이다. 현 중국(중공)의 토지 공개념제도도 그런 맥락일까.

우리의 경우 분배평등의 제도화는 미미했다. 신라는 당나라의 균전제를 모방해 정전제(丁田制)를 실시했다는 것. 정년(丁年)에 이른 남자에게 토지를 나눠주는 제도인데 상세치는 않다.

고려에 와서는 균전제를 주장하는 사람들이 있었으나 시행되지 못했고, 역으로 전시과(田柴科)를 실시했다. 나라에 공훈이 있는 사람이나 공인(公人)에게 토지를 나눠주는 제도다. 영원히 주는 것이 아니라 당대에만 경작토록 했으나 그 후손들이 이를 국가에 반납하지 않고 계속 소유함에 따라 토지제도가 부패해, 결국은 고려가 망하는 한 원인이 됐다.

조선을 개국하면서 민본사상으로 나라를 설계한 정도전(鄭道傳)은 백성들의 먹고 입는 것의 충족이 국가 통치의 모든 것에 우선한다고 생각했다. 위화도 회군 후 백성들에게 악랄했던 권문세가들과 불교 사찰이 소유한 토지문서를 모두 회수해 개경 한복판에서 불태웠는데 불길과 연기가 하루 종일 치솟았다고 한다. 그런 후 전국의 모든 농토를 농민들에게 균등 분배해 소작농을 없앴다. 생산된 농산물의 90%는 농민이 갖고 10%만 국가에 세금으로 내는 전 농민의 자영농제도를 계획했다. 정도전 등은 이 제도를 조정 논의에 붙였으나 권문세가들의 격렬한 반대로 부결됐다. 이색(李穡), 권근(權近) 등 중소지주 성리학자들도 반대했고, 정몽주(鄭夢周)는 반대도 찬성도 하지 않았다. 이 안이 부결돼 관리들에게만 토지가 지급되는 과전법의 형태로 후퇴했지만 권문세가의 노예상태로부터 해방된 백성들은 그것만으로도 대환영을 했다.

역성혁명을 한 조선은 토지제도 개혁으로 인심을 얻었지만 오래지 않아 또 부패가 극심해졌다. 제도보다 사람이 문제였던 것이다. 토지제도의 관토(官土)와 조세제도의 방납(防納)이 양대 악을 이뤘다. 관토는 정부의 농지를 가난한 농민에게 세를 받고 빌려주는 제도로서 소출의 50%를 정부에 내고, 50%를 그 소작농이 갖는데 그것을 관리하는 지방 관헌이 농간을 부렸다. 정부에서 임대받는 사람이 재임대해 주는 형식으로 30%를 가져가고 소작농은 20%만 갖게 되기도 했단다. 정부에 내는 50%도 모두가 정부에 들어가지는 않았다.

방납은 중간에서 세금을 선납해주고 후에 납세자에게서 받는 제도인데 착취가 심했다. 이농, 유리걸식하는 백성이 많이 나왔다. 장리쌀 제도도 있었는데 경작 때 1가마를 빌려주고 추수 때 2가마를 받았다. 갑과 을의 지독한 착취구조다. 그 고리의 탐욕의식이 현재의 사채에까지 이르고 있는 것 같다. 저임금, 고리(高利)대금, 하청료, 백화점의 입점료(임대료), 연예인들의 노예계약…. 전반적으로 적정료가 아니라 착취 시스템이다. 일본 강점기 때는 더 악랄했고.

평등의 출발

예부터 중국은 분배평등(경제)에 기울었는데, 서구는 '모든 인간은 하나님 앞에 평등하게 태어났다'처럼 인권 평등에 관심이 컸던 것 같다. 그렇다고 둘이 대립되는 개념은 아니다. 경제평등에도 인권평등이 포함되고, 인권평등에도 경제평등이 포함된다.

그런데 기회를 균등하게 해주고 경쟁을 시켜 그 결과물을 능력껏 차지하는 것과 기여도에 관계없이 몫을 똑같이 하는 분배평등은 다르다. 몫을 '똑같이'도 개개인을 평등하게 대한다는 전제지만 개개인의 책임과 공헌을 따지지 않아서 질적인 평등은 이뤄지지 않는다. 사전에 나누느냐, 사후에 나누느냐의 차이이기도 하다. 노력의 공헌도와 성과를 분배의 기준으로 삼으면 질적인 평등이 될 것이다. 좀 다른 측면에서 보면 사람(人頭)의 평등이냐, 노동의 평등이냐는 문제도 된다. 10개 만든 사람은 10개 몫을, 5개 만든 사람은 5개 몫을 받는 것이다. 이것은 평등의 기준을 시간으로 정하느냐, 일(日)로 정하느냐는 문제이지만 결과물(성과물)로 보는 것이기도 하다. 실제로 도급제에선 그런 기준을 적용한다. 그래 건설공사 등에서는 도급제 시간제를 많이 채택한다. 실제는 다른 측면이 있으니까 완전 성과급제는 실시에 어려움이 있다.

반면 급여를 정할 때 생활보호라는 명분으로 생활급을 들고나옴에는 인간평등이라는 전제가 깔려 있다. 생활급이라는 명분으로 1시간 일한 사람이나 8시간 일한 사람이나, 열 개를 만든 사람이나 50개를 만든 사람에 동등한 대가를 지불한다면 균등은 아니다. 이 경우 경영자와 노동자가 바라는 기준이 달라서 분쟁의 소지가 된다. 이는 사회정책(인적 균등)이냐, 경제정책(성과균등)이냐로 갈리기도 하는데 실제로는 둘이 밀접하게 연결돼 있다. 기업에서 성과급제로 노사가 대립함은 그런 공감대가 형성돼 있지 않기 때문이며, 그에는 강한 자기중심이 작용하기도 할 것이다. 한편 건설공사나 광산 등 어려운 근로조건으로 일하는 곳에서 시행되는 성과급제(도급제)는 또 다른 문제를 야기한다.

현장에선 앞선 사람은 적고 대부분은 쳐지니 같이 가려는 욕망이 클 것이다. 그게 사회의 분위기, 기풍이 된 것일 것이다. 거기서 질투심도 작용할 것이다. 같은데 앞서가는 사람이 생기면 묘한 시샘이 생긴다. 질투는 차등에서 생긴다. '천국의 밖에는 어디나 질투뿐'이라는 유럽 격언에 비춰보면 질투는 아주 인간적이다.

시기·질투·시샘·투기는 '나쁘다'가 일반적이지만 양면성이 있다. 어느 방향으로 쓰느냐에 따라 상이한 효과를 나타낸다. '우리도 할 수 있다. 앞선 사람을 따라가자', '앞지르자'는 긍정적 동기로 승화되면 대단한 힘을 발휘한다. 우리 '개발시대'의 경제 기적도 그런 동기가 원동력이었다. 거기서 무서운 힘이 나왔다. 세계 최빈국이 추월에 추월을 거듭, 역사상 최단기간에 선진국 문턱에까지 다다랐다. 그러나 투기의 노예가 돼 타인을 파멸시키려 기도하면 자기 자신도 파멸의 함정에 빠지고 만다.

그런데 종교에서는 질투를 대수롭지 않게 여기는 것 같다. 불교는 5계(五戒)나, 10선도(善道,善戒), 10중대계(重大戒), 48경계(輕戒) 어디에도 질투를 경계하는 말이 없다. 기독교도 10계명에 '질투하지 말라'는 명제가 들어있지 않다. 그렇다고 질투가 없는 것은 아니다. 여호와는 대단한 질투심을 지녔다. '너의 하나님은 질투의 하나님'이란다. 다른 우상에 절하며 섬기면 '나를 미워하는 죄를 갚되 아비로부터 아들에게로 3,4대까지 이르게' 하는 무서운 징벌을 내리겠단다. 다른 우상 숭배에 대한 질투가 저주로 된다. 우리 식의 3족 멸하기와 비슷하다.

반대로 하나님을 숭배하는 사람에겐 복을 준단다. 우리(유교)의 '선행을 하는 사람은 하늘이 복으로 갚아준다'는 생각과 비슷한 구조다. 성경에는 질투심이 파멸로 이끈 예가 많다. 유명한 골리앗과 다윗 이야기. 다윗의 왕 살레는 골리앗을 물리치고 자신과 민족을 구한 다윗에게 질투해 죽이려다 결국은 자신이 아들과 함께 죽었고, 이스라엘 사제들이 예수를 죽게 한 속내도 질투심이란다. 무식한(?) 그가 대중의 폭발적인 인기를 모으는데 대한 시기·질투심. 동생을 죽인 카인도 질투심의 노예가 됐던 때문이고…. 그러나 요셉의 형제들은 그 질투가 전화위복이 되는 예를 보여준다.

　우리는 좀 다르다. 부여(夫餘)의 법률로 전해지는 4개 항목 가운데 질투에 관한 조항이 있다. '부인의 질투를 특히 미워해 이를 사형에 처하되 그 시체를 서울 남쪽 산 위에 버려서 썩게 한다. 단, 그 여자의 집에서 시체를 가져가려고 하면 소와 말을 바쳐야 한다'는 것. 너무 으스스하다. 당시 다른 나라 법률도 살인·상해·절도·간음·질투의 5가지 죄목에 관한 것이었다. 질투는 큰 죄였다. 역사가들의 풀이는 일부다처라 질투를 엄히 다스리지 않을 수 없었을 것이라고 한다. 고구려는 장발 미인으로 유명한 관나부인(貫那夫人)이 질투의 죄로 사형당한 것이 확실하다는 추측이다. 그리고 보면 질투 처벌은 남자를 위한 도구였던 것 같다. 그런 전통으로 칠거지악(七去之惡)에 질투(妬忌)가 들어가게 된 것 아닐까.

　속담 속의 질투도 시앗에 관한 것이 많으니 시기·질투는 여성의 칼인가, 독인가? 여자의 질투심은 왕궁에서 비극의 절정을 이룬다. 연산군의 어머니 제헌왕후 윤씨는 투기로 폐비까지 당했는데 연산군(燕山君)에게 그의 저주를 대물림, 처절한 보복을 불러, 많은 인재를 죽였고, 그 아들(연산군)도 결국은 비명에 죽게 했으니 투기의 최대 비극이랄 수 있다. 또 숙종(肅宗)은 왕비 민씨가 장희빈(張禧嬪)을 투기했다고 오해, 폐출해 장희빈의 악폐를 불렀다. 반면 세종은 '중궁은 매우 성품이 유순하고 훌륭해 투기하는 마음이 없으므로 태종께서 매양 나뭇가지가 늘어져 아래에까지 미치는 덕이 있다고 칭찬하셨다'고. 질투 없는 내조가 성군을 만들었다? 아니면 성군은 질투가 자라지 않게 한다? 그러나 그의 세자빈은 투기가 극심해 내쳤다.

질투는 왜 싹틀까. 하나는 시야일 것이다. 시선을 밖에 두고 어떤 목적을 향해서 함께 달려나가면 질투가 생길 여유가 없다. 웅지를 품고 밖으로 달려가는 사람들은 웅혼한 기상을 갖게 된다. 기상이 광대한 사람엔 질투심이 싹트지 않는다.

또 하나는 근시다. 근시는 가까이 있는 옆 사람을 본다. 각자가 다른 사람을 본다. 개인주의로 간다. 개인끼리면 비교하게 되고, 비교하면 차이가 나타나게 마련이다. 그렇지 않고 공동체가 함께 하면 큰 목표를 향하게 되고, 자잘한 비교를 할 틈이 생기지 않는다. 차이가 나게 되면 질투가 싹튼다.

공자의 경제도(經濟道)

질투는 결국 경제문제로 싹트게 된다. 공자는 원천적으로 경제를 바로잡으려고 했다. 바로 질투를 막으려는 때문인지는 알 수 없다. 질투를 직접 말하지는 않았다. 조선 유학자들은 돈이 절실하면서도 이를 천시했다. 그러나 공자는 돈을 천시하지 않았다. 오히려 그 반대였다. 부귀는 인간이 모두 추구하는 바라고 긍정한다(富與貴 是人之所欲也). 단, 부귀를 추구하더라도 도(道)를 지키라고 한다(不以其道得之 不處也. 貧與賤 是人之 惡也 不以其得之 不去也). 도를 지키면서 부귀를 추구하라, 그런 함의인데 우리 지도자들은 그런 연구가 소홀했던 것 같다. 도를 지키며 얻으려고 하지 않고 돈 자체를 멀리하려고만 했다. 비현실적이다. 일본은 근대화(明治維新)하면서 이 가르침을 경제철학으로 삼았는데 우리는 그런 의식이 없었다.

문제는 거기에 있었다. 부귀를 추구하면서 지켜야 할 도가 무엇인가. 공자는 의롭지 못한 부귀는 뜬구름과 같다(不義而富且貴 於我如浮雲)고 폄하하기도 한다. 이익을 보면 의(義)를 생각하라고도 했다(見利思義). 나라에 도가 있으면 빈천(貧賤)이 수치지만 도가 없으면 부귀가 수치(邦有道 貧且賤焉 不恥也 邦無道 富且貴焉 恥也)라고도 했다. 경제의 도를 중시한 것이다. 그러나 부(富)를 이룰 수 있으면 마부라도 하겠다(富而可求也 雖執鞭之士 吾亦爲之, 如不可求 從吾所好)고 긍정한다. 이익에만 의지하면 원망이 많아진다(放於利而行 多怨)고 경고도 한다. 또 군자는 의를 따르고(喻於義), 소인은 이익을 따른다(喻於利)고 했다. 부자가 교만하지 않기는 쉬워도 가난한 자가 원망을 없애기는 어렵다(貧而無怨難, 富而無驕易)고 사람의 심중을 꿰뚫어본다.

우리는 공자의 가르침을 따르는 문화인데 도(道)도, 의(義)도 살리지 못했다. 이중성 때문일까. 그 대물림이 지금에 이르고 있다. 그 때문일까, 우리는 전통적으로 부자의 인격을 높게 평가하지 않는다. 하긴 성경에도 부자가 하늘나라에 들어가기는 낙타가 바늘구멍에 들어가기보다 어렵다고 했으니 똑같다.

우리의 경우, 공자의 교훈에다 사농공상(士農工商)의 신분제 영향도 있어서 인가, 이익을 추구하는 사람은 소인으로 한 수 접고 본다. 사람이 배부르고 등 따시면 음욕이 생기고, 춥고 배고프면 도심이 발한다(飽暖思淫慾, 飢寒發道心). 《명심보감(明心寶鑑)》의 가르침이다. 재물이 많으면 현인은 지조를 손상하고, 어리석은 사람은 허물을 더한다(賢人多財則 損其志, 愚人多財則益其過), 황금이 많아도 자식에게 경서 한 권을 가르침만 못하고, 자식에게 천금을 주어도 한 가지 기술을 가르침만 못하다(黃金滿籯不如敎子一經, 賜子不如敎子一藝)는 등 재물을 경계하는 생각이 뿌리 깊다. 또 부자는 많은 사람들의 원망을 산다(夫富者 衆之怨也).

부정적 기업관은 기업이 제공하는 원인도 있고, 보는 사람이 갖는 선입견이나 질투심도 있다. 일반적으로 기업을 보는 시각이 친기업(親企業)은 아니다. 여기서의 관심은 어느 편의 책임이 크냐, 어느 편이 정당하냐를 가리는 것이 아니다. 노(勞)와 사(使)는 별종의 인간인가. 아니다. 노와 사는 동질이다. 소비자, 국민도 동질이다. 모두 같은 한국인이다. 단지 그가 선 위치에 따라 그 성정이 상이하게 나타나는 것이다.

그 공통분모는 무엇인가. 하나는 폐쇄성이다. '쟤는 주는 것 없이 밉다'. '쟤는 그냥 싫어'. 전반적으로 이질적인 것에 대한 호감도가 낮다. 잘 아는 사이라면 살이라도 베어 먹일 듯 살갑게 굴지만 모르는 사람에 대해서는 경계심이 크다. 아는 사람에는 '팔이 안으로 굽는다'지만 모르는 사람에 대해서는 '못 믿겠다'. 이런 감정이다. 호감보다 비호감이 크다. 경계하고, 더 나가면 적대한다. 이들이 기업을 만날 때는 어떻게 될 것인가. 호감, 긍정적이 아니다. 팔이 안으로 굽는 사이가 될 수 없다. 기업도 경계한다. 서로 떼려야 뗄 수 없는 사이지만 경계하고 주의하게 된다.

또 하나는 자기우월감이다. 자기중심에서 오는 감정으로 더 나가면 이기심이 되고, 지나치면 상대를 이용하려 한다. '너는 내 호구다', '이용만 잘하면 된다'. 특히 특별한 인연이 없는 사람이면 '언제 보았다고', '언제 다시 볼 것이라고' 친절하게, 살갑게 굴 필요가 없단다. 공정하게, 바르게, 정의롭게, 친절하게가 아니다. 이용할 수 있는 한 이용하자. '피차 마찬가지다'. 마음에 부담을 느낄 필요가 없다. 소 닭 보듯 한다.

또 정반대로 되면 '남의 손에 떡이 커 보인다', '일은 내가 더 많이 했는데 돈은 그가 더 많이 번다'하면 시기, 질투심이 발동한다. 그는 잘사는 것 같다. 공연히 심통이 난다. 질투심이 발동한다. 호감은 사라지고 반감이 끓어오른다. 기업을 고운 눈으로 볼 수 없다.

사람들이 기업에 대해 좋지 않은 감정을 갖게 됨은 나름의 이유가 있다. '부당한 방법으로 폭리를 취하는 것 같고' '탐욕스러우며 베풀지 않는다'. 그게 어디까지 사실일까. 기업의 사정을 정확히 알기는 대단히 어렵다. 사실도 있고, 선입견, 편견도 있을 것이다. 중요한 사실은 사실을 정확히 알려고 하지 않고, 그런 선입견 편견에 쉽게 빠져 믿어버리는 것이다. 사정은 기업마다 다른데….

그들은 동질인데 그것을 인정하지 않는다. 같이 탐욕스럽고, 같이 부당하며, 같이 편견에 사로잡히는 것이다. 그것을 잘 인식하지 못한다. 경쟁에서 져서 탈락한 사람, 노력했으나 성공하지 못한 사람들은 자기원인 자기책임을 인정하지 않고 한강에 가서 눈 흘기려 한다. 사실은 기업을 적대시하지 말고, 부자에게서 부자 되는 방법을 배우면 자기에게 이익일 터인데, 그렇게 하지 않는다.

실제는 선망의 대상인데 합류하지 못하니까 반(反)의 감정이 끓어오른다. 동지 아니면 적. 그런 양분법이다. 중립지대가 없는 것이다. '못 먹는 감 찔러나 보자'. 이들은 '당신들이 못 사는 것은 부자들의 착취 때문'이라는 부추김에 쉽게 넘어간다.

인서(仁恕)를 가르치는 공자의 경제정책은 왕실이 절약해서 백성의 부담을 덜어주는 것이다(敬事而信 節用而愛人 使民以時). 공경하는 마음으로 일하고(敬事), 백성에게 믿음을 주어야 하며(信), 왕실이 씀씀이를 줄이고(節用), 백성을 사랑하며(愛人), 백성 동원(賦役)은 때를 잘 골라라(使民以時)는 5가지다. 요즘 말로 하면 '작은 정부'와 유사하다.

그런데 조선은 그의 경제도를 외면한 것 같다. 《실록》엔 공자의 경제관에 관한 기록이 없다. 경연(經筵)에서도 논의되지 않았던 것 같다. 그런 무관심의 뜻은 무엇일까. 공자를 숭앙은 했어도 그의 가르침을 따르지는 않은 결과가 경제부문에도 나타난 것이다. 자기 편의성이다. 조선의 명신(名臣) 허목(許穆, 1595~1682)의 자명(自銘)에 잘 나타나 있다.

말은 행동을 덮지 못하고 (言不掩其行)

행동은 말을 실천하지 못했네 (行不踐其言)

부질없이 성현의 글 읽기만 좋아했지 (徒嘐嘐然說讀聖賢)

내 허물은 하나도 바로잡지 못했네 (無一補其罅)

이에 돌에 새겨 후인을 경계하노라 (書諸石 以戒後之人)

조선엔 산업이 없다

조선의 정부 6개 부처(六曹)에는 상조(商曹)와 농조(農曹)가 없다. 농자천하지대본(農者天下之大本)의 농본국가인데 농업 담당도, 유교의 나라인데 교육 전담부는 없고 예조(禮曹)에서 담당했다. 그 아래 직책은 있었던 것 같다. 전농판사(典農判事)라는 직책이 보인다. 공조(工曹)는 있으나 상업 담당은 없다. 산업으로 보면 그렇고, 사람으로 보면 4개 신분, 사농공상(士農工商)에서 가장 아래라서 인가, 상(商) 담당이 없었던 것이다.

신분은 양분하면 귀천(貴賤), 경제는 부민(富民)과 빈민(貧民)으로 나뉘었다. 신분과 부는 결합이 돼서 부귀(富貴)와 빈천(貧賤)으로 나뉘기도 한다. 일반 백성은 〈소민(小民)〉이라고도 했는데《실록》엔 6백6번 나온다.

《실록》에 등장하는 6조의 빈도는 〈병조(兵曹) 6,303-병조판서 1,209〉가 가장 많다. 국방문제가 가장 많이 다뤄진 것이다. 다음은 〈이조(吏曹) 6,088-이조판서 1,238〉, 〈예조(禮曹) 5,807-예조판서 1,143〉, 〈형조(刑曹) 4,095-형조판서 875〉, 〈호조(戶曹) 3,914-호조판서 902〉, 〈공조(工曹) 1,655-공조판서 665〉의 순이다. 등장기관을 기준해 보면 경제문제가 가장 적었다. 공조가 있었으니 산업정책은 있었다고 보이는데 상업(통상)은 안 보인다. 갑오개혁 후에 8아문(八衙門 : 내무·외무·탁지·법무·학무(學務)·공무·군무·농상무)으로 확대하면서 학무부 농상무부가 생겼다.

평등의 문제는 인권(신분)문제와 경제문제로 갈라 볼 수 있다. 그러나 《실록》에 〈경제(經濟)〉라는 말은 2백36건밖에 등장하지 않는다. 2년에 한 번 정도다. '경제'라는 말은 신라 때부터 사용돼 왔는데 관심은 적었다. 〈산업(産業)〉이란 말도 등장하는데 4백4건, 〈한글(산업)〉은 1천63건.

기관 등장보다 훨씬 적다. 기관은 주로 사람의 문제이고, 하는 일은 〈공장(工匠)〉 5백74건, 〈고공인(雇工人)〉 30건, 〈조작(造作)〉 41건이다. 〈정책(政策)〉이란 말도 있는데 71건. 거의 '억불(抑佛)정책'으로 붙여 쓰고, 〈구황정책(救荒政策)〉이 몇 번 나올 뿐이다. 산업이나 경제를 어떻게 하겠다는 이야기가 아니다. (유신지치(惟新之治)라는 말이 2번 나오는데 유신(維新)과 같은 뜻?) 공장(工匠)은 기술자이고 조작(造作)은 제조 같은데 공무 개선 발전 개념은 아니다. 경제발전책 산업진흥책 같은 것은 개념도 없었다?

산업을 발전시키지 못하니 자연 생산, 부(富)는 쌓기가 어려울 것인데 나누는 문제에 관심을 쏟았으니 공정하게 공평하게 나눈다는 의식이나 개념은 생길 수 없고, 수탈이 생기지 않았을까. '고루 나눈다', '균등하게 나눈다'는 없다. 균배(均配)는 나오지도 않는다. 〈균등〉은 5백54건이 나오는데 주로 부역(賦役)을 균등하게 한다는데 쓰인다. 간혹 안일(安逸)의 균등, 노일(勞逸)의 균등 같은 말이 쓰여 의미가 애매하다.

타락의 길

국정 수행에 더 중요한 사실은 판서, 지금의 장관들이다. 당시의 관리는 유학을 공부하고 과거(科擧)에 합격해서 줄을 잘 잡으면 승승장구한다. 집안끼리 소속이 정해져 있기도 하다. 줄을 잡고 말고 할 것도 없다. 하다가 당파싸움에 걸려서 패하면 급전직하 인생을 종친다. 전문분야는 없다. 판서들은 이 부처 저 부처 돌아가면서 차지한다. 중국은 시험도 있지만 최고 전략가는 면접을 본다. 세객(說客)들이다. 거기서 최고의 실력자가 뽑힌다. 학식과 지략이 총동원된 종합적인 평가다. 그리고 건곤일척의 모험을 한다. 성공하면 영웅이 되고 패하면 죽는다. 완전한 실력사회다. 지금의 자유경쟁체제와 비슷하다. 조선에선 세객이리라고 할 만한 사람이 없다. 《실록》엔 〈세객〉기사가 7번 등장하는데 중국의 예를 설명하는 내용이다.

조선은 경륜(經綸) 경쟁이 아니라 파당싸움을 지독하게 했으며, 지혜를 부국강병책 모색에 쓰지 않고, 정적을 파멸시키는 데 썼다. 양지(良智)가 아니라, 간지(奸智)의 경연이 벌어진다. 별 묘책, 계략, 간계(奸計), 음모 다 쓴다. 그런 실력이 경륜보다 중요하다. 그리고 궁실과의 교섭. 남존여비였지만 왕국의 여인들은 막강했다. 나름 계략도 잘 짜냈다. 인연관리는 무엇보다 중요하다. 인연 따라 판서도 영의정도 된다. 그러니까 백면서생이 병조판서도 되고, 공조판서도 된다. 국방이 제대로 될 리 없고, 산업이 발달할 리 없다. 이런 분위기에서는 국민의 부를 늘려주고, 부국을 만들고, 강병을 만들고 하는 일은 둘째다.

민본(民本)이라지만 조선은 사대부 양반이 지배하는 나라다. 백성을 부(富)하게 만드는 일은 방법도 모르고, 백성에게 부를 공평하게 나누기보다는 수탈에 집중한다. 〈국부(國富)〉라는 말은 숙종 때 단 한 번 나오는데 당나라 아무개는 강국부민술(强國富民術)에 능했다는 주석이다 (1816.7.4). 〈부국(富國)〉에선 부국강병의 방법을 논하는 데 5백 년간 단 44번이 나온다. 부국(富國)이나 국부(國富)나 국정의 주제가 못됐다.

〈부민(富民)〉은 부자다. 1백7건 나오는데 '간활(奸猾 78)하다', '이익을 독점한다'는 등 평판이 그때도 나빴으며, 그런 가운데도 기부를 독려하거나 기부자를 표창하는 등이 보인다. 세종 때도 부자들의 부패가 심했다. 전농판사(典農判事) 이중경(李仲卿)의 진언이다. "각 관의 관리가 경작하는 것이 비록 많으나, 부역을 치르지 아니하므로, 간활(奸猾 72)한 무리들이 많은 토지를 점령하여, 그 경작한 것을 관리의 명부에 합쳐 기록하여 전혀 부역을 면하고, 가난한 백성들은 비록 경작하는 것은 적을지라도 여러 가지 부역을 빠짐없이 하게 되니, 저 간활(姦猾)한 부민들이 가난한 백성들의 고생을 앉아서 보고도 주식을 갖추어 관리들과 향락하고 있으므로, 농촌에서는 고르지 못하다는 탄식만 있게 됩니다. 각도의 감사로 하여금 관리들의 경작지에 합록된 각호를 조사하여 세금과 부역을 부과하여 한결같이 고르게 하소서."(1423.5.28)

세조 때도 "뇌물을 주어 문부를 남몰래 고쳐서 이름을 붙여 쓰는 반열에 시비를 뒤바꿔서 작위와 상을 함부로 받게 되어, 천민이 양민이 되고 빈민이 부민이 되어 의관 자제에 이르기까지 또한 애걸하여 품계를 뛰어넘고 자급(資級)을 뛰어올라, 앉아서 높은 직질(職秩)에 올라 세상을 속이고 이름을 도둑질한 것이 이보다 심함이 없는데도, 술책을 쓰는 것이 매우 비밀스러워서 적발할 수가 없었는데 지금 다행히 일이 발각되었으니, 일체 모두 개정한다면 조정의 정사에 매우 다행하겠습니다"고 상서했으나 세조는 윤허하지 않았다[1466.10.10. 지평 최경지(崔敬止)].

정조는 겸손한 반성을 보인다. "과인은 일컬을 만한 덕이 없고 큰 은혜를 베풀지는 못하였으나, 오직 한 가닥 고심은 나의 국가를 보호하고 우리 사민을 어루만져 고례를 무너뜨림이 없고 새 법을 만드는 일이 없이하여 군신이 함께 즐기면서 4백 년 동안 이어온 종사를 영원히 편안하게 이어가게 하는 데 있다. 이른바 가죽을 벗긴다느니, 오거(五

車)로 지체를 찢는다는 등등의 이야기들은 예로부터 망국의 임금도 결코 마음에 두거나 말하지 않았던 것인데 이제 과인의 명령에 견주어서 과인의 백성들을 속였으니, 어찌 통분스러운 일이 아니겠는가? 아! 나의 팔방의 백성들은 이 뒤로는 모든 조정의 정령에 대해 방백과 수령이 지휘하는 것이 아니면 혹시라도 동요되거나 와언(訛言)에 휩쓸림이 없이 각기 자신의 생업에 편안히 종사하여 안락한 삶을 누리기 바란다. 아! 과인은 결코 창생의 소망을 저버리지 않을 것이니, 너희들은 믿기 바란다."(1776.12.25)

공동체를 이루지 못하고 개인주의가 성하면 타락하게 된다. 모두 함께 달려가는 사이에선 개인의 사념(邪念)이 힘을 발휘하지 못한다. 개인이 성하면 질투심이 커지고, 질투심이 커지면 서로 해하게 되어 부국도 부민도 이루지 못한다. 왜 개인주의인가. 유교의 영향? 아니면 민족 대이동을 하지 못하고 한 곳에 붙박이로 사는 때문? 역으로 안일에 빠져서 붙박이로 산다?

상과 하의 간극(間隙), 양극화

땅이 좁은가, 마음이 좁은가

강대국들은 타국이나 타민족을 침략해서 약탈을 했는데 우리는 안에서 동족을 착취했다. 내분이 일어날 수밖에 없는 구조다. 미국은 영국의 조세 착취에 반발해서 전체가 단합하여 독립전쟁을 일으켰는데, 조선은 약자들이 민란을 일으켰다. 미국의 독립전쟁은 전체가 단결해서 싸워 성공했지만 우리의 민란은 서로 싸우느라 성공하지 못했다. 《실록》에 〈민란(民亂)〉기사는 2백25건, 〈변란〉기사는 1만5천9백34건이나 된다. 민란기사 건수가 모두 민란건수는 아니다. 민란에 대한 대비책을 논의하는 등 한 사건에 여러 건의 기사가 포함돼 있는 것이다.

권세가들의 착취는 빈부격차를 심화시켰는데 학자 중에 "우리나라는 빈부격차가 너무도 심하다. 부자는 그 땅이 한량없이 연해 있고, 가난한 자는 송곳을 세울 곳도 없다. 정전법이 훌륭하더라도 지금은 시행할 수 없으니, 균전법을 시행하면 백성이 실질적인 혜택을 입을 것"
이라고 주장하는 이가 있었으나 역시 시행되지 못했다. 지금 평등분배
의 욕구가 큼도 그런 역사적 배경이 대물림한 요인도 있을 것이다.

조선 후기, 전봉준이 이끈 동학도들의 외침 속에는 근본적인 염원이
담겨 있다. '토지를 평균 분작하고 신분제를 폐지하라'. 개혁 요구에서
그들은 더 이상 낡은 체제의 모순과 억압을 견뎌낼 수 없다고 외쳤다.*

◎ 동학의 폐정개혁 요구는 12조설, 14조설이 있다(전봉준재판분).
• 전운소(轉運所)를 혁파할 것
• 국결(國結)을 더하지 말 것
• 보부상인들의 작폐를 금할 것
• 도내 환전(還錢)은 구 감사가 거두어 갔으니 민간에 다시 징수하지 말 것
• 대동미를 상납한 기간에 각 포구 잠상(潛商, 매판 상인들)의 미곡 무역을 금할 것
• 동포전(洞布錢)은 매호 봄가을로 2량씩 정할 것
• 탐관오리들을 아울러 파면시켜 내쫓을 것
• 위로 임금을 옹폐하고 관작을 팔아 국권을 조롱하는 자들을 아울러 축출할 것
• 관장이 된 자는 해경(海境)내에 입장(入葬)할 수 없으며 또 논을 거래하지 말 것
• 전세는 전례에 따를 것
• 연호(煙戶) 잡역을 줄여 없앨 것
• 포구의 어염세(魚鹽稅)를 혁파할 것
• 보세(洑稅)와 관답(官畓)은 시행하지 말 것
• 각 고을에 원이 내려와 백성의 산지에 근표(勤標)하고 투장(偸葬)하지 말 것

정전법은 중국처럼 광대한 평야로 이뤄진 나라는 실시가 가능하나
우리나라처럼 산악지대로 돼 있는 나라는 시행하기 어려운 점도 있다.
그러나 신라의 정전제(丁田制)가 지속되지 못하고, 고려나 조선에서 균
전법이 논의만 되고 시행되지 못했음은 지배세력의 저항이 그만큼 완

강했기 때문일 것이다. 지배층의 균등분배에 대한 의식이 부족했던 때문이었을 것이다. 조선 후기에 와서 실학자 정약용(丁若鏞)도 변형된 정전법을 주장했으나 실현되지 못했다.

균등분배는 평등의식이 있어야 가능하다. 자기중심인 사람들에서는 불가능하다. 내 것만 챙기고 내 것만 불리려 하기 때문이다. 완전한 균배(均配)는 강자 약자가 있는 세상에서는 이룰 수 없다. 특히 권력자들의 탐욕이 심해지면 균배는 어림도 없다. 그게 우리가 걸어온 길이다. 불평등에 너무 절어 있어서 상대적으로 균배에 대한 욕구가 더 크고 절실했을 것이다. 균배에 대한 욕구가 크면서도 상대적으로 균배를 추구하지는 못하고, 그 욕구가 안으로 의식 속에 침잠돼 이어져 잠재의식 속에 쌓였을 것이다. 지금의 평등과 복지 욕구가 큰 것은 그런 잠재의식이 민주화에 고무되어 터져 나오는 것일 수 있다. 분배는 그 원칙과 기준에 합의가 쉽지 않아 항상 문제가 일어난다.

신분의 차등

유능한 사람은 차등을 좋아한다. 우월주의다. 동시에 평등주의를 지향한다. 동서양 모두 같다. 우리는 승패를 겨루거나 등수를 매기는 스포츠를 대단히 좋아한다. 남을 구경하기는 좋아하고, 본인이 참여하기는 싫어한다. 그래서 학교 학생들은 시험을 안 보는 무시험교육을 원하고, 아예 석차를 매기지 않는다. 경제의 경우가 되면 실력으로 겨루기보다 제비뽑기를 좋아한다. 취업에서도 블라인드시험을 하란다. 지독한 양면성이다.

공자(군자—소인), 맹자(대장부—졸장부) 모두 사람을 차등지어 보았다. 공자는 인격을 5등급[성인, 현인, 군자, 선비(士), 범인(庸人)]으로 나눴고, 다시 크게는 군자와 소인으로, 맹자는 대장부와 졸장부(拙丈夫, 賤丈夫)로 나누었다. 서양의 귀족, 기사도, 신사도, 일본의 무사도도 차등 욕구의 산물이다. 이런 차등은 자기가 만드는 것이고, 신분제는 타의로 만들어지는 것이다.

예수는 달랐다. 스스로 사람의 아들(人子)이라고 하는 예수는 인간은 모두 하나님 아들로 평등하게 태어났다고 한다. 실제로 신분의 차등은 능력이나 공로에 따라 생기는데 그게 당대에 그치냐 세습하느냐는 문제로 갈린다. 우리는 세습이 대단히 철저하다. 사농공상(士農工商)으로 세분화해서 제도화해 놓았는데 세계적으로 지독한 인도의 카스트제도에 버금간다. 성종 때 대사헌 채수(蔡壽)가 상소했다. "하늘이 백성을 내시고 이를 나누어 사민(四民)을 삼으셨으니, 사농공상(士農工商)이 각각 자기의 분수가 있습니다. … (중략) … 뒤섞어서는 안 되는 것입니다. 만약에 사부(士夫)가 농사에 힘쓰고 농부가 여러 가지 일을 다스리려 한다면, 어찌 거슬리고 어지러워 성취하기 어렵지 않으며, 어찌 전도되어 법이 없는 것이 되지 않겠습니까." (1482.4.15)

지금이야 일은 차등을 두어도 인간은 동등하다는 편이다. 인간은 원래 좀 모순된다. 차등욕구는 우쭐하고 싶은 충동의 산물이다. 힘이 세다거나 권력이 있다거나 재물이 많다거나 하면 자세를 부리려 한다. 민주화로 평등이 실현됐어도 차등욕구 또한 강력하다. 양극화도 그 산물이다. '새 계급'까지 생겼다는 말이 나온다. 사실은 서구 공산주의에서도 오래전에 그런 말이 나왔다. 유고의 부통령이 그런 제목의 책을 썼다가 감옥에 갔다. 지금 우리의 평등을 절대화하는 사람들도 마찬가지다. 부든 권력이든 상류층은 그들 나름의 이너서클이 있다. 세계적인 현상이다. 오히려 공산국가에서 새 계급의 횡포가 더 심하다고 한다. '평등'의 사도들이 그런 뚜렷한 현상을 보인다. 강남좌파, 오렌지좌파가 그들이다. 공산 독재자들은 세속적인 부의 호사를 지독하게 누린다. 월맹의 호치민이나 이란의 호메이니는 예외였는데 그 후계자들은 아니란다.

그게 참 복잡해진다. 세습제도에 얽힌다. 세습을 어디까지 허용하느냐. 제일 뚜렷이 허용되는 부문은 재산인데 그것도 점점 축소하려는 방향으로 간다. 세습은 기업의 동기이기도 한데 그것을 너무 옥죄어서 기업하려는 동인(의욕)을 위축시키는 지경에 이르고 있다. 그러나 재산은 요물이어서, 그것을 가지고 누리는 측에서도 문제를 많이 일으킨다.

가장 문제는 이상과 현실의 괴리에서 온다. 평등과 민주주의를 강력하게 추구하는 사람들이 실제로는 세습에 매달리는 것이다. '귀족노조'라는 지탄을 받는 강성 노조는 한편으론 강력한 평등 투쟁을 벌이면서 또 한편으론 노동세습까지 추구한다. 고용세습을 하라는 것이다. 경영세습을 하니 노동세습도 함이 형평에 맞다고 주장할 수도 있다. 목사도 세습을 하고, 옳은 소리는 혼자서 다 하는 언론도 세습을 하니 그들만 나무랄 수도 없을 것이다. 그래선가 언론은 노동세습을 나무라지 않는다. 모르는 척하고 넘어간다. 정치인들도 세습이 늘고. 예술인들의 세습은 재능의 세습이라면 나무랄 일이 아닌 측면도 있다.

거기서 어떤 확고한 원칙, 만인이 수긍할 수 있는 원칙을 찾기는 어려울 것이다. 인간의 탐욕과 이상이 첨예하게 얽히는 현장에선 힘으로 밀어붙인다. 힘 있는 자들은 얼굴에 철판을 깔고 탐욕이 고개를 드는 것이다. 조선시대엔 양반이 4대를 벼슬하지 못하면 자격을 상실했다. 나름 자율조절장치가 있었던 셈이다. 상속의 문제는 제도만으로 해결할 수 없다. 궁극적으로는 탐욕과 이성이 어떻게 조화를 이루느냐의 문제다.

인간의 차등의식, 우월의식은 영원히 없어지지 않을 것이다. 존경을 받을만한 사람이 존경 받고, 보상을 받을 만한 사람이 응당의 보상을 받는 세상, 역시 꿈일 것이다. 자격 없는 사람들이 남의 힘으로 거들먹거리는 꼴만 보지 않게 되어도 다행일 것이다. 구역질 나는 억지만 보지 않게 되어도 만족일 것이다.

양극화 해소에 역행하는 금융

철 지난 이야기다. 제도의 현장에는 원래 모순이 많게 마련이다. 그것을 어떻게 최소화하느냐가 담당자의 지혜인데 그런 마음이 보이지 않는다. 그러면 헛돌게 된다. (몇 년 전 조사인데 이 가운데 얼마나 개선됐는지 모르겠다.)

IMF 시절, 금리정책은 대중경제와는 정반대되는 시책이 시행됐다. '대중경제'엔 눈을 감고 은행의 (경영)수지에 초점을 맞춰 고(다)액 예금에는 높은 이자를 주고 소액예금에는 낮은 이자를 준 것이다. 수

수료도 비슷하다. 은행의 입장에서는 당연할 것이다. 원가개념으로 따지면 옳은 정책일 것이다. 상술로 우수고객과 보통고객에 대한 서비스 차별은 당연하다. 물건을 많이 사는 사람엔 볼륨 디스카운트를 해준다.

지금도 사정이 어려운 사람들이 이용하는 신용카드의 현금서비스나 자동대출 이자는 일반대출에 비해 몇 배의 고리다. '대중경제'에는 분명히 역행, 부익부 빈익빈을 초래한다. 경제정책으로는 타당했지만 사회정책에는 배치된다. 대중을 위하는 (금리)정책이 되려면 그 역으로 해야 마땅하다. 당시는 IMF의 칼바람이 불던 때라 경제정책 우선이 당연시됐는데 그 후에도 그 정책은 지속된다.

양극화 해소는 계속 정치과제로 등장하지만 금융(경제)정책은 역으로 간다. 서민들도 당연한 것으로 받아들여 항의나 이의를 제기하지 않는다. 극성맞은 시민운동단체도 그런 주장을 하지 않는다. 그래 금융기관으로서는 막대한 이익을 창출, 종업원들은 '신의 직장'을 만든다. 서민들은 선망의 눈으로 바라볼 뿐 어떻게 할 수가 없다. 금융기관의 특권, 특수한 지위는 정치의제로도 오르지 않는다. 그들은 민주주의의 자유권(단결 파업)을 최대한 활용하여 방어막을 치는데 성공하고 있다.

금리문제를 금융정책 차원에서만 볼 것이냐, 사회정책 차원에서도 볼 것이냐는 고도의 정책적인 문제다. 산업정책, 금융정책, 복지정책, 사회정책이 따로 놀면 그런 문제가 해결되기 어려울 것이다. 한때 '폴리시 믹스'가 유행했지만 이런 문제는 관심 밖이었던 것 같다.

부(富)유리 빈(貧)불리의 사회보험

건강(지역)보험은 부자에 유리하고 실업자에 불리한 제도로 돼 있다. 4대 사회보험 개혁은 논의만 분분할 뿐, 실천은 되지 않는다. 특히 지역건보는 실업자가 크게 불리한 구조다. 개선 대상에 올라도 실현은 어렵다. 방법을 몰라서가 아니라 그 종업원들의 반대에 부닥쳐서다. 4대 보험을 하나로 통합하고, 건보는 직장보험과 지역보험을 통합하면 해결될 수 있지만 강행하면 역습을 당해 개혁대상에서 슬그머니 자취를 감춘다. 국민은 없고 각기 힘자랑만 하고 있다. 몇 가지 문제점을 예시하면,

1. 지역건강보험은 실업자 가족에는 인두세(人頭稅)가 부과된다. 보험료 산정 항목에 '(4)성. 연령'이 있는데 전 가족 구성원을 대상으로 성별, 연령 등을 따져 점수를 산출, 합산해 보험료를 부과한다. 분명한 인두세다. 월 소득(급여)을 기준으로 하는 직장건보는 부양가족이 몇 명이던지 따로 계산하지 않는다. 취업자가 직장에서 나오면 대개 건보 부담이 늘어난다.

2. 재산(건물. 토지 등)도 마찬가지다. 취업자는 부동산이 얼마이던지 건보료가 부과되지 않는다. 그러나 실업자는 작은 주택 하나, 채마전에도 각기 부과된다. 취업자 가정은 몇백억 원, 몇천억 원어치 재산이 있어도 그것을 대상으로 건보료가 부과되지 않는다. 실업자 가정은 몇천만 원어치 재산에도 부과된다. 그 결과 실업자(失業者)가정, 사회적으로 불운한 가정이 취업하고 있는 유복한 재산가보다 건보료를 더 내게 된다.

3. 자동차도 마찬가지다. 실업자 가정은 제일 작은 자동차에도 건보

료가 부과되지만 취업자 가정엔 몇억 원짜리 고급 차에도 별도로 건보료가 부과되지 않는다.

4. 실업자 가족 중 세무보고가 되는 단 1회의 임시소득이 발생했는데 정기소득으로 간주, 매월 그 몫만큼 건보료가 부과됐다. 항의했던바 그동안의 과납(過納)은 환급되지 않고 신고한 다음부터 시정됐다. 국세청이 과오납을 환급해주는 것과 대조적이다. 제도상은 보험료 과오납을 환급해 주도록 돼 있는데 지역 사무소의 과잉충성인지 환급해주지 않는 곳도 있다. 취업자 가정에서는 다른 가족에게 임시소득이 발생해도 건보료가 부과되지 않는다. 차별대우다.

5. 실업가정의 노인이 국민연금을 받는 경우 자식이 취업자면 건보료가 부과되지 않지만 실업자면 건보료가 부과된다.

6. 보험수지 개선을 위한 보험 내 개혁은 소홀하다. 낭비 요소가 많은 징수비용 절약책(개혁)이 없다. 가장 근본문제는 국민을 위한 보험이 아니라 종사자를 위한 보험이 되는 것이다.

가난한 자에 불리한 상술

무슨 장사든지 상품을 많이 사면 덤을 준다. 가격도 깎아 준다. 한 개를 사면 1만 원이 2개를 사면 1만5천 원이 된다. 당연한 상술이다. 그 결정은 상인이 한다. 대량으로 판매하고 또 일시에 목돈이 들어오기 때문에 그렇게 깎아주어도 손해가 아니다. 언론 매체의 광고도 마찬가지다. 광고를 정기적으로 하면 요금을 깎아 준다. 볼륨 디스카운트다. 잡지도 선금으로 1년 정기구독이면 책값을 이자보다 더 많이 깎아준다.

일시에 다량으로 사는 것과 오랜 기간 정기적으로 사는 경우 차이가 있다. 이 차이에 따라 성격도 조금 달라질 수 있다. 먹을 사람이 여러 명이라 피자를 2개 사야 하는데 돈이 모자란다. 할 수 없이 1개만 사서 조금씩 나눠 먹는다. 돈이 여유가 있는 사람은 피자 한 개를 7천원에 사 먹을 수 있지만 돈이 부족한 사람은 1만원에 사 먹어야 한다.

이런 상술은 이익을 늘리기 위해 상인이 택하는 것이다. 그에게 가장 유리한 상술을 택한다. 순수 민간 영역이라서 정책의 고려대상이 될 수 없다. 양극화 해소 차원에서 돈이 적은 사람에겐 싸게 팔고 돈이 많은 사람에겐 비싸게 팔라고 할 수 없다. 어떤 체제든 정부가 이런 문제에 간섭할 수는 없을 것이다. '양극화 해소'를 외치는 사람들도 이런 상술에 시비를 걸지 않는다. 오래된 상술로 관심의 대상이 아니다. 단지 '양극화' 측면에서 보면 그렇다는 것이다. 양극화 해소 측면에서 보면 '당신은 가난한 사람이기 때문에 피자를 비싸게 사 먹어야 한다'고 일깨워주는 상술은 없다. 그러나 '사회적 약자'는 속으로 서운한 감정을 가질 것이다. '돈이 없어서 피자 하나 먹고 싶은 만큼 먹지도 못하는데 그것도 부자보다 비싼 가격에 사 먹어야 한다니' 할 수 있을 것이다. 가난한 자는 서글프다고 체념할 수밖에 없다.

상술은 상술이다. 상업에도 마땅히 지켜야 할 도(商道)가 있지만 그것을 따질 수는 없다. 지금은 난세다. 치도(治道), 법도(法道), 사도(師道), 언도(言道), 행도(行道), 어느 것 하나 지켜지지 않는데, 아니 그런 말조차 사라져 가는데 상도를 운운함은 시대착오일 것이다. 상도는 최인훈이 쓴 소설 《상도(商道)》로 끝났음이 아닐까. 단지 소시민의 생활방편으로서의 상업이 최소한으로 지켜야 할 준칙을 지키느냐의 문제는 있겠는데 그것도 대상(大商)이 보여주지 못하니 기대할 수 없을 것이다.

《실록》엔 〈상도(商道)〉가 주석(註釋)에 두 번 나올 뿐이다. 가장 낮은 신분계층으로서 어떤 책임이나 규칙을 부여하지 않은 것 같다. 그러면서도 수탈의 대상이 돼서 피해를 당하던 사람들. 그들에게 보편칙(普遍則)으로서의 자존을 기대할 수 없었을 것이다.

그런데 이제 사정이 역전됐다. 지금은 돈이 말하는 시대다. 부자(상인)는 사농공상의 맨 밑자리가 아니라 맨 윗자리에 서게 되었다. 아직도 권력은 그들 위에 군림하고 있으나 그것은 바람에 날리는 가랑잎 같은 것이다. 실질적인 최상위 위상은 그들이다. 문제는 그들이 그에 따른 규범과 책임, 의무, 자존 같은 것을 쌓았느냐인데…. 옛날 양반은 신분에 따른 규범과 의무가 대단했지만 상인들에게선 그것을 기대할 수 없었다. 법률이 정하는 최소한의 준칙이 있으나 현실과 맞지 않는 것이 많아서 이중적이 된다. 정직보다는 속임을 조장하는 것이다. 실효가 최고의 가치다. 실질적 파워는 크지만 도덕적 품위는 낮은 데서 그들의 자존은 지켜지지 않는다. 하긴 지금은 평등의 시대다. 그런 것을 따지는 것 자체가 무의미하다.

정규직은 웃고 비정규직은 울고

직장인들이 피부로 느끼는 양극화는 정규직과 비정규직일 것이다. 한 임시직 사원의 격정 토로를 들은 적이 있다. 일은 배로 하면서 급여는 절반이라 억울한데 더 마음 아픈 것은 인간적 대우라는 것이다. 같은 여직원인데 정규직은 자기 자리에서 사사로운 일(뜨개질)을 하면서 공적인 일은 비정규직에게 턱짓으로 시키더라는 것. 마치 양반집 마님이 종에게 일 시키는 모양새다. 궂은일, 힘든 일은 모두 비정규직의 몫이다. 더욱 화가 나는 일은 그 정규직이 비정규직보다 실력이 우수하다거나 우수해 보이지도 않는다는 사실이다. 그야 주관적인 생각이고, 정규직 채용은 규정에 의할 것인데 외부의 힘이 작용한다면 문제다.

비정규직이 대량으로 발생해서 사회적인 문제가 된 것은 최근의 일이다. IMF사태를 극복해가는 과정에서 그 부산물로 등장했다. 그전에는 특수직종이 아니면 대부분 정규직이었다. 정규직으로 뽑아놓고 경쟁을 시켜 우수사원은 승진을 시켰다. 개인들은 실력 연마에 열심이었다. 그게 생존의 법칙이고, 발전하는 길이었다. 끊임없이 노력해야 한다. 따라서 기업도 발전한다. 승자승의 원칙이다.

이런 구도가 갑자기 깨졌다. 노조의 힘이 커지니까 승진을 회피하는 현상도 생긴단다. 기업은 상당 부분을 비정규직으로 충당하기 시작했다. 그에는 몇 가지 이유가 있다. 하나는 그게 기업이 노조의 공격에 대한 대응방안으로서 나왔다는 것이다. 극렬한 노조의 공격을 피하려면 노조의 힘을 약화시켜야 한다. 노조의 힘을 약화시키려면 노조원을 줄이는 방법이 제일 좋다. 노조원이 될 수 있는 정규직 사원을 줄이자. 비정규직은 노조원 자격이 없으니 기업으로서는 꿩 먹고 알 먹고 일 것이다. 임시직은 취업을 못 해 다급한 사람들이니 조건이 열악해도 참고 받아들인다.

또 기업의 자불능력. 기업으로서는 부담할 수 있는 임금총액은 한계가 있는데 큰 몫을 노조가 챙겨가기 때문에 상대적으로 급여수준이 낮은 임시직, 비정규직을 채용할 수밖에 없다는 입장이다. 기업이 그런 수동적인 자세로 임시직을 늘린 것만은 아니다. 기업은 수익이 죽고 사는 길이니 비용은 최소화하고 수익을 최대화해야 한다. 임금총액을 줄이려면 종업원의 급여를 줄여야 한다. 노조는 자기이익 극대화로 회사를 압박하니 임금을 줄일 수 없다. 수익을 최대화하기 위한 방편으로 임시직은 달콤한 유혹이었다.

이런 상황이 되면 '우리 회사' 개념은 없어진다. '한 솥의 밥을 먹는 식구' 관계는 깨진다. 이익으로 첨예하게 대립하여 갈등관계가 된다. 심하면 적대관계로 발전한다. '일하러' 직장에 가는 것이 아니라 '싸우러' 가는 것이다. 직장은 일터가 아니라 싸움터가 된다.

대규모 인원이 모이는 조직은 근래의 일이다. 그 관계는 머슴과 주인으로 만나서 '한 식구'로 발전했다가 사용자와 피용자로 됐다. 이제는 피용자가 다시 쪼개지는 상황이 됐다.

조선에서도 고용노동자제도가 있었는데 《실록》엔 머슴을 〈고공(雇工) 128〉, 〈고공인(雇工人) 30건〉이라고 했는데 〈머슴〉은 27건. 고용관계나 제도의 문제가 아니라 주인을 구타했다든가, 주인 여자와 사통했다든가 하는 범죄로 벌을 주어야 하는 사건에 관한 것이다. 주인과 머슴의 관계는 철저한 소유의 관계였다. 〈고공율(雇工律)〉도 있었는데 임금도 정해져 있었으나 지켜지지는 않았던 것 같다. 세종 때 하루 임금이 60문인데 실제는 20문에서 1백30문까지 차이가 심했다고 한다. 고공이 조선 초에는 자유인이었는데 점점 주인에 예속됐다고 한다. 《실록》의 기사는 대부분 고공들의 사건 사고에 관한 것이다.

그런데 처음에는 미약하던 피용자들의 힘이 단결권에 의하여 막강해지자 피용자끼리도 차등을 두기에 이르렀다. '다 같은 노동자'가 아니게 된 것이다. '노동자여 단결하자' 할 때도 자기들끼리 결을 따지게 됐다. 노조도 복수로 생기게 됐는데 정규직과 비정규직은 심한 차등관계로 설정됐다.

정부의 태도에는 일관성이 없다. IMF사태 때는 기업에게 수익성을 기준으로 구조조정을 단행하라 했는데 실업률이 올라가자 신입사원 채용을 늘리라 한다. 한때 대기업들은 과잉고용을 자랑하기도 했는데 IMF 때는 방만한 경영을 한다고 구조조정의 칼바람을 맞아야 했다. 그런데 다시 고용을 늘리란다. 정치권은 선심용으로 고용할당제까지 꺼내 든다. 기업의 입장은 고려치 않는 반 경영적 처사다. 기업은 최대수익을 위한 최적고용을 하기 힘들게 됐다. 경제가 성장할 때 기업들은 우수사원 확보 차원뿐만 아니라 공기업 개념도 작용해서 많은 사원을 고용하기도 했었다. 공장을 새로 지을 때 내세우는 효과로는 수출증대, 수입대체, GNP 기여 외에 고용증대효과가 필수항목이었다. 자부심을 가질만했다. 우리는 이 만큼 젊은이들을 고용, 국가에 공헌하고 있다. 그러나 지금은 이익 극대화를 꾀하려면 가능한 대로 모든 비용을 줄여 수익성을 높여야 한다. 임금도 줄여야 한다.

그러나 더 근본적인 원인은 노동력의 수급불균형에 있다. 고용 유연성이 없다는 것이다. 노조의 철옹성 때문이다. 경제가 부진해지니 많은 종업원이 불필요하게 됐다. 구조조정으로 종업원을 줄여야 하는 입장이 된 것이다. 정부도 구조조정을 촉구하지 않는가. 게다가 공장은 첨단과학의 도움으로 속속 자동화돼 인력수요는 계속 줄어든다. 수요-공급의 밸런스가 깨진다. 노동자 수요가 많을 때는 노조가 큰소리치지만 수요가 줄면 사용자 태도가 커진다. 기업이 성장할 때는 우수사원 확보가 중요했지만 수익이 문제가 되는 상황에서는 현상만 유지하면 된다. 고용을 늘리기보다는 슬림화해야 한다. 노동개혁 문제가 여러 번 대두됐으나 정치문제와 맞물려 이뤄지지 않는다. 권력이 개재되니까 개혁이 안 된다.

비정규직은 배타적인 노조의 이익극대화, 정부의 기업정책, 기업의 생존전략이 합작해서 만들어진 산물이다. 노조는 '같이 살자'는 태도를 보이지 않는다. 간혹 비정규직을 배려하는 태도를 취하기도 하지만 건성이다. 고용증대의 길을 막아놓고 그런 생색내기를 함은, 업은 아기를 뒤로 꼬집고 앞으로는 어르는 이중성이다. 물론 비정규직을 생각해주는 마음이 전연 없지는 않을 것이다. 그러나 고양이가 쥐 생각해주는 꼴이다. 지금 비정규직의 급여를 정규직 수준으로 올려라 함은 기업의 생존을 위협하는 일이다. 정부정책이나 노조의 투쟁방향이나 비정규직 해소와는 아귀가 안 맞는다. 균등은 누구에게서도 보이지 않는다. 평등구호는 정치구호일 뿐이다. 그렇다고 임금을 동결하겠다는 노조는 없다. 근본적인 문제는 정부, 노조, 비정규직, 사용자가 공감하고 따를 수 있는 룰이 없는 것이다. 그 원칙과 룰이 서기 전에는 근본적인 해결이 안 될 것이다.

상장사의 평균이익률은 10%도 되지 않는다. 그런데도 기업에게 사

회비용, 준조세비용, 사회적 의무(금도), 노블레스 오블리주 등의 요구
가 많다. '양극화'의 원흉으로 몰리기도 하고. 반기업정서로 기업에 적
대감을 확산시키면서 부담만 가중시킨다. 특히 노사관계에서 노측에
힘을 실어줘서 노사불균형을 초래하면서 계속 기업에만 압박을 가함
은 비정규직 문제 해결을 어렵게 한다. 문제가 해결되지 않을 것이다.

  그렇다고 기업=부도덕이라는 정치권이나 시민단체의 반(反)기업정
서가 친(親)기업으로 바뀌지도 않을 것이다. 기업이 지금과 같은 공격
을 받는 데는 그럴만한 이유도 있다. 기업은 항상 탐욕의 화신처럼 보
여 왔는데 어느 정도 맞는 것도 사실이다. 그들은 도덕적으로 비행이
많았다. 그러나 정규직과 비정규직의 양극화 해소는 정치적 투쟁으로
해결될 수 있는 문제가 아니다. 기업은 대외경쟁력을 담보하는 임금지
불능력을 호소한다. 비정규직문제는 많은 요인이 얽혀 있는데 정치논
리로 이랬다저랬다 하면 풀기가 점점 더 어려워질 것이다.

  기업은 사용자나 노조가 동질인 점이 많다. 한국인의 특성 때문이
다. 과욕, 자기중심, 오만…. '너'만이 아니다. '나'도 발견해야 한다. 그
문제는 같이 풀어야 한다. 경영자만 나무라서 해결될 일이 아니다. 한
편이 다른 편을 굴복시키려고 해서는 더욱 안 된다. 전체 문화가 달라
져야 한다. 노사 대타협을 추진하지만 각 주체가 자기중심의 철옹성에
진을 치고 앉아서 승리만 바라서는 문제가 해결되지 않을 것이다. 돌
고 돌면 결국은 다시 정치인데….

  이제는 비정규직 문제가 아니라 기업의 생존이 문제가 되고 있다. 경
영 전반의 문제를 종합적으로 해결할 수 있느냐가 문제다. 공영방송은

노조가 3개인데 정부와 짝하더니 노영방송이 됐다. 민간방송 중엔 아예 노조가 경영권을 빼앗은 곳도 있다. 대학교 중에도 교주(敎主)를 몰아낸 곳이 있었는데. 그들은 자신이 학교나 방송국을 세우지는 못하고 남이 만들어 놓은 것을 빼앗는다. 정책 이전의 문제다. 나라의 틀 문제다.

노사건 여야건 문제는 제도보다 인간이다. 사람들의 생각, 가치관, 도덕성 등. 문화가 문제인 것이다. '민주화'를 부르짖으면서 '너'의 자유를 말살하고 간섭 규제하려는 모순된 태도는 고쳐야 할 것이다.

우리의 깊은 병, 질투

남자의 질투

남자는 질투가 없을까. 그 해답은 영국의 셰익스피어가 준다. 그의 희곡《오셀로》에 나오는 흑인장군 오셀로의 비극은 질투심에서 비롯된다. 흑인이 장군된 것을 질투하는 백인 하인이 음모를 꾸민다. 오셀로도 그 부인도, 그 하인도 모두 죽는 비극으로 끝난다. 질투의 종말이다. '질투심'은 영국의 철학자 럿셀의 정의가 정설이 아닐까. '일종의 열등감 표현이다. 자신만만한 사람은 남의 일을 질투하지 않는다. 질투에 대한 가장 좋은 요법은 자기능력을 더욱 연마하고 자신을 키우는 점에 있다'

우리는? 민족의 큰 비극 임진왜란 전에 율곡은 왜구의 침략에 대비하기 위해 '10만 양병'을 주장했으나, 다른 대신들은 율곡이 임금(선조)의 '애중'을 받게 될 것을 질투해 반대한 때문에 무산됐다고 한다. 대신들의 질투심이 천추의 한을 남긴 것이다. 그래도 그 반대하던 대신들이 임진왜란이 일어나자 이미 고인이 된 율곡을 가리켜 '성인'이라고 칭송했으니 본인으로서는 작은 위안이라도 됐을까. 옛 당쟁은 그런 요인이 작용하지 않았을까. '공(功)이 높아지자 시기(猜忌)를 받아, 참소(讒訴)와 간계(奸計)가 번갈아드니' 그런 기사가 보이는 것이다. 일국의 지도자라는 사람들의 심보가 그렇다. 그러나 10만 양병설은 사실이 아니라는 설도 있으니.

'사촌이 땅을 사도 배가 아프다', '남의 손에 떡이 커 보인다', '못 먹는 감 찔러나 보자'. 서민들의 심정을 표현한 속담을 보면 우리는 보통사람들 사이에도 질투심이 강했음을 알 수 있다. 지금은 한 단계 더 발전한 것 같다. 시기 · 질투심 · 시샘 · 투기의 방향이 달라진 것이다. 질투심이 원초적 모습으로 되돌아가는 것이 아닌지? '앞서가는 사람 뒷다리 걸기'의 예가 그렇다. 질투심이 팽배한 일터. '함께', '공동'을 기치로 하는 조직(노조)이 강한 곳에서는 개인적으로 열심히 일하는 동료가 나오면 '너 혼자만 잘 먹고 잘살려고 하느냐'고 면박을 주고 윽박질러 주저앉힌단다. '아등바등 안 해도 우리가 힘을 합하면 잘 살 수 있다'가 그들의 논리. 투기가 집단의식으로 나타남이다. 그들은 앞서려는 동료를 용납하지 않는다. 좀 심하면 '왕따'를 시키고, 훼방을 놓고, 협박까지 가한다. '민주'단체에서 개인의 자유가 부정된다.

《실록》엔 〈질투〉가 3백17건, 〈투기(妬忌)〉 51건, 〈시기(猜忌)〉 37건, 〈시샘〉 24건, 〈경알(輕訐 : 남의 잘못을 직언(直言)으로 들춰냄)〉 1백86건의 기사가 나온다. 대부분 질투심이 사고 친 이야기다. 주로 부인들이 시앗을 질투하여 벌어진 사건을 어떻게 처리하느냐는 문제다. 여러 가지 용어가 나오는데 뚜렷한 차이는 없다.

우리 역사에서 영웅들을 몰락시킨 예가 많음도 질투 때문일 것이다. 옥을 갈고 돌을 깎는 노력(切磋琢磨)으로 다른 사람 앞에 우뚝 섰던 사람이 어느 한날 급전직하로 몰락한다. 그 자신의 결정적 과오도 있을 것이다. 그러나 천사 같은 완전무결은 없을 것이니 모함을 걸어서 넘어가지 않는 사람은 없을 것이다. 정치권은 투쟁이 곧 생존방식이지만 남이 앞서가는 것을 참지 못하는 사람들이 많은 것 같다. 우리 역사상 영웅이 적음은, 특히 살아서는 영웅이 되기 어려운 풍토는 질투·시기·시샘·투기의 작용 같다. 질투는 칭찬, 사랑, 존중을 모른다. 영웅을 모함해 죽이는 나라가 영광된 역사를 가질 수 있을까.

여자의 질투와 남자의 질투는 동질이기도 하다. 질투에 대한 서민들의 심정이 담긴 속담은 보통사람들 사이에도 질투심이 강했음을 알 수 있다. 지금은? 한 단계 더 발전한 것 같다. 질투심의 방향이 달라진 것이다. 질투심이 원초적 모습으로 되돌아가는 것이 아닌지?

질투심이야 천성이지만 우리의 경우는 아무래도 좀 심한 것 같다. '근면'과 '인정'이 상표처럼 돼 있는 이 민족의 심저 어디에서 그런 고약한 심사가 자란 것일까. 민주주의의 영향? 질투를 악으로 보아 극력 억제하다가 그 고삐가 풀리니까 만개한다? 역으로 평등의 반작용인가? 능력이 다르게 태어난 인간을 한 틀에 가두어두려는 것이 가능할까. 그들은 그 탈출구를 찾을 것이다. 그게 공정하게냐 불공정하게냐가 문제일 뿐이다.

정책에까지 미치는 질투

남이 앞서감을 참지 못하는 사람들이 하이에나처럼 몰려다닌다. 전반적으로 남이 잘하는 것을 칭찬할 줄 모르고, 특히 영웅을 존경, 사랑, 존중할 줄 모르는 옹졸함은 질투·시기·시샘·투기의 작용이다. 영웅을 뒷다리 걸어 죽이는 나라가 영광된 역사를 가질 수 있을까. 지금 우리의 질투·시기·시샘·투기는 자신을 향상시키는 방향이 아니라 남을 끌어내리는 방향으로 작용하는 것 같다. 옛날에도 그랬다.

부자에 대한 사회인식도 그렇다. '부자'라면, 아예 '악덕'으로 치부, 끌어내리려는 사람들이 많다. 그들 중엔 치부과정에서 정경유착·부정부패 등 비난받아 마땅한 부도덕을 저지른 사람도 있을 것이나 전체는 아닐 터다. 또 그 자신을 포함해서 완전의 잣대로 재단한다면 누가 살아남을 수 있는가. 인간은 그렇게 완전한 존재가 아니다. 허물도 많고, 실수도 하게 마련이다. 그러면서 반성하고 잘못도 고치고 하면서 보다 나은 내일을 향하여 앞으로 나아간다.

그러나 부자를 시샘·투기하는 사람들은 자신들이 부자가 되려는 생각은 없고 항상 가난한 사람으로 남으려는가. '일등'에 대한 감정도 마찬가지다. '일등은 모두 끌어내려라', '일등'에서 잘하는 방법을 배우려 하지 않고 '나'가 있는 자리로 끌어내려라. 심하면 내 밑으로. 지금 그런 생각이 전염병처럼 번져가는 것 아닌지. '일등 학교', '일등 부자', '일등 예술가', '일등 언론', '일등 도시'…. 그래 학교에선 아예 석차를 없애고, 어떤 분야든지 수련을 쌓고, 훈련을 받아 프로가 되려 하지 않고, 무시로 '나도 기자', '나도 예술가', '나도…' 하는 것 아닌가. 그들이야말로 '완전'과는 거리가 멀고, 프로는커녕 아마추어도 못 되고, 얼치기 사이비로 남기 쉽다.

지금 그 질투심이 정책 방향에까지 작용하는 것 같다. 너무 잘 알려진 '평준화교육', '과당경쟁', '불법 고액과외', '인성파괴'…. 여러 가지 이유를 달지만 '하향평준화'를 지향하는 '무경쟁교육'은 질투심의 발로가 아닌지. 열심히 공부하려는 학생, 능력 있는 학생을 주저 앉히려는 것 아닌가. 1등 지향이 아니라 꼴등 지향이다. 다 같이 일등을 하자는 것이지만 실은 다 같이 꼴찌를 하자는 것이나 마찬가지다. 영재를 붙들어 앉힌다고 아둔한 학생이 영재가 되지는 않는다. 결과는 전반적인 학력 저하일 것이다.

능력이 다르게 태어난 인간을 한 틀에 가두어두려는 것이나, 사회에서는 '시장(경제)'의 무한경쟁에서 살아남기 위해 치열하게 경쟁하는데 학생들에게는 '무경쟁교육'이니 얼마나 모순되는가. 학생들을 모두 낙오자로 만들 것이다. 잘 길러진 영재 한 사람이 사회에 기여하는 바는 측량할 수 없지만 '평준화교육'은 영재를 용납하지 않는다. 오히려 북한은 영재교육을 과감하게 실시하는 것 같다.

또 하나는 대기업규제 정책. 기업이든 개인이든 그 행위를 가지고 관리·통제·규제하지 않고, 그 규모를 가지고 기준을 삼는다? 질적 사회가 아니라 양적 사회라는 뜻이다. 큰 기업은 더 이상 크지 말아라? 30대 기업을 특별관리, 규제하니 그 근처에 갔던 기업은 거기 끼이지 않기 위해 로비를 벌였단다. 말하자면 우등 안 하기 로비다. 국시로 돼 있는 '시장경제'와는 거꾸로 가는 경제정책이다. 똑같은 범법 행위라도 규모가 작은 기업은 용납되고, 규모가 큰 기업은 벌을 준다. 국가 전체로는 성장하는 기업을 많이 만들어야 국부(國富)가 쌓여서 부국(富國)이 되고 부국이 돼야 강국도 되고, 일자리도 늘 터인데 그런 방향이 아니다.

따지면 그들은 그들 나름의 타당한 이유가 있을 것이다. 문제는 그것을 조절할 의지도 없고, 방법도 찾지 않는 것이다.

또 동일직종 동일임금. 평등정책인데 임금을 받는 사람 입장에서 보면 타당하다. 그러나 주는 기업 입장에서는? 우선 가능 여부부터 따져 보아야 한다. 기업은 큰 기업, 작은 기업, 흑자기업, 적자기업 등 지불능력이 각기 다른데 '임금을 똑같이 줘라'가 가능할까. 명분에 앞서 물리적으로 가능치가 않다. 그렇게 하려면 원천적으로 기업의 규모, 경영, 생산, 판매, 이익 다 똑같아야 할 것이다. 무엇보다 수익성과 지불능력이 같아야 할 터이다. 원인엔 차이가 많은데 결과만 통일하라면 가능치도 정당하지도 않다. 시장경제에도 어긋나고. 무슨 일이든 일리만으로 추구해서는 안 된다. 여러 측면의 일리를 종합해서 합리적인 결론을 내려야 한다.

혹시 '사람중심경제'를 국민을 '갑질하는 금융권, 재벌 총수, 기업'과 '촛불 든 사람, 저임금 노동자, 소상공인과 영세 중소기업, 청년, 비정규직, 서민, 아동, 저소득층, 어르신'을 갈라치기로 해서 약자를 지원하려는 것이라면 전체 경제, 경제체제를 보지 못함이다. 지금 개인 간의 문제가 아니라 제도권 곳곳에서 불붙고 있는 질투의 불길은 모든 사회구조와 질서를 뿌리째 불태워버릴 듯한 맹렬한 기세다.

백성의 수난

조선의 백성은 외족에게는 약탈을 당하고, 관으로부터는 착취를 당하고, 양반들로부터는 수탈을 당했다. 그렇게 전방위적으로 빼앗겼다. 밖으로 뻗어 나가지 못하고 안에서 동족을 수탈하는 구조의 조선백성들은 참 고달팠을 것이다. 수탈차들을 단속, 처벌하기는 했다.

〈탐관오리 113〉에 대한 처벌은 왕에 따라 달랐다. 최고 사형, 귀양을 보내기도 하고, 곤장을 치기도 하였다. 태조는 뇌물을 받고 관교(官敎, 교지)를 고쳐준 자를 참형에 처했다(1395.3.1). 성종은 착취를 일삼아 '걸태수(桀太守)'라 불리던 현감을 장물은 몰관(沒官. 관에서 몰수)하고, 더는 문제 삼지 않았다(1476.11.16).

백성은 여러 가지 형태의 수탈을 당했다. 〈약탈 1,187〉, 〈수탈 353〉, 〈착취 157〉, 〈강탈 129〉, 〈약취 22〉, 〈탈취 20〉, 〈강취 8〉, 〈탐학 396〉…. 다양했다. 심하게 〈고혈(膏血)〉관련 기사가 1백90건. 〈뇌물〉은 3천4백81건에 달했다.

세종 7년, 사헌부에서 3가지 폐단을 상소했다(1425.6.2). 첫째, "벼슬에 종사하는 사람은 근간하게 조심하고 닦아서, 날을 계산하면서 진급되기를 생각하는데, 한번 그 직임에 나가면 6년을 머물게 되어, 고사하는 기한을 넘기고, 성상이 여러 번 바뀌게 되면, 날카롭던 의지가 꺾이고, 생애가 안정되지 못해 신세가 한심하다. 혹 간사한 아전의 속임에 빠지고 심각한 법문의 규탄에 걸리게 되어, 한번 실수함으로 옛 공을 모두 버리게 되어 탄식을 일으킴"이다.

둘째, "백성들은 미련하고 어리석어, 항상 해될 것을 피하고 이로운 것만 좇기에 힘쓰며, 앉아서 백성의 고혈을 빨아먹으며 여섯 해의 기한을 두고 한갓 문부와 서류로 기회만 맞추기를 잘하는 일로 삼고, 백성을 편안하게 보호하여 기르고 은혜로 돌보아 주는 것은 일로 삼지 아니하며, 한갓 긁어모으고 거둬들이기만을 능사로 삼고, 어루만져 사랑하고 품어서 편안하게 해주기를 직분으로 삼지 아니하며, 심하면 공(公)을 깎아서 사(私)를 살찌게 하고, 아래를 긁어 위에 바쳐 뇌물 꾸러미로 잘 보이기를 어지러이 구함도 모두 다 백성의 피로써 나오게 되어, 백성으로는 그 병 되는 것은 보아도 그 이 되는 것은 보지 못해 실망하게 됨"이다.

셋째는 "처음에는 부지런하다가 끝에 가서는 게을러지는 것이 사람의 성정이고, 새것을 즐겨하고 낡은 것을 싫어하는 것은 시속과 같다. 수령들은 순리(循吏 72. 법을 잘 지키며 열심히 일하는 관리)는 항상 적고, 오리(汚吏 70)는 항상 많다. 부임 초에는 조심하고 가다듬는 마음이 간절하여, 낮이나 밤이나 게을리 아니하고 나랏일을 부지런히 하여, 아침저녁으로 힘쓰고 수고하여 백성이 잘살게 될 일을 늘 생각한다고 말하지만, 오래되면 되는대로 그럭저럭 지내보자는 생각이 생기고, 상주고 벌주는 것이 그를 사랑하고 미워하는 것에 따르게 되고, 주고 빼앗는 것이 그를 고마워하고 원망하는 바에 따르게 되며, 말 달리고 사냥하고 잔치하고 놀이하며, 교만하고 방자하고 음란하고 방탕하여 못하는 것이 없게 된다. 법망에 걸린 자가 하나뿐이 아니다. 법망에 걸리지 않고 벗어났더라도, 구차스럽게 세월을 지내는데 물욕에 좇아 함부로 하는 버릇이 굳어져서, 마침내 나라의 근본을 흔들어 움직이는 일이 어찌 없으리라 하겠는가. 3년의 임기에도 백성이 오히려 싫증을 내거든, 하물며 6년이야 어떠하겠는가. 백성이 그 오래되는 것을 싫어함"이다.

또 철종(哲宗, 1849~1863)은 탐관오리의 약탈과 착취를 엄히 신칙할 것을 묘당에 명했다(1860.8.29). 그는 '강화도령'으로 공부를 제대로 못 했다니 조정에 정신이 바른 신하가 있었음이다. "팔방의 민생이 날로 더욱 곤궁에 지쳐 있는 상황에 대해 입문(入聞)되는 것이 있다. 백성 모두 열성조가 사랑하여 양육한 적자인데 탐관오리의 착취와 약탈로 부민은 떠돌아 흩어지지 않는 이가 없고, 잔민(殘民)은 지탱할 수 없어도 공소할 데가 없어 도탄에 빠져 구학(溝壑)에 죽어 나뒹굴 따름이다. 마음이 아프다. 수령으로 두려움이 없이, 방자하게 재화를 탐하고 자기만을 이롭게 하는 것을 능사로 삼는 자가 많다. 상신(相臣)의 주달, 대간의 논계, 감영의 폄출(貶黜), 수의(繡衣)의 척파(斥罷)가 연속되지만 한편으로 보내면 한편으로 장오(贓汚)를 범하니, 조정의 기강이 확립되지 않고 국법이 신장되지 못한 소치이다. 만약 그 소위대로 일임한다면 탈가(稅駕)할 곳을 알지 못할 것이다. 지금부터는 수령이 혹 옥송(獄訟)과 채포(債逋)로 1전 1포라도 상공(常貢)과 정세 이외에 징수하는 자는 도신(道臣)이 널리 염탐하여 듣는 대로 아뢰어서 크게 징치함으로써 원통한 백성에게 사과하라. 안면에 구애되어 숨기고 아뢰지 않는다면, 나라를 배반하는 죄가 될 뿐이다. 엄호하려고 해도 만 리가 뜰 앞이어서 환히 내다볼 수 있을 것이다. 묘당에서 조사(措辭)하여 엄중히 신칙하라."

당시는 조선말, 나라를 말아먹은 80년 세도의 '장동김씨' 시대였는데 이런 명령을 내렸다니 놀라운 일이다. 장동김씨는 병자호란 때 척화파의 거두로 한국사에서 절개와 지조의 상징인 김상헌(金尙憲)의 후손인데 타락의 상징이 됐으니 역사의 아이러니다.

'갑질'의 전통

강자가 약자에 군림하는 자세는 '갑질'이라는 신조어까지 만들어 냈다. 갑질의 횡행은 강자의 횡포가 심히 큼이다. 기업 개인 마찬가지다. 우리만도 아니다. 어느 세상이나 권력과 재력이 세상을 리드한다. 약자는 그들과 평등할 수 없다. 민주주의는 그것을 시정할 수 있는 제도로 기대되는데 아직은 실효가 적다. 민주화는 기회를 균등하게 하고, 권리를 평등하게 하고, 분배를 균일하게 한다. 사회정의 제도화가 법으로 보장된다. 강자와 약자가 동일하게 대접받고, 권리와 책무가 어느 정도 동일하게 이뤄졌느냐로 민주화의 수준을 잴 수 있다. 그에 전통문화가 혼융(混融)돼서 민주화가 보다 충실해지면 금상첨화일 것이다.

실제는? 제도화도 사회기풍도 아직은 많이 미흡하다. 약육강식의 유풍이 도처에 남아 있다. 정부나 시민의 평등의식이 부족하다. '평등'은 손에 잡힐 수 있는 현실이 아니라 무릉도원(武陵桃源)처럼 한낱 꿈일까. 그게 국민의식이 높아 자발적으로 이뤄진다면 최상이겠지만 기대하기 어렵고, 치밀한 법으로 실현된다면 선진국일 것이다. 우리는 어느 수준일까.

평등은 신기루가 아니고 끊임없이 추구해서 실현시켜야 할 꿈이다. 그에 가까이 다가가기 위해 양극화 해소, 소득격차 해소, 인격적 하대 (갑질) 시정 등의 노력이 현실적인 과제가 된다. 문제는 그 목표가 달성되지 않았다고 적대감을 갖고 국가를 뒤집어 놓으면 더 큰 재앙을 부를 것이다. 그래도 완전평등이 실현될 수는 없다. '양극화' 나팔을 불어 적대감을 고취하면 양극화 해소는커녕 일상의 소박한 평화와 행복마저 더 멀어질 수 있다. 갑질의 추방은 법에 정해진 가이드라인과 도의심 계발로 할 수밖에 없다. 그래도 그들은 법을 피하거나 악용하는 기술이 능해서 많은 영향력을 행사한다.

완전한 평등의 개념이 이상주의자들에 의해 도입돼도 강자들에 의해 허물어진다. 조선시대엔 족징(族徵)이나 인징(隣徵)이 공공연하게 벌어졌다. 연좌제는 약자에 대한 제도적 수탈로 이어지게 했다. 제도가 사악한 자들에 의해 악용된 것이다. 그에 편승해 위정자들도 사적으로 수탈을 했다. 그게 나라가 기울 정도였다.

지금 경제민주화 바람이 분다. 양극화 해소의 다른 이름 같다. 그 바람이 어떻게 불어서 어떤 결과를 초래할지 아직은 알 수 없다. 정치인들이란 현실감각이 부족해서 비정규직 문제를 해결한다고 만든 법이 비정규직을 고착화시키는 역작용을 불러온다. 정규직 전환시한을 2년이라고 설정해 놓으니 기업은 2년 안에 해고를 해서 오히려 역효과를 냈는데, 다시 그 기간을 4년으로 한단다. 2년을 4년으로 늘린다고 근본문제가 해결되지 않는다.

정치 집단은 양극화를 악용, '분노하라'고 부자에 대한 적대감을 충동, 정치적 이득을 취하려 한다. 고질적 정치술수다. 학자가 그 앞장을 선다. 심하면 '부자의 것을 좀 빼앗아서 나눠 가지면 어때' 하게 한다. 그러나 부자의 재산을 빼앗아 가난한 사람에게 나눠줘도 일시적이다. 다 잘살게 되지 않는다.

80년대 서울에서 열린 남북고위급회담 때 북한 고위관리가 사석에서 '우리는 부자의 재산을 빼앗아 노동자, 농민에게 나눠주면 다 잘살게 될 줄 알았는데' 했단다. '그게 아님'을 알았다는 고백이었다. 그런데 지금 우리가 그들의 뒤를 따른다?

독재자는 통치를 지속하는 수단으로 국민을 가난하게 만들기도 한단다. 먹는 문제 외에 다른 생각을 못 하도록 한다는 것이다. 북한도 그 수법을 쓴다고 의심하는 사람들이 있다. 고의적인지는 몰라도 그게 독재체제 유지에 도움이 되는 것은 확실한 것 같다. 국내 정치 싸움에서도 그런 기미가 읽힌다. 일자리 창출 관련법을 막아 청년실업자를 분노케 하고, 그 힘에 편승하여 정권을 잡는다? 막말 욕설은 곤궁한 자의 공감을 얻어내기 위한 수단이다.

양극화, 이 고질병은 제도적인 것과 사적인 것이 있는데 이를 어떻게, 어느 선까지 치유할 수 있을 것인가. 특히 사적인 것은 국민의식의 전환을 필요로 하기 때문에 더 어렵다. 제도의 마련은 정치인의 의지로 가능하지만 개인의 의식변화는 정교한 노력이 필요하다. 많은 시간이 걸릴 것이다. 가장 문제는 정치 지도층의 도덕적 타락이다. 그들은 집권 게임 외에는 아무것도 생각하지 않는 사람들 같다. 좋은 본보기도, 지도력도 보이지 못하고, 표만 좇아 질주한다. 도덕성은 날개 없는 추락을 계속한다.

갑질의 심리적 근기(根氣)는 비겁함이다. 약자는 양면이 나타난다. 한 면은 비겁하고 다른 면은 잔인하다. 대장부는 약해도 비겁하지 않고, 강해도 잔인하지 않다. 대장부는 힘의 강약으로 만 되는 것은 아니다. 약해도 대장부가 있고, 강해도 소인배, 졸장부가 있다.

갑질은 양반의 전횡이 시발이었다. 신분사회니까 신분이 상위인 사람만 갑질을 했다. 그들의 수탈 〈가렴주구(苛斂誅求) 40〉는 참 악랄했다. '호랑이보다도 무서운' 갑질이었다. 심한 갑질을 당해 살기 어려워진 민초들은 야반도주를 하거나 국경을 넘어 만주로 이주했다.

지금은 갑질이 더 광범하게 나타난다. 누구나 기회만 되면 갑질을 한다. 갑질의 평등화? 누구나 갑이 될 수 있다. 상(商)신분이 격상됨에 따라 그들의 갑질이 단연 돋보이는데, 국회에선 지역구의원이 전국구의원에 갑질을 하고, 검찰에선 상급자가 하급자에 자살할 정도로 심한 갑질을 하고, 거리에선 외제차가 국산차에 갑질을 한단다.

갑질이 되살아남은 명백한 과거회귀다. 좋은 문화를 받아들였음에도 그 장점을 살리지 못한 것이다. 이런 과거회귀, 그것도 기술적으로 더 악랄해져서, 어떤 문화를 낳고 있는가.

금수저, 갑질 모두 과거로의 회귀다. 나쁜 전통으로 되돌아감이다. 행태는 바꿀 수 없는 것인가. 수 천 년 굳어진 의식이 너무도 굳건해 보이는 것이다. 한국인은 한국인이다.

문화를 선용하지 못함인가. 문화국가가 될 수 없음인가.

성정의 문제

일제시대 경찰 중엔 잔인한 사람들이 있었다. 그게 그들만이었을까. 그들이 지금 경찰을 한다면 어떻게 할까. 역으로 지금 경찰이 그때 경찰이었다면 어떻게 했을까. 사람이 같다면 행태도 같을 것이다. 결국 한국인 경찰은 그때나 지금이나 행태가 같을 수 있다. 잔인했던 일제시대 경찰과 지금 북한의 경찰은 같은가, 다른가. '예', '예' 순종적인 면에서 그때의 경찰과 지금의 우리 경찰은 다른가, 같은가.

《실록》에는 〈포악 526〉, 〈잔인 455〉 관련 기사가 나오는데 범죄인들의 것이 많다. 관리의 〈학대 40〉에 관한 기사는 별로 없다. 일반적으로 추측하기는 그 반대일 터인데. 〈비겁 40〉이나 〈비열(卑劣) 3〉은 극히 적다. 그런 문제는 관심도 없었음이 아닐까.

조선에서는 고문에 일정한 기준이 있었다. 《실록》에는 고문(고신.拷訊)에 관한 기사가 1백49건이 나오는데 '노유불고신조(老幼不拷訊條)'도 있어 제한이 있었다. 그런데 실제는 규정보다 더 잔인했던 것 같다. 그것은 한국인이 잔인하기 때문이다. 조선에서도, 일제 때도, 근래도, 북한에서도 마찬가지 같다. 약해서 비겁한데 약자가 강자의 입장이 되면 잔인해진다. 반대의 입장, 범죄인 역시 잔인한 경우가 많으니 한국인은 잔인하다는 평에서 벗어날 수가 없을 것이다. 학생 사이의 갑질이 얼마나 잔인한가.

역으로 고문을 하는 입장에 있는 사람이 온정을 가지고 뒤로 봐주면? 소설에서는 더러 보인다. 일제 조선청년들이 징용되어 갔다가 포로관리의 일을 맡았는데 잔인한 행동을 보여 전쟁이 끝난 후 포로학대

죄로 사형당한 사람들이 있다. 이때 그가 천성이 착해서 잔인하게 관리하지 않고 뒤로 온정을 보였다면?

그런데 지금 경찰이 과거의 경찰을 단죄하는 것은 어떻게 될까. 판사도 과거의 판사를 단죄하고. 검찰도 마찬가지다. 과거엔 팔이 안으로 굽는다고 동료를 봐 줬는데 지금은 쇠가 쇠를 먹는 시대가 됐다. 그렇다고 단죄를 안 하면 어떻게 될까. 사람이 달라지지 않으면 그런 행태는 반복될 것이다.

대동의 환상

실현될 수 없는 꿈

유교는 예부터 '대동(大同)세계'를 이상향으로 그려왔다. '서로 돕고 더불어 함께 잘 사는' 아름다운 사회다. 우리 선조들은 그것을 단순한 공부나 이론으로 밀어두지 않고, 실제로 실현하려고 노력했다. 마을 법규인 향약(鄕約)을 만들고, 대동계(大同契)를 조직, 실천하려 했다. 대동법(大同法 188)까지 있었으나, 이것은 방향이 좀 다르다. 조세제도인 것이다. 각 지방에서 생산되는 특산물을 바치는 공물(貢物)을 쌀로 통일하여 바치게 한 납세제도다. 그것을 공평하게 한다는 취의(趣意)였던 것 같다.

향약은 권선징악을 취지로 한 향촌 단위의 자치규약인데 원래 중국 북송(北宋) 말엽, 《여씨향약(呂氏鄕約)》이 생겼는데, 조선에 와서는 태조가 즉위한 뒤 《풍패읍향약안(豊沛邑鄕約案)》이 제정됐고, 그 뒤에 퇴계가 예안향약(禮安鄕約)을, 율곡이 해주향약(海州鄕約)을 만들었다.

대동(大同)은 《예기(禮記, 禮運)》에 구체화돼 나오는데 중국의 이상향인 하·은·주 시대에 실현됐다고 한다. 대동은 도가 행해져야, 그것도 큰 도(大道)가 행해져야 가능한 사회다. 도의 실천이 전제인 것이다. 도가 실현되는 사회가 대동사회인 것이다. 대동사회는 의역하면 '큰 도가 행해져 천하가 하나로 돼 현명하고 능력 있는 사람을 찾아 쓰니 신의와 친목의 사회가 된다. 사람들은 자기 어버이만을 어버이로 여기지 않고, 자기의 자식만을 자식으로 여기지 않는다. 그래서 노인들로 하여금 그 생을 편안히 마치게 하고, 젊은이들은 일을 하게 하고, 어린이들은 잘 자라게 한다. 홀아비와 과부와 자식이 없는 늙은이와 몹쓸 병이 든 사람들을 불쌍히 여겨 모두 거두어 준다. 남자에겐 합당한 직분을 주고 여자들은 돌아갈 곳이 있게 한다. 재물은 낭비를 미워하지만 자기만 감추어두지 않고, 근로하지 않는 힘을 미워하지만 자기만을 위해 쓰지 않는다. 그래서 간사한 꾀가 없어져 범죄가 일어나지 않고 도둑과 강도 깡패가 생기지 않는다. 해서 바깥문을 닫지 않고 산다.'*

◎ 대동세계. 大道之行也 天下爲公 選賢與能 講信修睦 故不獨親其親 不獨子其子 使老有所終 壯有所用 幼有所長 矜寡孤獨廢疾者有所養 男有分 女有歸 貨惡其棄於地也 不必藏於己 力惡其不出於身也 不必爲己 是故 謀閉而不興 盜竊亂賊而不作 故外戶而不閉 是爲大同.

조선의 대동은 이것과는 좀 다르다. 《실록》엔 〈대동(大同)〉이란 말이 1천여 회 쓰이지만 강 이름, 도 이름, 특수 명칭 등 여러 곳에 두루 쓰인다. 대동의 정신을 실현하려는 시도는 적었다.

여하튼 이상을 좇는 정치를 하려고 했다. 대동은 실현할 수 없는 유토피아적 이상향이 아니라 실현할 수 있는 이상향을 그려낸 것이다. 현실보다 정신을 좇는 성향에 맞는 것이다. 그러나 그런 세상에 어느 정도 다가갔는지는 비관적이다. 실현되지 못했다. 역시 그것은 이상이었지 현실세계는 아니었다.

오히려 대동은 엉뚱한 곳에 쓰여 왕실에서는 기피하게 되지 않았을까. 선조 때 유생 정여립(鄭汝立)이 실현하려고 했지만 후에 역적으로 처단됐다. 대동사회가 역적의 이념이 된 것이다. 그의 '난(亂)'은 조작된 것이라는 설도 분분한데, 그의 사상은 천하공물설(天下公物說. 천하는 공물인데 어찌 일정한 주인이 있으랴)로 당시로는 혁신적인 것이었다. 그는 대동사회를 표방했지만 하사비군론(何事非君論. 누가 임금인들 어떠랴)이 걸리고 말았다. 그는 같은 유교였지만 조선왕조의 정신적 지주였던 성리학의 일편단심 불사이군(不事二君) 가치관을 벗어난 것이다. 또 백성이 임금보다 중요하므로(民重君輕) 왕위계승은 혈통보다는 자격여부가 중요하다고 강조했고, 요(堯)·순(舜)·우(禹)로 이어지는 왕위의 선양(禪讓)을 이상적인 모범으로 간주했다. 이는 봉건왕조의 기본적 가치관의 하나인 군신강상론(君臣綱常論)을 부정하는 것으로서, 당시로써는 받아들여질 수 없는 역모에 해당했다.

정여립은 경연에서 이이(李珥)를 공격할 정도로 패기만만한 유생이었는데 결국은 사단을 일으키고 말았다. 《실록》에는 그와 관련된 기사가 2백75건, 〈이순신(李舜臣) 240〉보다도 더 화제를 뿌린 인물이다. 아름다운 시 사미인곡(思美人曲)을 쓴 정철(鄭澈)의 조사로 1천여 명 이상 처형

됐다고 한다. 그러나 억울한 사람도 많았던 듯하다. 1백여 년이 흐른 다음에 숙종은 그때 처형된 부제학 이발과 응교 이길의 태어난 마을에 정문을 세우도록 허가했다.

정여립도 현대에 와서는 영국의 크롬웰(Oliver Cromwell)에 견주어 '동양 최초의 공화주의자'라고 불리기도 한다. 민족주의 사학자 신채호(申采浩)는 그의 사상을 들어 "동양의 위인"이라 칭송했고, "전도된 가치를 바로잡고 불평등과 차별의 세상을 뜯어고치고자 온몸으로 현실에 부딪힌 진보적 지식인, 선진적 사상가, 민중 개혁가였다"라고 재평가했다.

그래도 대동의 이상은 살아 있었다. 실학자 이익(李瀷)은 대동풍속을 이루려면 각자 분수를 지켜야 한다고 했고, 최한기(崔漢綺)는 구성원 개개인의 사회적인 자각이 대동사회 구현의 필수요건이라고 했다. 이후에도 대동정신은 민중 속에 연면히 이어 내려오고 있다.

지금은 어떤가. 시민단체 학생 등 대동을 차용하는 사람들이 많다. 그러나 대동의 대전제인 대도(大道)는 접어두고 경제적 평등에 치중하는 경향이 있다. 현재의 대동은 '다 함께 잘 살자'는 것이다. 그러나 하·은·주 이후에 그런 사회가 실현된 적이 없지만 꾸준히 추구해 우리 의식 속에 그대로 살아 전승돼 내려오고 있음이다. 향약에 담긴 마을공동체 정신은 그에서 잉태된 것이다. 대동계는 농촌 마을에 최근까지도 존재했다.

일본 규슈(九州) 어느 마을은 원생의 부모가 실직을 하면 유치원비를 받지 않는다. 복직을 하면 다시 내고. 서로 믿음으로 그렇게 한단다.

다른 사람이 불평하지 않는단다. 대동사회에 한발 다가선 것일까.

분배 평등과 대동 근래 들어서는 이념가들이 문제를 복잡하게 만든다. 그들은 모든 문제를 이념의 틀에 맞추려 한다. '평등'은, 한편은 기회균등으로, 다른 편은 '균등분배'로 분화됐다. 부의 평등, 분배의 균등은 지향하지만 달성하기 쉬운 일은 아니다. 개발시대엔 파이를 우선 크게 해놓고 분배하자 했는데, 그게 제대로 되지 않아서 불신을 낳고, 지금 갖가지 큰 후유증을 앓고 있다. 개발과 동시에 사후의 분배에도 관심을 두었다면 지금과 같은 반목과 분열은 겪지 않아도 되었을지 모른다.

임금을 적정수준으로 지급하지 못하는 상황에서는 후불제와 성과급제를 혼용하면 공평할 수 있었을 것이다. 서부영화에서는 목장주가 소떼를 이동할 때, 출발하며 목적지에 도착해서 팔면 얼마를 주겠다는 약속을 하고 출발한다. 입도선매(立稻先賣)는 계약재배로 위험을 매수자가 지지만 저들은 수익도 위험도 공유하는 것이다. 우리도 그렇게 하면 기업에 대한 정부의 특혜도 관련자가 모두 공유하게 될 것이다. 현재는 소유자가 정부의 특혜를 독식하는 제도다. 기업의 소유와 분배를 평등하게 하지 못해서 사단이 벌어진다. 기업의 이런 소유제도와 분배제도에서는 평등분배가 이뤄질 수 없다.

지금은 생산을 많이 하면 빈부 격차만 심해지니 생산증대보다 '분배 평등'이 더 중요하다고 보는 사람들이 있다. 용어가 '분배 평등'보다는 '균등 분배'가 적절할 것 같다. '분배 평등'이라고 하면 계급사회가 연상된다. 그들은 생산증대도 '분배 균등'이 이뤄져야 돈의 순환이 원활하게 돼 가능하다고 주장한다. 성장론을 역으로 푸는 것이다. 현재는 '소득성장론'이란다. 소득을 늘려주어야 소비가 기업의 수요로 환수되어 기업이 성장하게 된다는 이론을 정책방향으로 잡았는데 큰 실험이다. 실효는 두고 봐야 알 일이다. 외국에서는 실패한 시도라고 한다.

평등의식 속엔 시샘이 작동한다. 시샘은 나보다 남이 잘될 때 일어나는 감정이다. 나와 그가 같으면 소득이 적어도 시샘이 일어나지 않는다. 질투심이 발동하면 남이 잘되는 것을 두고 보지 못한다. 배고픈 것은 참아도 배 아픈 것은 못 참는다는 시샘의 심리다. 질투의 노예가 되면 그 관계를 의도적으로 깨려 한다. 그에서 공산주의식 평등이 나온 것일 수 있다. 공산주의를 대동사회와 동일시하는 견해가 있는데 출발부터 다르다.

문제는 차이가 날 때 그 원인이 타당하냐를 따지느냐, 원인은 따지지 않고 차이가 나는 결과만 보느냐다. 타당한 원인이 있더라도 분배는 또 다른 원칙을 살리는 분배원칙을 세우느냐가 문제다. 대동사회는 능력 있는 사람이 없는 사람을 자발적으로 도와주는 것이고, 누구나 성심을 다하고, 타자와 나를 동일시하는 도덕성을 보인다. 강제하는 것도 아니고 권리로 주장하는 것도 아니다. 그곳은 대도(大道)의 사회다. 공산주의는 사람이 가야 할 대도(大道)나 도덕은 무시하고 그 결과만 탐하고 자발적이 아니라 강제적으로 이루려 한다. 강제로 이루려니 힘으로 빼앗게 된다. 우리의 좌파 정당은 연수원에 '대동사회'를 벽보로 써 붙여 놨다지만 정작 대동사회를 어떻게 이해하고 있는지는 의문이다. 대도는 생략하고 분배평등에만 매달리면 대동과는 거리가 멀다. 도의 실현은 생각지 않고, 재화를 공유, 노동의 결과(이익) 전체를 공동 향유한다는 주장이면 대동정신이 아니다.

그런데 그들뿐이 아니다. 근래 기독교의 한 목사는 강론에서 '하느님의 나라는 대동세상입니다. 모두 함께 모여 같은 천막 안에서 밥을 먹는 것이 대동입니다. 모두가 함께 밥을 먹는 세상이 되면 굶주리는 사람도 없고 버림받는 사람도 없는 그런 나라가 하느님의 나라요, 또한 하느님의 나라는 하느님께서 다스리시는 나라이기에 함께 밥을 먹는 세상이 가능하겠지요. 하느님께서는 우리가 바로 이런 정신을 가지고 하느님 나라 구현에 앞장서기를 바라고 오늘의 가르침을 주십니다' 했단다.

대동의 정신은 지금도 연면히 이어지고 있다. 그러나 좌파가 그것을 차용함은 구도가 안 맞는다. 뜻이 다르다. 같은 듯하면서 본질적으로 다른 것이다. 대동계가 있는 곳이 있지만 대동정신은 사라졌다. 대동정신이면 양극화 해소에 도움이 될 것이다. 그러나 어려운 과제다. 양극화는 완전히는 해결되지 않을 것이다. 그래도 그곳을 향하여 달려갈 것이다. 그 동력을 어디서 찾아야 할 것인가. 미국에선 부자나 서민들이나 기부행위가 활발해 공(公)적으로 해결 못하는 상당 부분을 해결한다고 한다. 민주주의의 세 기둥 중 하나인 박애정신의 실천 같다. 대동정신도 그 박애정신에 못지않은데 우리는 왜 그런 서로 보살피는 문화가 발달하지 못했을까.

우리는 인정이 물 흐르듯이 흘러넘치는 인정의 나라였다. 인정이 정체성처럼 돼 있었다. '인정의 나라' 아니었나. 대동정신과 불교의 자비가 합작해서일 것이다. 그 인정의 세계에 민주주의까지 도입되고 보면 양수겸장을 넘어 입체화가 꽃피어야 할 상황인데, 실제는 점점 각박해지고, 삭막해진다. 증오가 넘치고, 분노가 끓으며, 반목의 칼에 피를 철철 흘리는 꼴이니.

이게 무엇인가. 민주주의 바람을 터고 들어온 자유가 난장을 침인가. 탐욕이 만개하여 그 독소를 흩날림인가. 전에도 인정이 꽃피는 다른 편에선 수탈 착취가 만연했다. 내달리는 사람은 앞만 보지 옆을 보지 않는다. 때문에 사회적 갈등은 해소되지 않고 심화된다. 부의 축적이 일천해서 나눠줄 것이 없어서가 아니다. 가난은 가난한 자가 안다. 그러나 한국 부자 중엔 명품 사치품엔 돈을 펑펑 쓰면서 굶는 이웃은 나 몰라라 하는 사람이 많다. 민주주의 전에도 서구사회에선 재능 있는 젊은이를 부자가 지원하는 예가 많았다. 세계적인 예술가나 사상가가 그렇게 길러진 것이다. 우리도 자기를 숨기고 이웃을 돕는 사람들도 있다. 인정과 갑질은 공존하는데 문제는 모든 사람들의 가슴 속에 숨어 있는 갑질이다.

우리는 민주주의가 들어오고 양극화가 심해지고, 큰 부자가 생기고는 세상이 삭막해졌다. 희망과는 반대로 간다. 천민(賤民)자본주의로 흐른다는 탄식도 많이 나온다. 누가 그렇게 만드는가. 공자는 '나라를 갖고 집을 가진 사람은 적은 것을 걱정하지 않고, 고르지 못한 것을 걱정하며, 가난한 것을 걱정하지 않고 편안하지 못한 것을 걱정한다(有國有家者, 不患寡而患不均, 不患貧而患不安.《論語》)'고 했다. 균분이 치세의 요체임을 설파한 것이다.

그러나 《실록》에는 이 문제가 거의 거론되지 않는다. 그런 문제에 관심이 없었음이다. 자유 경쟁 때문이 아니라 원천적으로 그런 의식이 희박했음이다. 공자에게서도 배우지 못했음이다.

의좋은 형제

옛날, '의좋은 형제는 개암도 반쪽씩 나눠 먹는다'고 했다. 개암은 산에서 나는 콩알보다 약간 큰 과일이다. 고소한 맛이 있어 어린 시절 아이들이 산에 올라 따먹곤 했다. 그 콩알만 한 것을 나눠 먹는 것이다. 나는 6살 외손녀가 있는데 껌이나 과자가 하나뿐이면 반으로 잘라서 나에게 먼저 준다. 누가 가르치지도 않았다. 천성은 그렇게 아름다운 것인가. 그런데 왜 어른이 되면 달라지는가. 욕심이 자라서인가.

형제가 여러 명 있는 집안에서는 과자나 과일이 생기면 제일 큰 아이에게 주고 나눠 먹으라고 한다. 대개 똑같이 나눠 먹는다. 그래 말썽이 일어나지 않는다. 더러 힘센 아이가 많이 차지하려고 하면 다툼이 일어난다. 아이들의 나누기를 보면 두 가지 방법이 있다. 하나는 크고 작고에 관계없이 똑같이 나누는 것이다. 그러면 문제가 발생하지 않는다. 또 한 방법은 큰 아이는 많이 갖고, 작은 아이는 적게 갖는 것이다. 이때 작은 아이가 '형은 크니까 많이 가져' 하면 말썽이 나지 않는다. 그러나 형이 '나는 크니까 너희들보다 많이 갖겠다' 하면 말썽이 난다. 그러면 나누기가 어려워지고, 말이 많아지고, 싸움이 벌어진다.

지금 어른들이 싸우는 이유도 비슷하다. 대개 내 손의 떡은 작아 보이고, 남의 손에 있는 떡은 커 보인다. 공평의 문제에서 아이들만도 못한 경우가 많다. 공부도 할 만큼 한 어른들이 나누기로 지독하게 싸운다. 세상의 많은 다툼은 나누는 문제로 생긴다. 노사분쟁이 대표적이고, 그밖에도 분배문제로 싸우는 단체들이 많다.

나눔은 자기가 먹고 나머지를 주는 것이 아니다. 자기도 부족한 것을 아껴서 나누는 것이 더 정겹다. 밥이면 밥을 나눠 먹고, 죽이면 죽을 나눠 먹는 것이다. 옛날엔 입만 가지고 다니는 과객이 많았는데 그런 마음 덕분에 가능했다. 그들은 돈이 없어도 전국을 떠돌아다닐 수 있었다. 그 낭만을 최대한 누린 사람이 김삿갓. 그러면서 얼마나 아름다운 시를 많이 지어냈나. 지금은 어림없는 일이다. 아름다운 풍습의 전통이 사라진 것이다. 2차 대전을 배경으로 한 영화의 한 장면, 패퇴하는 독일군 장교 세 사람이 기차를 타고 가는데 먹을 것이라곤 빵 하나. 그들은 그 빵을 넷으로 똑같이 나누어 하나는 데리고 가던 개에게 주었다.

지금은 나눔이 아니라 요구해서 받는 것이다. 많이 요구해야 많이 받는다. 강제된 나눔은 빼앗는 것이나 마찬가지다. 자발적인 나눔은 줄어들고, 나눔을 강요하며 다투기까지 한다. 선출직 고위직에 선택된 후 내놓는 기부는 흐뭇함도 감동도 일어나지 않는다. 오히려 씁쓸하다. 감투를 사는 것이나 마찬가지 같아 보여서다. 옆 사람의 눈치를 보면서 쌈지를 여는 사람들에는 박수가 적다.

물신주의 황금만능주의 시대가 되고는 나눔의 아름다움이 많이 줄었다. 아귀다툼을 벌이기도 한다. 상속되는 돈이 많은 형제일수록 분쟁이 일어난다. 탐욕은 형제간의 우애도 앗아간다. 돈은 요물인가. 특히 자유화가 되고는 탐욕이 커질 대로 커져서 나누기가 어려워졌다. 어떤 원칙의 나누기를 해도 자기 몫이 적으면 분란이 일어난다. 옛날, 어떤 형제는 금덩이가 생기자 강물에 던져버렸다. 그로 인해 다툼이 일어 형제애가 사라질 것을 예방한 것이다.

그래도 TV의 모금행사에는 많은 사람이 참여한다. 자발적으로 하는 사람들이다. 익명으로 하는 사람들도 많다. 아직 아름다운 전통이 살아 있음이다. 그러나 기부와 분배는 다르다.

빈부(貧富)의 통로

'부잣집 마당을 쓸게.' 옛날 한 동리에서 끼니를 잇지 못할 정도로 가난한 사람이 마을의 훈장을 찾아갔다. 훈장은 마을의 현자였다. 동리 사람들은 어려운 문제가 있으면 찾아가 자문을 구하곤 했다. 훈장은 그가 무슨 일로 찾아왔는지 알고 먼저 말한 것이다. 그 빈자는 아무 말 없이 훈장집을 나와 부잣집에 가서 마당을 쓸었다.

부자는 시키지도 않았는데 그가 왜 와서 마당을 쓰는지 안다. 시키지도 않은 일을 한다고 나무라지 않고 부인에게 쌀을 내다 주도록 한다. 이 가난한 사람과 훈장과 부자는 말을 안 해도 서로 상대의 속내를 잘 알았다. 소통이 잘 된 것이다. 가난해도 동냥은 하기 어렵다. 그가 마당을 쓸고 부자가 노동의 대가라는 구실로 쌀을 줌은 서로 자존심을 구기지 않고 문제를 해결한 것이다. 지혜로움이었다. 그리고 마을공동체의 인심, 부자의 금도, 가난한 사람의 근면, 공동체 정신이 한 폭의 아름다운 그림을 그린 것이다. 부자와 빈자가 상생하는 아름다운 모습이다.

　이와 비슷한 예는 옛 미국에도 있었단다. 벤자민 프랭클린이 자서전에서 전하는 이야기다. 우리는 '가난은 나라도 구제하지 못한다'고 했지만 옛 마을공동체는 서로 도우면서 해결했다. '대동'정신의 작은 실천이다. 물론 그 가난한 사람은 일을 열심히 해도 가족이 중병이 들었다든가 하는 불가항력적 사실이 인정돼야 한다. 노름이나 게으름을 피운 경우에는 해당되지 않는다. 그때도 굶는 아이는 구제를 해준다. '네가 무슨 죄랴. 부모를 잘못 만난 죄지.' 그리고 아이들에겐 밥을 주어 배고픔을 덜어준다.

　그런데 양극화문제가 대두되고는 가난의 원인을 따지지 않는다. '똑같이 나누자(분배평등)' 한다. 이유 불문하고 '가난한 사람은 죽으란 말이냐', '좀 나눠 먹자' 한다. 심하면 '부자의 재산을 가난한 사람에게 나눠주자' 한다. 반강제가 된다. 타의(他意)가 되면 도덕적 기반은 와해된다. 위험한 양상이 벌어질 수도 있다.

　부자와 빈자의 관계엔 몇 가지 유형이 있다. 계층 간 직접 통로가 아니고 서로를 어떻게 보는가이다. 친·반의 관계는 상조·배척의 관계로 이어진다. 나는 나, 너는 너의 무심한 관계에선 부자 때문에 내가 가난하게 된 것은 아니라는 사실을 알면 부자를 대하는 태도가 달라질 것이다. 좋은 관계는 '나도 부자가 되고 싶다', '나도 부자가 될 수 있다' 하는 것. 부자에게 호감을 갖고 있으면, 부자에게서 부자 되는 방법을 배우려 할 것이다. 더 적극적으로는 어떤 인연을 맺으려 할 것이다. 부자를 쓰러트린다고 내가 부자가 되는 것은 아니라는 사실을 알게 될 것이다.

문제는 둘 사이에 통로가 막히면 '너는 영원한 부자', '나는 영원한 가난뱅이'로 나뉘어 계층 단절이 되는 것이다. 이때는 부자를 적으로 여겨 욕하고 돌을 던질 것이다. 가장 나쁜 관계다. 부자라면 쌍심지 켜고 비난하고, 욕하는 사람들은 영원한 빈자로 남으려는 사람들 같다. 그들은 시기심을 넘어 적대감을 보인다.

그에는 부자들의 책임도 절반은 된다.

부자는 나눌 줄을 모르는 수전노로 치부되기 쉽다. 소설가가 만든 '스쿠르지'는 탐욕의 상징이다. 《실록》엔 실재했던 수전노가 소개돼 있다. 지중추부사 김인손(金麟孫)의 졸기다. '김인손은 성품이 추솔하고 인색하였는데 조정에 있은 지 40여 년 동안 일컬을 만한 일은 한 가지도 없었다. 시세에 따라 아부하여 좋은 벼슬을 얻었고, 만년에는 함경감사가 되어 많은 화물을 김안로(金安老)에게 보내어 환심을 샀다. 김안로는 이를 매우 고맙게 여겨 병조판서로 추천하였는데, 정부로 옮겨 오면서 점차 용사(用事, 권력을 장악)하기 시작했다. 김안로가 실각할 때에 이르러는 16년 동안 산직(散職)에 있었다. 젊었을 때부터 늠록(廩祿)을 쓰지 않고 모두 모았으며, 모든 궤견물(饋遣物)은 반드시 썩을 때까지 두었다가 먹을 수 없게 된 연후에야 땅에다 버렸으니, 옛날 수전로(守錢虜)란 김인손 같은 자를 두고 한 말이 아니겠는가.'(명종 7년. 1552.8.14)

법은 그에 공정한 개입을 하지 못했다. 준비가 안 된 것이다. 해서 불행한 빈부관계가 됐다. 일제의 앞잡이 노릇을 했던 파락호를 비롯해서 해방 후에 적산을 위력으로 차지한 사람들, 전쟁 중에 교묘한 기계

(奇計)로 남의 재산을 편취한 악질범들, 정경유착, 금권유착의 부정부패…. 그 졸부들은 물욕의 노예가 되어 방자해지기까지 했다. 옛날 정당하게 치부한 부자들이 보이던 금도는 알지도 못했다. 빈부관계 악화는 최악으로 치달았다.

개발시대엔 떡고물이라는 현상이 생겼다. 좋게 보면 일종의 나눔이고, 주는 측에서는 준조세로 생각했다. 새로운 치부현상이기도 했다. 권력이 개입하면서는 부정부패 덩어리가 됐다. 찬연한 산업화에 따른 부산물이다. 그에는 부정부패기 뒤따랐다. 그게 쌓이니 적폐가 됐다.

이때 산업영웅이 나타났다. 개천에서 난 용들이다. 그들 중에는 각고의 노력과 비상한 아이디어로 정당하게 부를 창조한 자수성가형이 있었다. 반면, 불법축재자는 떡고물과 부패와 동거했다. 옥석을 가릴 수 없었다. 빈부는 묘하게 얽히기 시작했다. 한편으론 적의를 가지면서, 또 한편으론 그 식구가 되려는 이중성의 욕망이 커진 것이다. 사회엔 반기업정서가 팽배했지만 대기업에 몰리는 취업준비생들은 치열한 경쟁을 치른다. 그들의 의식은 친(親)과 반(反)의 모순 속으로 빠져든다. 사회의 반기업정서는 사라지지 않고, 그리로 향하는 선망의 대열도 그치지 않는다. 공적으로는 반(反), 사적으로는 친(親)의 관계다. 그 일원이 된 사람은 인생 도약의 기회를 맞는다.

쇠가 쇠를 먹는다

오래전에 노동운동가에게서 들은 말이다. '쇠가 쇠를 먹습니다.' 노동자끼리 헐뜯고 싸우는 모습을 그렇게 설명했다. 지금은 그들끼리의 싸움이 더 노골화됐고, 치열하다. 제도적으로 싸움의 길을 터줬다. 복수노조를 허용하는 제도를 채택했으니. 저 복수노조의 공영방송 사원들이 싸우는 모습은 적대적이다. 같은 노동자라고도, 같은 식구라고도 할 수 없다. 노영방송이 되니 주인 없는 회사나 마찬가지다. 그들이 주인 되는 싸움을 벌이는 것일까.

노동자가 노동자와 싸우고, 경영자가 경영자와 싸우며, 한국인이 한국인끼리 싸우는 예가 얼마나 많은가. 요즘 그런 싸움이 부쩍 더 느는 것 같다. 교사가 교사와 싸우고, 학생이 학생과 싸우며…. 정치인은 원래가 싸움꾼들이라 젖혀놓고. 검사가 검사와 싸우며, 판사가 판사와 싸우는 데 이르면 어처구니가 없다. 검사가 검사의 손에 포승줄을 걸고, 판사가 다른 판사의 컴퓨터를 뒤지며 노한 얼굴로 막 싸우는 모습은 참담하다. 특히 요즘 검사들은 목숨을 걸어놓고 싸우는 듯하다.

물론 내부의 적이 더 무섭다. 불법 검사, 불법 경찰, 타락한 판사를 법으로 단죄하는 일은 장한 일이다. 그들은 악질이다. 척결해야 한다. 그들은 그들이 척결해야 한다. 그들은 조직배반자다. 미국 영화에선 그런 내부의 적과 싸우는 주제가 많다. 우리도 생겨난다. 더 철저히, 더 엄하게 다스려야 한다. 칭찬해 주어야지 폄하할 일이 아니다. 대의가 친친(親親)의식에 앞서는 모습은 장하다.

그러나 조직이 부패했을 때는 그랬지만 지금은 양상이 다른 것 같다. 과거엔 자기 식구라고 감싸주어 문제가 됐지만 지금은 정치성향 정치적 입지 때문에 서로 싸우는 것 같다. 그들 조직에 정치가 들어가서는 안 된다. 공조직에 정치개입은 그야말로 극복해야 할 적폐고 폐습이다. 적어도 그들은 대의(大義), 공의(公義)가 생명이어야 한다. 그들은 공(公)을 명분으로 들지만 정치개입은 사적 동기다. 대의를 버림이다. 옛날엔 '인간적으로 감싸는' 동류의식으로 대의를 버려 문제였는데, 지금은 정치가, 사적 출세욕이 대의를 버리게 만든다?

지금 그들끼리의 싸움은 속내를 정확히 알지 못하는 형편에서는 쉽게 단정할 수 없다. 그런데 검사는 자살까지 했다. 다른 권력기관 직원들에서도 자살자가 나왔다. 그들의 조직은 공조직으로서는 죽은 것이나 마찬가지 아닌가. 자유로운 공인인 언론인들도 저희들끼리 육탄전을 벌이다 살인까지 했다. 같은 회사 기자들끼리다. 그게 공의(公義) 때문이었을까.

인간사가 좋게 말해 생존경쟁이지 실제는 생존투쟁이다. 사는 게 투쟁이다. 인간이 왜 싸우나 하고 탄식할 일은 아니다. 인간은 원래 싸우는 존재다. 너무 심하게 싸우면 동물에 가까워진다. 영국의 철학자 홉스(1588~1679)가 말한 '자연상태'는 만인이 만인과 싸우는 동물적 상태다. 성경에도 나오는 레비아탄의 세계. 그것을 극복하자는 것이 문명이다. 이게 인간이 너무 많아져서는 아닐까. 인구과잉이 적폐?

인간의 싸움에는 대의를 내건 장엄한 싸움도 있고, 탐욕에 얽매인 비열한 사투(私鬪)도 있다. 비장한 싸움도 있다. 참 안타까운 싸움도 있다. 쇠가 쇠를 먹는 싸움이 그렇다.

개천에서 난 용들이 그 동료로부터 배척을 당함을 보면 인간의 비정(非情)을 느끼게 된다. 정주영은 흙수저 중의 흙수저였는데 대성공을 했다. 자수성가 인간의 표본 같았다. 장엄하고 아름다웠다. 그런데 그가 대통령에 출마했을 때 다른 흙수저들은 그를 지지하지 않았다. 보통이라면 동료가 대성공을 했으니 자랑스럽고 편을 들어주어야 마땅한 일이다. 물론 대통령은 평가기준이 각기 나름대로 다를 수 있다. 달라야 한다. 정치적 판단은 동류의식으로 편을 들어주어서는 안 된다. 편(偏)의식에 차 있으면 안 된다. 다른 판단기준을 가져야 한다. 정치의식이 사적감정을 초월하는 것이라면 장한 일이다. 그래야 한다. 유유상종(類類相從)을 뛰어넘는다면 장한 일이다.

그런데 그들은 편의식에 차서 반대편에 섰다. 편을 가르려면 차라리 그편에 서지. 그 후에도 그런 인물들이 환영받지 못한다. 흙수저 중의 흙수저로 성공의 표본사례 같은 사람들이 있지만 동류의 지지를 받지 못한다. 정치인뿐 아니라 학자들도 마찬가지다.

그들의 편가름에서, 성공한 노동자는 노동자가 아니다? 물론 아니다. 왜? 그들은 인간 자체가 달라졌는가. 그래서 갈라서는가. 그들의 소원(疏遠)이 어느 쪽에 원인이 있는 것인지는 알 수 없다. 사람은 가변적이다. 한때 동류였다고 해도 사람이 변하면 달리 대할 수 있다. 그게 그들의 옹졸함, 질투심 때문인지, 그의 변심 변화 때문인지는 모른다. 그게 질투심 때문이라면? '제가 언제 적부터 재벌이라고' 하는 마음이라면 슬픈 일이다. 그게 아니고 '그는 우리의 표상이다. 그를 본받자'하면 차라리 감동적이고, 아름답지 않았을까. 그러나 그런 관점이 아닌 것 같다. 인지상정을 초월하는 그들은 아름답다? 성숙한 시민이다? 어느 것일까.

흙수저 출신으로 성공해서 편향된 이념에 속하지 않는 사람들이 있다. 학자들 중에도 있고, 정치인 중에도 있다. 돋보인다. 그들이 돋보인다. 그러나 세상은 요상하다. 성공한 좌파 속엔 강남좌파가 많고, 보수 쪽엔 흙수저 출신이 많다. 어느 경우에나 간지(奸智)는 작동하지 말아야 한다. 간지가 승하다가 나라가 망한 역사를 되풀이해서는 안 될 것이다.

노동자 세상

노동운동가들의 희원은 무엇일까. 그들의 파업 현장에서 물결치는 피켓 속의 '노동자 세상'은 어떤 세상일까. 아마도 사는 방식, 가치관, 도덕성, 인간미 등 총체적으로 문화의 질에서 큰 변화를 보이지 않을까. 우선 노동의 개념과 관습 자체가 바뀔 것 같다. 가치체계가 바뀌고. 나라 자체가 딴 나라 같이 될지도 모른다.

그런데 그들은 같은 한국인인가. 노동자라고 뚝 떼어서 별종의 인간으로 볼 수 있는가. 지금 행태를 보면 가치관이나 사고방식이 같은 것도 같고 다른 것도 같다.

노동자 출신이 대통령이 되면 '노동자 세상'이 될까. 그러나 그들의 노동자는 다른 것 같다. 그들의 '노동자 세상'은 노동자 출신으로 성공한 과거의 노동자가 아니라 현재의 노동자(운동가)를 의미하는 것 같다. 노동자 출신으로 경영자가 돼 크게 성공, 대통령이 된 사람을 그들은 반기지 않았다. 노동자 편으로 보지 않기 때문일 것이다. 따지고 보면 노동자 농민으로서 감동적인 성공을 한 대표적인 사례지만 그들은 과거를 보지 않고 현재만을 본다. 성공한 노동자를 그들의 대표로 본받으려고 안 한다. 그는 노동자의 영웅이 아니다.

20세기를 지배한 이념대결의 결판은 핵폭탄에 의해서도 아니고, 경제력만도 아니고, 궁극적으로는 문화의 힘에서 결정 났다. 정직, 신뢰, 인권, 상호 배려, 공정, 도덕적 규율(규범)…. 인간의 보편적 가치가 질적으로 달랐다. 위력을 발휘한 경제력 차이도 일하는 방식, 결국은 문화의 차이에서 온 것이다. 승자 편의 문화가 절대우월하다는 의미는 아니다. 그들의 문화 역시 도전을 받는다. 자유경쟁으로 인한 피로도, 말초적 자극의 과잉, 이익지상, 과욕, 배타성, 특권의식, 우월감, 부정, 부패, 독선, 부도덕…. 그렇다고 노동자가 도덕적 우월성을 갖는 것은 아니다. 오히려 더 저급한 예도 많다.

'노동자 세상'을 도덕성과만 연관시킴은 적절치 않다. '노동자 세상' 은 세상을 '가진 자 세상'과 '못 가진 자 세상'으로 갈라치기 해서 그들의 세상으로 만들겠다는 정권적 차원 같다. 숨어서 반정부 투쟁을 하던 어떤 단체는 "좋은 세상이 되면 좋은 차, 좋은 빌딩 모두 우리 것이 된다"고 했단다. 하지만 세상을 일도양단할 수는 없다. 세상은 함께 어울려 살아간다. 다른 층이나 편을 쳐내면 그들 안에서 다시 새로운 층과 편이 생길 것이다. 그게 인간세상이다.

사실은 노사 동질이 많다. 같은 의식인 것이다. IMF사태가 벌어져 금융구조조정이 한창일 때 노동자대표(노조)들은 대통령에게 자기들 소유의 은행은 '특별히 봐 달라(살려 달라)'는 청을 했었다. 금융계의 구조조정원칙을 적용하지 말고 예외를 인정해달라는 것이었다. 사용자들이 '산업 견인(牽引)'이라는 구실로 종종 들고나오던 조세금융특혜 요구와 다름이 없었다. 사용자들은 기회 있을 때마다 조세·금융특혜를 요구했다. 정부도 그들의 국가경제 견인이라는 명분에 동의, 그 요구를 들어줬다. 그 특혜로 그들은 급성장했지만 그 과실을 종업원들과 함께 나누려는 의식은 없었다. 특혜의 독점은 불공평, 불공정한 일이다. 그게 노사에 균등하게 주어졌다면 현재와 같은 극렬한 노사분쟁은 일어나지 않았을 것이다.

사용자들의 달콤한 유혹은 립 서비스에 그쳤다. 땀 흘릴 때는 '너', 과일을 딸 때는 '나'였다. 동고만 했을 뿐, 동락은 없었다. 종업원을 주인은커녕 '머슴'으로 하대했다. 헤어질 때는 냉정하게 근로기준법에 따른 최소의 퇴직금을 주고 만다. 막대한 정부 지원으로 급성장해서 지은 고층빌딩을 뒤로하고 나오는 노동자들뿐 아니라 그 후배들도 열불이 났을 것이다. 개발시대, 옛 '대동(大同)정신'이 발현된 듯 노사가 한 덩어리가 돼서 신바람을 내며 땀으로 기적을 이루며 함께 맛보던 감격과 환희는 사라졌다. 그들은 정부 특혜의 과실을 독식, 독점했다. 그들의 창의도 컸지만, 무어니 무어니 해도 그들의 성장은 정부의 지원이 절대적이었다. 창의력도 정부가 내준 것이 많다.

노사가 증오와 갈등, 분노로 대립하게 된 단초가 거기서 열린 것 아닌가.

그런데 양측은 독점·독주·독단의 성정이 같다. 사용자가 '내 뜻대로' 하니까 노동자도 '우리 뜻대로' 한다. 힘이 세지니까 '경영 같이 하자', 아예 '경영권 내놓아라', 최종적으로 '회사를 내놓아라' 하는 곳도 있다. 그게 이치를 따지기보다 힘으로 결판이 나니까 힘으로 싸우게 된다. 그렇게 해서 성공하는 곳도 나오고 있다. 자본주로서는 공포일 것이다.

　노동자들은 정부에 경영자 특혜에 버금가는 직접적인 특혜를 요구할 수 없으니까 경영자들에게 희생과 성장의 대가를 요구한다. 정부는 확고한 원칙을 세우는 것이 아니라 이념성향에 따라 이리 기울고 저리 기울고 하니까 노조도 정치성향을 띄게 된다. 정부에 특혜를 요구하는 모습에서 둘은 동질이다. 같은 얼굴이다. 의식이나 사로(思路)가 같은 것이다. 노사 위치를 바꿔놓으면 지금 상대가 하는 대로 할 것이다. 정치권의 여야처럼. 결국 한국인은 같은 것이다. 노동자 출신 경영자가 노동자에게 특별히 잘 해주는 것도 아니다.

　'노동자 세상'은 궁극적으로는 '노동자 천국'을 노리는 것인데 그것은 노동자 전체의 세상이 아니라 '노조 세상'이 아닐까.

구휼(救恤)과 복지

균배(均配)와 일시동인(一視同仁)

'고르게 나누어줌(均配)'과 '고르게 나누어 배치함(均排)'은 어떻게 다른가. 균배(均排)가 균배(均配)보다 한 걸음 더 나가는 것 같다. '배치를 한다'는 것이다. '나누어 줌'은 주어버리는 것인데 배치를 함은 사후관리까지 한다?

《실록》에 〈균배(均排)〉기사는 1건인데 〈균배(均配)〉는 없다. 균배는 중앙 관리가 한 곳에만 머물면 폐해가 크니 고루 머물러야 한다는 취지의 문제가 제기된 것이다. 복지나 구휼과는 전연 다른 문제다. 여하튼 '고루'라는 의식은 심어줄 것이다. 이 경우에 '고루'는 더 절실할지도 모른다. 주는 것은 덤으로 얻는 것이고, 부담을 지는 것은 빼앗기는 것이다.

일거리를 고루 나누는 것과 시혜로서의 베품을 똑같이 하는 것(一視同仁)은 다르다. 관에서 부역을 고르게 하는 것과, 구휼을 똑같이 하는 시혜는 다르다. 부역은 내 노력을 바치는 것이고, 구휼은 도움을 받는 것이다. 조선에선 공공의 일을 백성의 노력으로 충당해서 부역을 균등하게 하는 문제가 종종 도마 위에 오른다. 징발하는 사람들이 마음대로 하면 큰 폐해를 줄 수 있기 때문이다. 부역은 일종의 세금이다. 항상 원망의 대상이 돼 왔다.

한편 구휼은 다르다. 자존심이 있는 사람은 구휼을 바라지 않는다. 남을 돕는 봉사를 하지 공짜로 얻기를 바라지 않는다. 그러나 옛날엔 자력으로 먹고살 수 없는 사람들이 많았다. 흉년이 들면 굶어죽는 사람들이 많아서 구휼정책은 대단히 중요했다.

왕조의 복지는 베푸는 것이다. 일시동인(一視同仁). 한유(韓愈)의 시 《원인(原人)》에 나오는 '성인은 하나로 보고 똑같이 사랑하며(聖人一視而同仁)'라는 말에서 유래하는데, 조선 조정에서도 인용해 썼다. 《실록》의 기사는 모두 66건인데 명 황실이 화외(化外)를 구분하지 않고 일시동인해 주시니 감읍한다는 식이다. 세종의 경우 명황에게 표를 올릴 때 "삼가 넓으신 도량으로 포용하심을 만나, 일시동인(一視同仁)하사 큰 것으로 작은 것을 사랑하시와, 항상 보우(保佑)하심을 특별히 돈독히 하사 옛것이 새로워지고, 능히 교화를 널리 펴시와 드디어 이 잔약한 자질로써 특별한 은혜를 입게 하셨나이다"는 식이다(1428.7.25).

문종 때 중국 사신이 가지고 온 칙서에는 "'짐(朕)이 삼가 천명(天命)을 받아 중화(中華)와 이적(夷狄)에 군주(君主)가 되어 일시동인(一視同仁)하여 먼 지방과 가까운 지방에 간격이 없었다'고 했다(1450.8.3).

국내에서도 세종은 백성을 대함에 있어 "나의 일시동인(一視同仁)하는 뜻"이라고 하여 백성을 똑같이 사랑할 것임을 분명히 한다.

세조는 즉위 3년 신년하례를 받고 "영원히 천명(天命)에 부합(副合)하여 소사(昭事)의 정성을 능히 다하고, 일시동인하여 관대한 은택을 널리 편다"고 하고, 3개항의 시책을 하달한다. 1. 경외(京外)의 문무백관들에게 각기 한 자급(資級)을 더하고, 천제 및 종묘의 춘향대제(春享大祭)와 예고제(預告祭)에 제사지낸 여러 집사들에게는 또 한 자급을 더하며, 당상관 및 자궁인(資窮人)에게는 〈다른 사람에게〉 대신 한 자급을 더하고, 종친은 족친 중의 1인을 자원에 따라 한 자급을 더한다. 2. 노인은 또한 송도(松都)의 예에 의거해서 한 자급을 더하고, 도성의 노인과 성균관·사부학당(四部學堂)의 학생에게는 포(酺)를 내려 준다. 3. 고신(告身)을 수취한 사람에게는 죄의 경중에 따라서 되돌려 주도록 한다(1457.1. 15).

일시동인은 대동의 정신이기도 하다. 복지의 개념이 광범했던 것임은 틀림없다.

환과고독의 구휼

옛날엔 개인의 생활 향상과 행복은 개인의 문제였다. 그러나 지금은 사회적으로 해결하려고 한다. 어려운 사람을 돕는 것과 복지는 개념이 다르다. 옛날엔 구황 구휼의 구제였다. 굶어 죽을 상황에 놓인 사람을 살려내는 구제활동이 주였다. 환과고독(鰥寡孤獨 : 홀아비, 과부, 고아, 독거노인)이 주 대상이었다. 이에 반해 복지는 생활을 향상시켜 행복을 느끼게 해주려 한다. 누리는 것을 좀 더 풍부하게 하려 한다.

그러나 구휼과 복지의 선이 분명치는 않다. 복지는 구휼에서 시작된다. 구휼은 역사가 깊다. 옛날부터 구휼은 국가의 주요 기능이었다. 제도적으로는 역사 깊은 복지국가였던 셈이다. 《실록》의 〈환과고독〉 기사는 1백43건인데 〈구휼〉이 1만6백38건. 환과고독 외에도 구휼이 광범하게 이루어졌음이다. 환과고독 구휼제도는 신라시대부터 조선이 망해가던 때까지 시행됐다. 이 제도는 맹자가 전한 바로 주나라 문왕이 했다는 정책을 그대로 이어 실천한 것이다. 흉년이 들고, 전염병이 돌아 백성이 극도로 피폐해진 때를 대비해서 그런 구휼제도가 시행됐다.

구휼과 복지는 같은듯하지만, 지금은 구휼은 시혜고, 복지는 권리화하고 있다. 환과고독을 우선해서 구했음은 유교국가의 정체성이 나타남일 것이다. 바로 효제(孝悌)사상과 장유유서(長幼有序)사상을 실천하는 것이다.

그러나 지금은 장유유서가 뒤집힌 시대가 됐다. 복지의 기준은 달라졌다. 노인이 배움과 존중의 대상이 아니라 배척과 멸시의 대상이 되는 속에서 환과고독의 개념은 사라졌다. 노인복지에 신경을 쓰는 것은 사실이다. 기초연금을 계속 올려준다. 그러나 노인도 조직에 속하는 노인과 무소속의 노인은 다르다. 연금제도가 그렇다. 관(官) 우대, 세력 우대의 정신이 노골화됐다. 공무원, 교사, 군인 등 관조직 소속의 노인들은 퇴직 후에 상당 수준의 연금을 받는다. 그들은 연금기금이 부족하면 정부예산을 전용해서 일정한 수준을 유지시켜 준다. 그들의 복지수준은 궤도에 올랐다. 노후 보장이 되는 것이다.

그러나 사기업의 직원과 일반국민(지역)이 가입하는 국민연금은 그들과 천양지차다. 급여수준이 공조직에 비해 1/4, 1/5 수준이다. 완전 관존민비(官尊民卑)다. 그런 의식에서 만들어진 것임이 분명하다.

복지는 전쟁이다. 누가 자기 몫을 차지하느냐. 관이 제일 유리하다.

우선 자신들의 몫부터 챙기기 때문이다. 다음은 기타 힘 있는 조직, 표와 연결될수록 유리하다. 그것도 저것도 인연이 없는 일반 국민이 제일 불리하다. 그런 면에서는 환과고독을 일순위로 챙기던 옛날이 오히려 훨씬 인간적인 것 같다.

지금은 자존심을 버린 시대라서일까. 공짜의 구휼로 라도 많이 받기를 바란다. 복지국가를 지향하면서 생긴 현상이다. 공(公)의 것은 차지하는 사람이 임자다. 옛날엔 구호대상이면 어린 학생도 그 사실을 밝히지 않고 숨기려고 했다. 그러나 지금은 다르다. 차지하지 못하는 사람이 바보다. 시골에서 본 일인데 어느 학생은 구호대상을 부끄러워하기는커녕 '우리는 국가에서 먹여 살리는 집안이다'라고 자랑했다. 아마 부모에게서 들은 것 같았다. 그런데 그 집은 자가용이 있었다. 그에게 국가재산은 차지하지 못하는 사람이 바보일 것이다.

구휼이 폭넓은 재난을 대상으로 하는 것이라면 구황(救荒)은 기근 흉년 등 대상이 뚜렷하다. 〈구황〉기사는 7백42건. 구휼에 비해 1/15 정도다. 그러나 〈구휼정책〉기사는 1건인데 비해 〈구황정책〉은 9건이다. 구황이 복지정책의 주종이 아니었나 추측된다.

선조는 구황에 소홀한 담당을 크게 꾸짖기도 했다. "이런 때는 조정의 상하가 마땅히 백사를 제쳐놓고 구황정책을 강구해야 할 것인데도 위로는 공경사대부로부터 아래로는 시골 백성에 이르기까지 주식(酒食)을 허비해가면서 태연하게 잔치를 즐기고 있다. 그리하여 주려 죽은 시체가 들녘에 널려 있는가 하면 한편에서는 마치 풍년이 든 해와 같이 가무하는 인파가 길거리를 메우고 있으니 매우 온당하지 않다. 헌

부로 하여금 일체 금단하도록 하라."(1581.3.22)

구휼과 사회복지

사회적으로 불행한 사람, 낙오자는 언제나 있게 마련이다. 일반적인
낙오층은 환과고독이고, 전쟁이나 가뭄 같은 급변상황으로 기아(飢餓)
층이 생겨나기도 한다. 그들은 구황(救荒)의 대상이 된다. 구황은 임시
변통책이다. 구휼에서도 최악의 상황에 놓인 사람들이다. 자구(自救)의
능력이 없는 사람들이다.

근원적인 문제는 왜 누구는 그런 그악한 빈곤의 상황에 놓이게 되고
누구는 그 반대상황, 풍부한 상황에 놓이게 되는가다. 평시엔 자구노
력을 독려한다. 근검절약(勤儉節約)이 그 키였다. '큰 부자는 하늘이 내
고, 작은 부자는 근면하면 얻을 수 있다(大富由天 小富由勤.《明心寶鑑》).' 큰
부자든 작은 부자든 그 층은 평균 이상이고, 문제는 그 이하다.

현종(顯宗, 1659~1674) 때의 일이다. 신하들이 상소했다. "재변을 사라
지게 하는 방도로는 덕을 닦는 것만 한 것이 없습니다. 덕을 닦는 일이
야말로 하늘의 견책에 응하는 근본입니다. 그 가운데는 또 절목이 있
으니, 형벌을 줄이고, 세금을 적게 거두어들이며, 몸소 근검절약하는
일이 가장 긴요한 일입니다. 반찬 가짓수를 줄이는 등의 일들도 말단
적인 것입니다."(1661.1.11)

정조 때 대사간 김한동(金翰東)이 상소했다. "훌륭한 덕을 갖춘 열성(列
聖)께서 몸소 근검절약을 실천함으로써 백성을 교화하여 풍속을 정립
시키고자 함이었습니다."(1796.11.19)

그러나 조선에선 그 문제에 관심이 거의 없었다. 《실록》에 〈근면성실(勤勉誠實)〉에 관한 기사는 단 1건, 〈근검절약(勤儉節約)〉은 2건이 올라 있을 뿐이다. 〈근로〉는 1백86건, 〈근면〉은 3백64건. 관심이 보이기도 한다.

광해군(1608~1623) 때, 공홍 수사(公洪水使)가 장계하였다. "안흥 첨사(安興僉使) 이은종(李殷宗)은 몸가짐이 청렴 근신하고, 일 처리에 근면 성실하여, 군대와 백성을 잘 다스려 오로지 국사에 힘쓰고 있으니 특별히 장려하여 후인을 권장하소서."(1615.8.7)

백성이 잘살게 하는 시책에는 소홀했던 데 비해 구황에는 비교적 신경을 많이 썼던 셈이다. 구황은 당장에 죽고 사는 문제이니 사정이 급박했던 때문이었을 것이다. 근본을 보고 문제를 해결하는 데는 그때도 소홀했던 것 같다.

지금은 그 근면성실 근검절약이 사라진 것 같다. 사람이 편해지려고 하는 것은 인지상정일 것이다. 웬만큼 살게 됐으니 좀 편하고 잘 먹고 잘살기를 바랄 수 있다. 해서 노동자들도 단결해서 임금인상 근로시간 축소를 위한 투쟁을 벌일 수 있다. 산업화시대에 피땀 흘리던 전통의 근로정신이 그곳에 나타남인가, 그 투쟁도 가멸차다.

문제는 복지의 적정선인데 그 기준은 것은 사람에 따라 다르다. 문제는 최대의 성과를 거두고 최대의 복지를 누리려고 하느냐, 성과는 묻지 않고 최대의 복지만 추구할 것이냐. 성과는 궁극적으로 생산성에 달린 문제인데 반영되는 것 같지 않다. 근로조건 개선도 복지의 문제다. 그들의 투쟁은 복지에 편중돼서 인간의 보편칙(普遍則)을 넘어서서 억지 수준으로 치닫는 것이 아닌가 해서 빈축을 사기도 한다.

5장
집단행동을
충동하는
떼창

'여러 사람의 입은 쇠도 녹인다(衆口鑠金)'

최고(最古) 최고(最高)의 문제해결 방식

지금 우리나라에서 사회문제를 해결하는 가장 효과적인 방법은 여러 사람이 모여 한목소리로 외치는 집단행동, 데모다. 노동조합 등 이익단체, 시민단체, 지역단체, 정치단체들이 모두 애용한다. 그래 수많은 단체가 생겨났다.

여기서 두 가지 문제점을 발견할 수 있다. 하나는 협의와 토론, 협상, 법으로 문제를 해결하지 않고 힘으로 해결하려는 것이다. 데모는 다중(多衆)의 힘이다. 법적 절차보다 다수의 물리적인 힘으로 밀어붙이는 것이다. 타당성 합리성을 논리적으로 따지는 것이 아니다. 우리는 자유민주국가가 된 지 70년이 됐어도 똑같다. 물론 법적으로는 노동3권(단결권·단체교섭권·단체행동권), 표현의 자유(학문과 예술의 자유), 결사 집회의 자유(집회 및 시위에 관한 법률) 등이 보장된다. 민주화의 덕이다. 그러나 준법이나 토론과 표결(다수결)에 의한 평화적인 방법은 뒤로 밀린다. 그것을 민주주의의 신성한 권리, 최고의 민주적 방식으로 안다. 협의과정을 무시하고 결론을 내려 행동에 나선다. 데모는 문제해결의 맨 마지막의 민주적 수단인데 처음부터 데모로 시작한다. 최고지도자들은 그런 절차와 방법을 따르지 않고 힘의 나침판을 좇는다.

다중의 문제가 아니고 개인의 문제는 공적이든 사적이든 법에 의한 해결을 많이 모색한다. 고소 고발이 얼마나 많은가. 광장은 데모군중으로 차고, 법정은 고소 고발인으로 찬다.

또 하나의 문제점은 그들의 주장이 백 퍼센트 관철되기를 노리는 것이다. 조정과 타협, 다수결을 배제하고 완전 승리를 노리는 것이다. 일방적이다. 완전승리는 내 의견이 100% 통하고, 너의 의견은 완전 무시하는 것이다. 데모는 완전 승리를 노려 상대의 항복을 요구하는 최후통첩과 같다. 데모대의 귀는 상대의 말은 들으려 하지 않고 인수(人數)의 힘으로 밀어붙인다. 냉철한 이성이 작동하지 않는다. 옳고 그름을 따지지 않는다. 상대의 입장이나 주장, 이설(異說)은 완전 무시한다. 그들은 거대한 절벽이 된다. 때문에 제3의 창조적 길이 나오지 못한다. 독선 독점 독단에 빠진다. 독선, 독단은 독재로 통한다. 그들에겐 승리냐 패배냐가 있을 뿐이다. 광장에선 주장만 있고, 토론은 없다.

왕조시대에도 그렇게는 안 했다. 여러 의견이 분출하는 경우, 임금은 흔히 말한다. "의논해서 결정하시오." 어느 면에선 의사결정 방법이 지극히 일방적인 요즘보다도 더 민주적이었다.

그들의 집단행동 행태는 비슷하다. 막대기(죽창) 들고, 머리띠 매고,

유니폼 입고, 플래카드와 깃발을 높이 든다. '문화행사'로 시작, 율동으로 분위기를 부드럽게 하지만 끝내는 난폭해진다. 촛불은 그 양식을 바꾼 것 같다. 진일보? 그러나 그 앞에서는 공권력도 무력하다. 충돌하면 최후의 승자는 그들이다. 악지가 센 집단의 힘은 공권력의 힘보다 세다. 개인의 경우에도 목소리 큰 사람이 이기는데 집단이 한목소리를 내면 그 힘이 얼마나 세겠는가. 거리와 광장에 그런 투쟁이 넘친다. 점점 늘어난다. 분위기가 살벌해진다. 투쟁은 증오와 분노, 불화와 반목을 부른다. 이해와 양보, 절충은 사라진다. 양보와 타협의 감동을 모른다. 유교국가인 우리는 전통적으로 사랑과 관용(仁恕), 인의(仁義)를 제일의 가치로 알고 추구하며 살아왔는데 왜 이렇게 됐을까. 전통문화와 민주문화의 접목이 잘못된 때문인가. 더 근원적인 요인도 있을 것이다. 그것은 문화로 밝혀야 한다.

이런 현상은 양편에 원인이 있다. 말로 안 되니까 행동으로 나오는 것이다. 작은 소리로 문제를 제기하면 당국은 귀 기울여 듣지 않는다. 대화의 통로가 막히는 것이다. 불통인 것이다. 그들은 절벽을 느끼고 마지막으로 강구하는 방법이 데모다. 데모도 난폭할수록 효과가 있다. 집단행동은 점점 발전해서 아예 문제를 제기하는 방식, 절차가 돼 있다.

왕조의 백성은 문제 제기도 잘 못했는데 민주화로 자기욕망이 눈을 떠 자기주장을 하기 시작했다. 그런데 민주화의 여러 절차와 원칙을 따르지 않는다. 그 방법을 모르고 습관이 안 됐기 때문이다. 근원적으로 민주훈련이 안 된 때문이다. 단지 자기권리만 알고, 상대의 권리는 인정을 않는다. 둘을 같이 놓고 해결의 길을 모색하지 않고 '나'의 길만 일방적으로 달려간다. 그래 자기주장을 하기 시작하면 물러설 수가 없다. 관철해야 한다. 자기주장의 표현방식이 점점 거칠어지게 마련이다. 당국은 옛 의식 그대로다. 공(公)이 아니라 관(官)의 힘을 믿고 버틴다. 전 시대엔 왕에 따라서, 목민관에 따라서 소통의 통로가 열리기도 하고 막히기도 했는데 왕은 현군(賢君)보다 암군(暗君)이 많았고, 지방관들은 목민의식이 없었다. 극단적 상황에 몰린 백성은 입을 다물고 참지만은 않고 저항했다. 《실록》에는 〈민란〉 2백52건, 〈반란〉 6백98건의 기사가 보인다. 〈역모〉도 8백56건. 관민 간 물리적 충돌이 잦았음을 알 수 있다.

민주화 후도 집단행동이 잦음은 그런 전통과 맥이 닿아 있는 것이 아닌가. 민주화로 의식의 부조화가 심해지니까 소통이 안 되고, 그럴수록 데모는 격렬해진다. 힘이 역전되니까 양상이 달라진다. 데모가 최고권위가 된다.

여기서 관민의 공통점은 지나치게 자기중심적인 것이다. 자기중심으로 이해하고, 자기중심으로 요구하는 것이다. 자기 정당성만 보인다. 그래 타협이 어렵고, 충돌하고, 격렬해진다. 타협을 찾지 못하고 승패를 겨룬다. 의회정치 제도가 마련됐지만 협의 토론 표결(다수결)의 절차가 원만하게 진행되지 않음은 그 때문이다. 민주주의가 성숙하지 못한 것이다. '너'와 '나'를 동일 선상에 놓고 보면 문제해결에 임하는 태도와 방식이 달라질 것이다. 결국 평등의식의 문제다. 그게 반세기를 넘어도 똑같다. 민주주의가 문화로 숙성되지 못했기 때문이다.

민주화가 제대로 기능하려면 상당한 훈련, 숙성노력이 필요하다. 그런데 그것은 하지 않았다. 모두 '나'의 민주화에만 매달린 것이다.

한 예로 소통부족은 한편의 책임이 아니다. 커뮤니케이션 오류는 말하는 측에도 원인이 있을 수 있고, 듣는 측에도 책임이 있을 수 있다. 대개 격렬한 데모는 커뮤니케이션 오류 때문이 아니다. 소통 자체가 안 된다. 그들은 귀는 닫고 외치기만 한다. '대화하자'가 아니다. '내 요구를 들어라', '내 주장대로 하라'다. 결국은 '항복하라'다. 일도양단(一刀兩斷)의 태도다. 야당은 '여당의 독주로 소통이 안 된다' 하고, 여당은 '야당이 발목을 잡아 국정운영이 어렵다'고 한다. 그들은 자기만 있고, 상대는 없다. 자기주장이 관철되지 않으면 '민주화' 깃발을 들고 외친다. 상대나 제삼자의 의사 권리 자유 침해는 안중에 없다. 그런데 여가 야도 되고 야가 여도 되는 자리바꿈을 해도 달라지지 않는다. 새 여당은 전 여당이 하던 소리 하고, 새 야당은 전의 야당이 하던 소리를 한다. 천지개벽을 해도 정치지도자들은 '민주화'가 되지 않는다. 의식의 변화가 따르지 않기 때문이다.

원인은? 아무래도 민주화의 오접(誤接) 같다. 의식은 달라지지 않았는데 제도를 고치니까 갓 쓰고 양복 입은 꼴이 됐다. '민주화'를 외치는 사람들은 민주의식화가 된 사람들이 아니라 '나'가 더 강한 사람들이다. 더 비민주적인 사람들이다. 문민 대통령들은 더 권위적이었다. 이들의 민주주의는 절름발이가 될 수밖에 없었다.

민주적 문제해결 방식이라면 '우리, 말로 의논해서 서로 이익이 되는 방법을 찾아보자' 할 것이다. 이것은 꼭 민주적이다 아니다로 볼 문제도 아니다. 상대를 존중하는 정신이라면 옛날에도 상대의 소리를 경청했다. 그런데 권위적 민주화 기수는 상대를 존중하지 않았다. 그러니까 충돌이 잦고 싸움이 그칠 날이 없었다. 민주화란 상대를 존중하는 것이다. 상대 존중은 유교의 정신이다. 유교의 두 기둥, 인(仁)과 서(恕)는 민주주의의 법적 평등관계보다 상대 존중과 관용의 정신이 더 높다. 민주주의 제도가 이와 결합하면 진정한 평등이 이루어져 더 높은 경지의 민주화가 될 수 있을 것이다. 우리는 민주주의를 아름답게 꽃피게 할 수 있는 정신적 토양을 가지고 있음이다. 그런데 이를 살리지 못한다. 오히려 민주가 극렬해지니까 반민주가 되는 역설을 낳고 있다. 민주도 전통도 살지 못하게 된 것이다.

원인은 있다. 막강한 군사정부를 밀어내려면 그보다 더 강한 힘이 필요했다. 집단의 힘은 절대적이다. 그런 힘이 아니면 언론의 자유, 결사의 자유, 집단행동의 자유, 표현의 자유, 알 권리를 쟁취하기 어려웠다. 국민 다수가 역사의 변곡점을 만들어낸 것이다. 국민의 아름다운 승리다. 3.1운동, 4.19, 6.29의 정신이 이어 내림이다.

그런데 주인공이 된 민주화세력은 전의 권위정부 행태를 닮아간다. 의식이 같기 때문이다. 민주화세력은 별종의 인간이 아니다. 같은 '우리'다. 집단행동으로 시민요구의 힘이 강해지다 보니 상대적으로 공권력은 약해진다. 공권력은 국민 다수의 뜻으로 만들어진 것인데도 더 강한 힘에 밀린다. 폭력이나 공무집행 방해를 막는 힘도 무력해진다. 대의를 통해 다수의 의지로 만들어진 법이 공동체의 질서를 지키는 방패의 역할을 하지 못한다.

집단행동은 전 국민적인 관심사도 있고, 소집단의 이해문제도 있다. 때문에 공동체 전체(국가)의 이익과 충돌하는 경우가 많으며 그럴수록 과격해진다. 시민뿐 아니라 민의의 전당인 국회의사당에서까지 그런 행동을 벌인다. 민의의 전당이 난폭해지는 것이다. 언어폭력도 폭력이다. 의식(意識)은 그대로인데 제도만 앞섰기 때문이다. 그들은 소수가 투쟁해 이기려면 과격해야 한다고 정당성을 주장한다. 국회를 토론의 장이 아니라 투쟁의 장으로 만든다. 다수를 따르는 것(다수결)이 아니라 힘으로 이기려는 것이다. 정치 양극화가 벌어진다. '민주화' 대 '반민주화'. 국회는 의논의 장이 아니라 대결의 장이 된다.

소수가 다수를 밀어낸다면 민주적인 방식은 아니다. 왜 소수가 자기 의견을 백 퍼센트 관철해야 하는가. 왜 소수가 이겨야 하는가. 국민 의사는 어떻게 되는가. 소수가 악지의 힘으로 이기려 함은 바로 독재의식이다. 그게 사적 탐욕을 위한 것이라면 공익(국가발전)을 위한 독재보다 더 악질이다. 다수(국민)에게 이익을 주는 독재(?)라면 어떻게 평가할 것인가.

우리는 민주주의 이전에도 소가 대를 거스르지 않는 것을 순리로 여겨왔다. 국가 사이의 사대(事大)주의는 소국으로선 벗어나야 할 굴레지만 국내에 적용하면 민주적이다. 강대국에 순치(馴致)된 우리는 다수결 원칙을 수용하기가 쉬울 수도 있다. 다수를 강자로 치환하면 된다. 그러나 우리는 집권층이나 시민측이나 똑같이 자기중심적, 권위적, 독선적이다. 서 있는 위치만 다를 뿐 의식은 동질인 것이다. 우리 민주주의는 뒤죽박죽이다. 전통문화와 민주문화는 가닥이 너무 꼬인 것 같다.

민주주의 기초를 다시 쌓는 작업이 필요해 보인다.

집단행동의 싹

우리의 집단행동 역사는 삼국시대로 거슬러 올라간다. 신라시대 '해가(海歌)'에 있는 이야기다. 성덕왕(聖德王, AD 702~737) 때 강릉 태수로 임명된 순정공(純貞公)이 임지에 부임하러 가는 길이었다. 절세의 미인인 그의 부인(수로)과 함께 동해 바닷가 임해정(臨海亭)에 다다라 점심을 먹고 있을 때, 바다 거북이가 나와 부인을 끌고 바닷속으로 들어가 버렸다.

순정공이 어찌할 바를 몰라 땅을 치다가 주저앉았다. 아무런 대책이 없었다. 이때 마을의 한 노인이 나타나 그에게 고했다. 전날 수로부인에게 벼랑에 핀 꽃을 꺾어다 바치며 헌화가(獻花歌)를 부른 그 노인 같았다. 전날, 그 일행이 잠시 쉬려고 바위 언덕 아래 멈추고, 그 부인이 가마에서 나오자 절세미인인 그를 보기 위해 사람들이 '구름처럼' 모여들었다. 부인은 바위 절벽 위에 자줏빛으로 흐드러지게 피어 있는 철쭉을 감상하다가 그 꽃이 갖고 싶어져 그들에게 꺾어다 달라고 했다. 그러나 절벽이 너무 가팔라서 청년들도 나서지 않았다. (지금 삼척에 그 기념비가 세워져 있는데 그렇게 가파르지 않다.) 이때 소고삐를 잡고 가던 한 노인이 나와 위험을 무릅쓰고 꽃을 꺾어다 바치며 노래를 불렀다. 그 노인은 용감할 뿐 아니라 지혜롭기도 했다. 그 노인이 다시 말했다.

"옛사람이 '뭇사람의 입은 쇠도 녹인다(衆口鑠金)'고 했으니 바다 속의 짐승이 어찌 여러 사람을 두려워하지 않겠습니까. 여러 사람을 모아 노래를 부르면서 막대기로 언덕을 치면 부인을 찾을 수 있을 것입니다."그리고 그 자신이 협박조의 노래를 부른다(海歌).

거북아 거북아 수로부인을 내 놓아라(龜乎龜乎 出水路)

남의 아내를 약탈한 죄가 얼마나 크냐(掠人婦女罪何極)

네가 만약 패역해 수로부인을 내놓지 않으면(汝若傍逆不出獻)

그물을 던져 잡아서 구워 먹어버리겠노라.(入網捕掠燔之喫)

순정공이 그 노인의 말에 따라서 주변 사람을 다 모아 함께 노래 부르고 막대기로 땅을 치니 거북이는 간담이 서늘했는가, 부인을 받들고 나와 바쳤다. 주변엔 그 부인을 보기 위해 많은 사람들이 모여 있다가 수로부인을 구하는 목적의 집단이 된 것이다. '여러 사람의 입은 쇠도 녹인다.' 얼마나 자극적인가. 거북이는 여러 사람이 단결해서 같은 행동을 하는 집단에 겁먹었을 것이다. 집단행동이 문제를 해결한 것이다. 보이지 않는 힘이 대단한 위력을 발휘했다. 일시적으로 모인 집단이지만 문제를 해결하려는 목적의식이 생겨 통일된 행동을 보인 것이다.

'중구삭금'이란 말은 이후 최치원(崔致遠)의 《계원필경집(桂苑筆耕集)》, 이색(李穡)의 《목은집(牧隱集)》, 이곡(李穀)의 《가정집(稼亭集)》 등 문집에도 등장한다. 일반에서도 쓰이고 있었음이다. 그러나 《실록》엔 한 마디도 보이지 않는다. 왕실의 화제에 오르지 못한 것이다. 《승정원일기》에는 한 번 나오는데 영조조의 주석에서다. 일반 도서에는 간혹 보인다. 민간 부문의 말로 전해져 오고 있음이다. 이 사건이 실제 사람들의 의식에 영향을 미쳤을까.

몇 가지를 추측해 볼 수 있다. 하나는 다수가 모이면 위력적이라는 사실이다. 개인으로서는 해결할 수 없는 일도 다수가 모이면 해결된다는 의식이 자랄 수 있었을 것이다. 또 하나는 큰소리로 외치면 힘이 돼서 이긴다는 사실이다. 여러 사람이 한목소리를 내면 위력적이 된다. 또 협박이 통한다. 협박은 무시무시해야 한다. 그러면 칼 같은 직접적인 물리력을 동원하지 않아도 이긴다는 사실이 입증된 것이다.

이런 집단행동(시위)이 이뤄지려면 몇 가지 조건이 갖춰져야 한다. 하나는 리더가 있어야 된다. 위 예에서는 노인. 그는 젊은이도 하지 못하는 벼랑 위 꽃을 꺾어다 바칠 정도로 지혜와 용기가 있고, 충성심(?)이 있는 사람이다. 그 아이디어도 그가 냈다. 그는 절대적인 리더다. 그의 지휘로 움직이는 사람들은 그 노인의 지시를 따르기만 하면 됐다.

현대의 데모도 그런 요소를 갖고, 비슷한 행태로 이뤄진다. 광우병 촛불시위는 그 노인의 역할을 TV방송이 했다. 그 노인보다도 더 위력적인 리더다. 그들이 보도하는 대로 대중은 움직였다. 그것이 사실이냐의 여부를 따질 계제가 아니었다. TV방속국은 절대적인 신뢰를 받는 언론기관이다. 개인들은 그 방송 이상으로 사실에 접근해 사실 여부를 판단할 능력이 없다. 그대로 믿으면 된다. 그런 집단행동은 대통령의 기를 꺾는 데 성공했다.

'중구삭금'이란 말은 현재 쓰이는 예가 별로 없다. 풀어서 속담으로도 안 쓰인다. 옛날에 쓰인 것은 언제부터였을까. 순정공 이야기는 단순히 전설 같은 설화가 아니라 주인공 이름까지 명백하니 실제로 벌어졌던 사건일 것이다. 바다거북이 사람을 잡아갈 수는 없고, 그게 해적 같은 사람, 가면을 쓴 사람일지도 모른다는 추측도 있다. 사람 사이에 일어났던 일이라면 실감이 더해져서 우리의 의식형성에 영향을 미치고 있음이 아닐까.

그때 이미 '예부터'라고 했으니 그 말이 생긴 것은 훨씬 오래전이었을 것이다. 그 '옛날'이란 1천여 년 전. '중구삭금'이란 말을 처음 쓴 사람은 중국 초나라의 정치인이자 시인인 굴원(屈原)이란다. 중국 단오절의 유래가 된 그는 BC 3세기(B.C 343~ 290 추정) 사람이고, 순정공 사건은 AD 8세기에 벌어졌으니 천년 이상의 시차가 난다. 신라에 언제 들어왔는지는 분명치 않다. 원래의 뜻은 '뭇 간신의 입은 쇠도 녹인다'였다는데 전해지면서 '여러 사람의 입은 쇠도 녹인다'로 변질, 여론의 위력을 뜻하는 경구가 된 것 같다. 그게 신라에 들어와서 변질된 것인지 변질되어 들어온 것인지는 확실치 않다.

그 집단행동의 양식은 현대의 그것과 너무도 흡사하다. 다수가 모이고, 큰 소리로 같은 구호를 함께 외치고, 협박하고. 막대기로 땅을 구른다. 둘의 직접적인 관계나 영향은 생각할 수 없지만 잠재의식으로라도 이어지는 끈이 있을 것이라고 추측해볼 수는 있다. 지금 데모로 만사형통하려는 의식은 그때부터 자란 것이 아닐까.

공인(公人)의 데모

TV사극에 자주 나오는 장면으로 고려시대나 조선조시대에 궁정에서는 신하들이 집단으로 상소하는 예가 잦았던 것 같다. 해서 왕과 신하가 대립할 때는 위세를 과시하기 위해 대신들이 정전 밖으로 나가 연좌해서 꿇어 엎디었다. 한껏 목소리를 높여 같은 구호를 외치곤 했다. 다수의 인수(人數)라는 물리력으로 왕의 뜻을 꺾으려는 태도다. 지금의 장관급에 해당하는 판서, 당상관들, 심지어 '1인 지하 만인지상'인 영의정까지 참여, 여럿이 떼를 지어 궁정 뜰에 꿇어 엎디어 한목소리로 '불가합니다', '…하소서' 하는 고성의 집단상소는 말하자면 궁정데모, 공인의 데모, 지도층 데모였던 셈이다.

옛 왕들은 '묘당에서 의논하여 처리하라'는 지시를 많이 내린다. 그래도 '윤허' 안 한 것(6,335)이 한 것(1,134)보다 5배는 많다. 궁정데모가 많았을 것으로 추측되는 대목이다.

이것이 데모사(史)에서 징검다리 역할을 한 것이 아닐까. 대궐 앞의 집단상소는 '복합(伏閤)' 혹은 '소유복합(疏儒伏閤)'이라고 했다. 주로 유생들의 집단상소라서 그런 이름이 붙여졌던 것 같다. 여러 사람이 따로따로 비슷한 상소를 올리는 것과는 다르다. 다수가 함께 외치는 것과 개별 편지의 힘은 큰 차이가 있다. 개별 상소도 다수면 여론이 돼 큰 파장을 불러오지만 함께 외침은 영향이 훨씬 더 클 것이다.

왕은 지근거리에서 어제까지 국정을 함께 논하던 대신들이 안면을 바꾸고 국정논의의 장을 벗어나 뜰에 서서 외치는데 그 내용의 가부를 떠나 물리적으로 위축될 수도 있었을 것이다. 그런 데모는 국정문제뿐 아니라 죄를 지은 고관이나 왕족이 죄를 용서해 달라고 빌 때도 활용됐다. 궁전 앞에 거적 깔고 꿇어 엎디어 읍소하는 석고대죄(席藁待罪)다. 그들은 대개 단독이거나 관련되는 사람만이 참여하는 소규모였지만 때로는 큰 집단을 이루기도 했다.

당시 어전회의에서는 언로가 상당히 트여 있어서 격렬한 갑론을박으로 일의 옳고 그름을 따져 가장 타당한 방향으로 결론을 내리는 추세였다. 왕을 어린아이 훈육하듯 하는 상소도 있었고, 신하끼리 '저 사람을 죽이시오' 하는 극단적인 것도 있었다. 언론의 자유가 막강함이다. 더러는 과격한 상소를 하다가 역린(逆鱗)을 건드려 죽임을 당한 충신도 있었으나, 다수가 집단행동을 하면 왕이라도 쉽게 처벌하지 못했었던 것 같다.

언로가 그렇게 트여 있는 속에서도 지도층이 굳이 집단행동을 함은 그 위력 때문이었을 것이다. 임금과 신하의 의견이 대립, 타결이 되지 않으면 신하들은 그들의 뜻을 관철하기 위해 보다 강도가 높은 방법을 찾는 것이다. 왕권(王權)과 신권(臣權)의 대결인데 신하들은 집단을 만들어 행동을 통일, 임금에 맞서는 것이다. 정조의 선정이 다음 대에 이어지지 못한 것을 보면 신권이 막강했기 때문일 것이다. 그들의 집단상소 가운데는 암울하면서 고집이 센 임금이 그릇된 방향으로 가는 위험을 바로잡으려는 것도 있고, 반대로 자기들의 이익을 관철시키기 위해 바른길로 가는 임금의 뜻을 꺾으려는 것도 있었다. 숨은 의도다. 명분은 공명정대한 것이다. 그런 전통 때문인가, 근래에도 현직 국무총리가 데모에 앞장을 서는 일이 있었으니.

그렇다면 우리의 데모는 참으로 뿌리가 깊다고 할 수 있다. 데모는 백성이 아니라 집권층이 시작한 것이다. 지금도 우리 정치권에서, 혹은 집단투쟁 현장에서 자주 볼 수 있는 농성, 연좌, 단식 등도 그 의식의 연장선상에 있는 것이 아닌가. 지금은 데모가 문제를 해결하는 공식처럼 돼 있다. 표면상은 명분이지만 실질적으로는 힘을 과시함이다. 그 때문에 데모가 만연, 문제해결 방식으로 자리 잡게 됐을 것이다. 다른 방식으로 해서는 관심도 보이지 않는다. 일부 담당자는 윗사람의 주의를 끌려면 과격데모를 하라고 은밀히 부추기기도 한다. 물의를 일으켜야 주목을 받아서 문제가 해결된다는 함의가 담겨 있다. 반대를 하면, 물의를 빚으면 무엇인가 얻는 것이 있다는 의식이 자라게 됐을 것이다. 그 문제 자체의 타당성 여부를 떠나서 반대급부를 얻을 목적으로 관련자들이 모여 '반대'의 깃발을 들기도 한다.

그런데 상이한 노선의 두 집단이 맞서는 경우도 있어 사회 전반적으로 대립과 반목, 갈등과 분란이 확산된다. 최근의 촛불과 태극기의 대결이 그 예다. 이익이 충돌할 때 각기 집단행동으로 나서면 문제를 해결하기가 더 어려워질 것이다. 아무래도 이는 민주적도, 합리적도 아니다. 전통적도 아니다. 민주주의가 오용, 악용되는 예다. 민주주의가 옆으로 새는 예다.

지식인 데모

더 활발한 집단행동은 성균관 학생들이 보여줬다. 그들은 정부의 조치가 그들의 정의감에 어긋나면 들고 일어나 데모를 했다. 그때나 지금이나 정열적인 청년들은 정의감에 불타서 행동으로 나서는 것이다. 그 데모는 교실을 비우고 밖으로 나가 농성을 한다고 해서 권당(捲堂), 공관(空館), 공재(空齋)라는 이름이 붙여졌다. 《실록》에는 〈권당〉기사가 3

백93회, 〈공관〉 93회, 〈공재〉 28회 올라 있다. 매년 한 번씩 최고 학부의 학생들 데모가 열린 셈이다. 지성인들이니까 명분이 분명했지만 그들의 주장이 다 옳은 것만은 아니었다. 그들의 집단이익을 지키려는 사적인 동기도 작용한 것 같다. 영조 때(1727)는 탕평(蕩平)책을 반대하는 권당도 열렸다. 탕평책 반대가 꼭 그르다고만 할 수는 없다. 반대하는 선비들도 있었으며, 시중에서도 야유가 일기도 했다. 그래 '청맹권당' '호곡권당'이라는 야유를 받기도 했단다. 우리의 데모는 그 뿌리가 그렇게 깊은 것이다.

또 당대 최고의 지성인 유생들은 한 곳에 모이지는 못하지만 그에 못지않은 집단행동을 벌이곤 했다. 만인소(萬人疏)라는 연명상소다. 정조(正祖, 1792) 때 영남 유생 1만여 명이 사도세자(思悼世子)의 억울함을 풀어달라는 신원(伸冤)상소를 올린 것을 효시로 호남 강원도 등지로 번져나갔다. 실제로 만 명이 참여한 것은 아니지만 위력을 키우기 위해 그렇게 과장해서 이름을 붙인 것이다. 만인소는 국가의 존망이 풍전등화(風前燈火) 같던 조선 말기에도 재현된다. 후에 개화내각을 네 번이나 이끈 김홍집(金弘集)이 젊어서 일본에 수신사로 파견됐을 때 중국 외교관 황준헌(黃遵憲)이 쓴 《사의조선책략(私擬朝鮮策略)》을 고종에게 바치자 유생들이 '말 같지도 않은 책으로 조정을 어지럽히느냐'며 만인소를 올렸다. 그들이 거리에서 집단데모를 한 것은 아니지만 집단행위임에는 틀림없다. 이후에는 지방 유생들이 직접 서울에 올라와 궁성 앞에 모여 집단으로 시위를 했다. 본격 데모인 〈복각(伏閣)〉기사도 4백92건 올라 있다.

민간에서도 그런 집단이 형성됐는데 그것은 사람과 사람 사이가 아니라 사람과 하나님 혹은 귀신을 향하는 것이었다. 일본에는 '센닌바리(千人針)'라는 풍습이 있었다. 출정하는 군인의 무사 귀환을 기원하기 위해 천 명의 여자가 흰 천에 붉은 실로 한 바늘씩 수를 놓아 보내는 것이다. 그게 우리의 영향을 받은 것인지, 일본 풍습이 우리에게 전해진 것인지 알 수 없으나 우리나라에서도 일제 때 징발 당해 가는 청년들에게 마을 사람들이 그런 부적 같은 기념 물건을 만들어 보냈다. 붉은 실로 한 사람이 한 바늘씩 수를 놓은 것이다. 집단의 염원으로 문제를 해결하려는 의식이 자라서 우리들 마음속에 한 자리를 차지하고 있는 것이 아닐까. 1989년 요한 바오로 2세 교황이 한국을 방문했을 때 가톨릭 부인 교인들이 선물로 준비한 금의(錦衣)도 비슷한 발상이었던 것 같다. 소청은 아니고 환영의 정성을 보이기 위함이었을 것이다

현재의 데모는 민주화 후에 생긴 현상이 아님을 알 수 있다. 역사가 대단히 깊은 것이다. 그게 민주주의를 맞아 법적 보호를 받게 되니 상승작용을 해서 데모 천국이 된 것이 아닐까. 우리는 세계에서 데모가 제일 많은 나라가 아닐까. 대통령을 쫓아낸 촛불은 엘리트시대를 끊고, 집단지성의 시대를 연 명예혁명이라는데 광장의 지성이 민주주의의 아름다운 장미꽃을 피울 수 있을까. 우리 대중이 소크라테스를 죽인 그리스의 길을 답습하면 어떻게 될 것인가.

연면히 이어지는 전통

군자는 파당을 짓지 않는다(君子不黨)

민주화는 대중의 시대를 만들었다. 약한 개인이 다수로 뭉쳐 문제를 해결하는 방식은 민주적 문제해결 방식의 위업임에 틀림없다. 이해를 같이하는 집단이 하나로 뭉치면 당연히 힘이 세진다. 권력자나 부자 같은 실력자에게 단독으로 문제를 제기해서는 달걀로 바위 치기다. 오히려 더 불리해지기 쉽다. 그러니 같은 문제를 안고 있는 사람들, 비슷한 처지에 놓인 약자들이 힘을 합하면 위력이 세지고, 용기도 생긴다. 혼자서는 말 한마디 제대로 못 하던 사람도 군중 속에 들어가면 소리도 지르고, 욕도 하고, 팔뚝질도 한다. 강국에 둘러싸여 위기를 자주 맞는 우리는 '뭉치면 살고, 흩어지면 죽는다'는 교훈이 살아있다. 대개 외적을 앞에 두고 하는 말이지만 나라 안에서 문제를 해결할 때도 통한다. 그래 이해가 같은 사람들은 단결도 잘하고, 행동 통일도 잘 한다.

그러나 공자는, 군자는 무리 속에 있어도 파당을 짓지 않는다(君子, 群而不黨)고 했다. 군자는 약한 소시민과는 다르다. 군자는 도(道)와 의(義)를 따른다. 스스로 판단하고, 스스로 책임지고, 스스로 해결한다. 스스로의 판단으로 군중에 휩쓸리지 않는다. 그는 대중이 좋다고 해도, 싫다고 해도 잘 따져보라고 했다. 대중은 다 옳은 것이 아니다. 집단의 힘은 꼭 옳은 것만은 아니라는 함의다. 집단행동은 옳지 않을 수도 있다는 사실의 지적일 것이다. 맹자의 대장부도 마찬가지다. 집단을 이루기보다 스스로의 판단으로 정의의 길을 가서 문제를 해결하는 기풍이다. 군자 대장부는 개체의 독립성에 기초하는 민주주의에 더 적합할 것 같다.

그런데 군자, 대장부의 시대는 지나가고 대중의 시대가 왔다. 그들은 단결할 권리, 집단행동을 할 권리가 법적으로 보호받으니 얼마나 신날 것인가. 힘이 세지면 욕심도 커진다. 그들은 자신들의 복지증진에서 한걸음 더 나가 '노동자 세상'을 만들려 한다. 약자로서 가슴에 맺혔던 포원(抱冤)을 풀고, 꿈에 그리던 그들이 주인이 되는 세상을 만들고 싶은 것이다.

그러나 평화적인 데모는 힘이 약하다. 당국자가 그들에게 귀를 기울이지 않는다. 수(數)가 힘이다. 그들은 대규모로 모이고, 과격해져 간다. 드디어 그들은 다수를 모아 강자로 변신하는데 성공했는데 박근혜 대통령 탄핵에선 폭력을 버렸다. 문제는 그다음이다. 그들이 약자 때의 설움을 생각해서 약자에게 온정으로 대하는 것이 아니라 전의 강자가 약자에 대하던 독선 오만 독단 교만의 길을 답습한다면 개선은 없을 것이다. 사람만 바뀌어 '강' 대 '약', '갑'과 '을'의 관계가 지속되면 질적 발전은 없는 것이다. 그것은 대중의 약하기 때문일 것이다. 과욕, 자기중심, 타인을 능멸하는 성품이 그대로 작동한다면 세상은 그대로 일 것이다. 사람만 비꾸어 〈강〉-〈약〉의 관계가 지속된다면 평등이 이루어지지 않음이다. 한 편의 권리가 지나치게 커지면 공정사회, 질서의 나라가 깨진다.

집단행동을 가장 많이 하는 조직은 노조다. 법적으로 보호되어 만들기도 쉽고, 뭉치는 힘도 세다. 단결한 그들은 사용자보다 힘이 세진다. 약자를 보호한다고 만든 제도가 노사 간 힘의 균형이 아니라 힘의 역전을 초래한 것이다. 그들은 사용자와 대등하게 앉아 그들의 요구사항을 제시하고 사용자를 인수(人數)의 힘으로 압박한다. 경영자 위에 서려는 노조도 많다. 경영참여로 그들은 '을'이 아니라 '갑'이 되려 한다. 독일식의 노사 공동결정제도(감독위원회, 경영위원회. 독일도 기업규모나 업종에 따라 그 허용 폭이 다르다)는 채택되지 않았지만 실질적으로 경영의사결정에 막강한 영향력을 행사하는 노조도 많다. 특히 인사나 근무시간 조직개편 등에서 막강한 영향력을 행사한다. 공기업의 경우는 노사가 은밀한 협력관계를 맺기도 한다.

일부 강성노조의 예다. 그러나 강성노조는 선발대다. 다른 노조, 노조가 결성되지 않는 기업도 그들을 따라간다. 노조조직률은 10%도 안 된다. OECD평균은 17.5%, 미국은 11.3%, 일본은 19%. 최고로 핀란드는 69%다. 문제는 의사결정이 민주적 합리적으로 이뤄지느냐다. 그게 특수인들의 의사(私益)로 이뤄지는 것이라면 그것은 또 다른 독재의 힘일 뿐이다. 노조제도는 오픈 숍이지만 실질적으로는 유니온 숍(union shop), 클로즈드 숍(closed shop)도 있다. 이게 평등의 원칙에 맞는가는 의문을 살 수 있다. 더욱 도덕적 기반까지 약해서 몰염치로 간다면 살기 좋은 공평한 사회는 되지 못할 것이다. 끼리끼리만 강화될 가능성이 있다.

젊은이들도 강자가 약자에게 군림하는 의식선상에 있다. 그들 사회에서도 나보다 센 강자에 도전하지 않고 약자에게 군림하는 기풍이 만연해 있는 것 같다. 옛날의 폐습이 그대로 계승되어 오는 것이다. 오히려 갑질이 더 악화되는 곳도 있다. 언제부터인가, 학생 사회에서도 강자에 굽히고, 약자에게 군림하는 풍조가 퍼지기 시작했다. 그게 민주화 때문이라고 할 수는 없지만 폐습이 더 악화된 곳은 있는 것 같다. 민주주의의 평등은 여전히 먼 것이다.

또 다른 시위의 문제해결 방법도 있다. 시위는 시위인데 집단이 아니라 1인 시위다. 옛날엔 북이나 꽹과리를 쳤다. 수의 힘이 아니라 이성에 호소하는 것이다. 상대에게 이성으로 따져보라는 뜻이다. 신문고(申聞鼓)의 변종으로 왕이 궁궐 밖으로 행차할 때 길거리에서 북을 치면서 호소하는 격쟁(擊錚)제도다. 그 예를 추사 김정희(秋史 金正喜)가 두 번씩이나 보여준다. 우리나라 최고의 서예가이자 실학자인 그가 임금이 행차하는 길거리에서 꽹과리를 치면서 '억울하게 귀양 가 있는' 그의 부친을 풀어달라고 호소한 것이다. 왕실과도 연이 있는 명문인데 비밀통로를 통하지 않고 격쟁을 한 것이다. 집단의 힘이 아니라 정정당당한 길을 찾은 것 같다. 그 전통인가, 지금도 1인 시위하는 사람이 많으니. 《실록》에 〈격쟁〉은 2백45건이나 올라 있다.

전통과 민주의 결합

조선의 통치는 문치(文治)였지만 순수한 이성(理性)의 작동만이 아니라 다수라는 인수(人數)의 힘도 작용했다. 무력은 아니지만 물리력의 일종임에 틀림없다. 다수를 타당한 것으로, 합리적인 것으로 보았기 때문일까. 아니면 힘에 밀려서일까. 묘당(廟堂)에서 의논하라는 명령을 자주 내림은 왕권이 취약한 원인도 있을 것이다.

조선은 왕권과 신권(臣權)의 대립에서 왕권이 강했던 때보다 신권이 강했던 때가 많다. 어린 왕이 많이 등장했고, 지식면에서도 신하들을 당할 수 없었다. 성격이 유약하기도 했다. 그런데 의견의 대립이 극렬하니까 왕이 결정을 내릴 수는 없고 '의논하라' 했을 것이다. 그것은 좋게 보면 민주주의를 할 수 있는 토양이 마련됐다고 할 수 있을 것이다. 그런데 그게 각자의 양심과 소신에 의한 자유로운 토론이 아니라 특정 집단의 정치적 목적에 의한 집단상소로 나타나게 되니까 의논의 효를 살리지는 못한 것이다. '떼' 의식이 이미 그때부터 자란 것이 아닐까.

그들의 의견은 순수 지성에 의한 것이 아니다. 당쟁에서의 다수는 합리로 형성되는 것이 아니라 인연에 의한 파벌로 형성되는 것이다. 대부분의 왕들은 명철한 이성의 소유자들이 아니기 때문에 가장 합리적인 판단을 하지 못한다. 그래 신하들의 지성에 의지하려는 것인데 간관(諫官)들, 언관(言官)들이 이를 악용하는 것이다. 여하튼 외형상은 여론정치를 하려는 것이다.

공자 맹자도 여론을 중시했다. 입장은 좀 달랐다. 공자는 여러 사람이 좋아해도 필히 살피고, 여러 사람이 싫어해도 필히 살피라고 했다(衆好之必察焉, 衆惡之必察焉). 여론에 신중했다. 특히 여론이 뒷말(背後之言) 수준이면 믿을만한 것은 못 된다고 했다. 위민(爲民) 여민(與民)정치를 주장하는 맹자도 국민의 여론을 무척 중시했다. 그는 사람을 쓸 때, '좌우 사람들이 모두 현명하다 해도 그대로 따르면 안 되며, 모든 대부가 현명하다 해도 그대로 따르면 안 되고, 국민들이 모두 현명하다고 하면 살펴서 쓰라'고 했다. 그것은 국인개왈(國人皆曰)이라고 했다. 사형의 경우에도 마찬가지였다.

문제는 공자가 말한 '필히 살피라'고 한 것이다. 최후의 의사결정권자, 곧 왕에게 그런 이성(理性)이 작동하는가. 지혜가 있는가. 조선의 대부분 왕들은 그러지 못했다. 지혜가 출중하지 못했다. 전후사정을 '살펴서' 최선의 결정을 할 만한 위인이 못됐다. 그러니까 파당의 인수, 여론으로 밀어붙이고, 간계(奸計) 음모를 꾸렸다. 명철한 이성, 명지(明智)가 아니라 간지(奸智)가 작동하는 것이다. 왕은 대개 다수 편의 논(論)을 채택하는데, 그 때문에 암매한 임금을 속여먹는 간지가 발달하는 것이다.

그런 왜곡이 민주화 후에도 나타난다. 최후의 결정권자가 왕에서 국민으로 바뀌었는데 그 국민이 얼마나 합리적인, 현명한 판단과 선택을 하는가. 민주주의의 성패는 국민이 현명한가, 암매한가. 언론은 얼마나 순수하고, 현명한가에 달렸다. 결국은 국민은 과거의 왕들에 비해 얼마나 현명한가. 간지(奸智)가 활동하는가, 명지(明智)가 작동하는가.

민주주의로 '다수'의 싸움이 되니까 언론의 작용이 절대적으로 되는데 언론은 얼마나 꼿꼿한가. 조선은 5백 년간 언론이 순수하게 기능한 것은 1백여 년에 불과하다는 설이 있는데, 지금의 언론은 어떤가. 언론을 향해 '거짓의 산'이라는 비난의 소리가 나옴은, 그것이 일부라고 해도, 언론이 순수하지 못하다는 지적일 것이다. 언제부터인가 언론은 '소설을 쓴다'는 평을 받아왔다. 왕권과 신권 사이에서 보이던 언론의 자세가 국민과 정권 사이에서도 똑같이 나타나는 것이 아닌가. 그럴수록 언론의 지성은 초라해 보인다. 언론의 작용하는 힘이 커지니까 필연적으로 부패하는가. 지금 데모 성업은 언론의 작동이 합리적이지 못해서이기도 하다. 언론의 이성이 바른 방향으로 작동해서 이치가 살고, 이로(理路) 정연(整然)한 논리가 작동한다면 상당 부분의 데모는 할 필요가 없을지도 모른다.

선조 때 한 재상은 국정토론에서 의논이 분분하면 쿨쿨 잠을 자다가 일어나서 '이야기 끝났는가' 했단다. 떠들 만큼 떠들다가 제풀에 지쳐 떨어지기를 바란 것이란다. 찬반으로 갈라져 치열하게 싸우는 토론이 부질없다고 본 것 같다. 우리의 의논이란 것이 그렇다는 단면을 보여줌이다. 토론도 문제해결에 좋은 방법만은 아니었다. 토론이 말만 많고 문제 해결에 좋은 길을 찾아내지 못한다면 도로무공(徒勞無功)이 되고 말 것이다.

민주주의를 반세기 넘게 해왔으면서 민주적인 문제해결방식이 제대로 정착되지 못했음은 전통문화의 꼬리 때문일까. 전통적으로 승리해온 그 간교한 꾀가 그대로 전승, 작동하고 있음이 아닌가. 그러다 나라가 망했지만 아직도 반성하지 못하고 그 인습에 얽매여 있음이다. 지금 민주주의가 제대로 작동하지 못함은 이건 민주화 때문이 아니라 전통문화의 영향이 더 큰 것일 수 있다. 여론이 '냄비'처럼 잘 끓어오르면 경거망동(輕擧妄動), 부화뇌동(附和雷同)해서 현명한 선택을 하지 못할 가능성이 높다. 유언비어(流言蜚語) 괴담에 잘 놀아난다면 이매망량(魑魅魍魎)의 잔치판이 되기 쉽다. 밝은 지성이 여론의 대세가 되어 합리적이고 현명한 선택을 할 수 있도록 국민의 지력을 높이는 일이 절실해 보인다.

권력화한 집단주의

서양과의 차이

고대 희랍이나 로마인 같으면 앞에서 이야기한 수로부인 사건이 벌어졌을 때 어떻게 할까, 아마 용사들을 모아 창과 칼을 빗겨 들고 배를 저어 거북이를 찾아 나갔을 것이다. 힘으로 문제를 해결하는 방식이다. 유럽인의 정신과 사상의 원류가 된 호메로스의 《오디세이》와 《일리아드》는 용사들의 모험을 노래한 대서사시다. 그러나 순정공 일행은 발만 동동 구르다가 여러 사람이 함께 외침으로써 부인을 구했다. 피 흘리며 싸우지 않고 문제를 해결한 것이다. 어느 방식이 더 좋은 것일까. 어느 방식이 절대적으로 좋다고 하기보다 자기가 잘 할 수 있는 방식의 문제일 것이다.

두 가지 방식 모두 집단행동인데 하나는 칼로, 다른 하나는 말(소리)로 해결했다. 그들은 개인 간의 문제도 물리적 실력으로 해결했다. 근세까지 그들은 목숨(命)을 거는 격투를 했다. 거기서 둘은 갈린다. 저들은 숭무(崇武)의 나라로 가고, 우리는 문치(文治)의 나라가 됐다. 저들은 모험 개척의 방향으로 가고, 우리는 안주(安住)의 방향으로 가고. 이때는 우리가 더 민주적이었던 것 아닐까. 다수가 평화적으로 문제를 해결했으니. 지금은 그게 역전됐다. 저들은 힘이 아니라 이성으로 문제를 해결하는 제도(민주주의)를 개발, 정착시켰고, 우리는 여전히 힘(다수의 외침)으로 문제를 해결하려 한다.

이후 우리 역사에서는 대중이 소리를 질러 문제를 해결하려고 하는 풍조가 굳어지고 있다. 데모는 민주주의를 도입해서 생긴 현상이 아니다. 우리는 그 훨씬 이전부터 집단행동 방식으로 문제를 해결해오고 있다. 외국 침략의 경우엔 의병처럼 실력(무력)으로 싸워서 문제를 해결하려는 예도 있었으나 일상의 문제는 개인이든 집단이든 소리를 질러서 해결하려 한다. 민주화투쟁도 그렇고, '반일(反日)'도 그렇다.

그러나 반일은 한계에 부닥친다. 반일은 소리 질러서 해결될 일이 아니다. 힘이다. 힘이 세야 그들을 누를 수 있다. 그런데 소리만 지른다면? 피해만 커질 뿐이다. 문제는 힘을 기르는 것인데 힘은 안 기르고 소리만 지르는 사람들이 많다. 오히려 힘으로 대결할 사람들을 약화시킨다. 지금은 기업이 전사(戰士)다. 일본에 이기려면 그 전사를 길러야 한다. 그런데 반일을 외치는 사람들이 우리의 전사(企業)를 배척, 죽이려 한다.

근대로 내려오면, 민족의 반성과 자각으로 나라를 지키려던 지성인의 단체, 독립협회(독립신문)는 외세 배척, 부정부패 추방, 민권신장, 공직자 탄핵, 의회주의, 정치개혁 운동을 활발히 전개했는데 그 방법은 집단행동, 데모였다. 광솔불을 켜놓고 밤을 새며 토론하고 외쳤다. 대단한 열정이었다. 피눈물 나는 노력이었다. 사실 다른 방법은 없었을 것이다. 그들이 주최하는 만민공동회의 대중운동은 초기에 상당한 성과를 거두었다. 당시 정부는 독립협회의 며칠씩 계속되는 연좌데모에 굴복하곤 했다. 그러나 조광조(趙光祖)의 급진개혁처럼 성급하고 과격하게 진행하다가 중도 실패하고 말았다.

좀 점진적으로 했으면 어떻게 되었을까. 아쉬움이 남는다. 우리의 조급성은 어디서 올까. 혹시 4계절 때문일까. 겨울인가 하면 봄이고, 봄인가 하면 여름인 자연의 변화에 순응하려다 성급해진 것인지, 아니면 너무 약아서? 인생은 일장춘몽으로 눈 깜짝할 사이에 흘러가고 만다. 지금 여기서 최대한 챙기자, 아니면 신체적으로 지구력이 약해서 오래 견딜 힘이 없다?

독립협회는 결국 반대세력의 음모적인 역데모에 걸려 패퇴하고 말았다. 과격이 왕실로 하여금 '저들이 우리를 멸하려 하는구나' 하는 생각을 하게 해서 레드라인을 넘었다고 판단한 것일까. 그들도 데모방법을 택했다. 황국협회는 데모를 데모로 제어하려는 이이제이(以夷制夷)의 전략을 썼다. 대중을 사서 물리력으로 해결한 것이다. 고용 데모의 효시라고 할까. 근래에도 돈을 주고 정치집회에 사람을 동원했는데 그것 역시 오래된 전통의 이음인가. 이후 많은 정치데모에서는 참여자를 돈으로 샀다는 소문이 공공연했다.

그들은 심사숙고가 아니라 성급하고, 조급했다. 조급함은 과격함을 낳고, 과격함은 비이성적으로 힘에 의지하게 만든다. 왕실이 '저들은 이론(異論)을 제기하지만 우리에게 충성은 변함이 없다. 그들은 우리 편이다' 하는 생각을 하게 했으면 어떻게 됐을까.

이성적인 방법(민주주의)이 반대효과를 내는 예를 영국의 점진적 사회개혁운동(Fabianism)이 보여준다. 근대 영국이 산업화를 하면서 여러 가지 사회문제가 야기되어 공산당선언이 풍미할 때 일단의 지성인들이 중심이 된 페이비어니즘운동은 점진적인 사회개량 방향으로 나갔다. 소련이 급진적인 피의 사회혁명으로 나갔던 것과 대조적이다. 그 운동이 19세기까지 80여년이나 지속됐다. 그들은 피의 혁명을 겪지 않았다. 일본도 근대화혁명(明治維新)을 하면서 국민교육을 60여년이나 추진했다.

그에 영향을 받았는가, 우리는 문호 이광수(李光洙)가 30년을 내다보며 민족개조운동을 시작했으나 그가 '친일파'로 돼서 (3.1운동 이후 조선총독부가 추진한 문화정책 3가지 중 하나가 민족개조) 그의 운동은 무산되고 말았다. 그가 정말로 '친일파'인지 아닌지는 알 수 없다. 그는 돈을 탐한 것 같지도 않고, 높은 지위를 바라지도 않은 것 같아서 친일의 동기가 애매한 것이다.

좀 더 거슬러 올라가면 일제가 국권을 침탈한 암흑시대에도 데모는 통했다고 한다. 1905년엔 순검(순경)들이 총파업을 했다. 경찰서에 고문으로 오는 일본 경찰의 권한을 축소하라는 요구였다. 서장도 데모에 참여했다. 당국은 그들의 요구사항을 일정 부분 들어줬다. 데모가 성공한 것이다. 그런 방식으로 종로 상인들의 데모(철시)도, 인천 상인들의 데모도 성공했다. 우리는 오래전부터 데모를 문제해결의 수단으로 활용해 왔고, 그것은 성공하는 예가 많았던 것이다. 그게 성공하지 못했다면 더는 사용하지 않았을 것이다.

그런데 데모는 순발력은 있으나 치밀하지는 않다. 실질적 문제 해결은 준비를 하고, 계획을 세우고, 실천을 해야 한다. 치밀하고, 심사숙고해야 한다. 그러나 데모는 소리 질러 결말이 지어지면 끝이다. 흩어지고 만다. 일시적인 문제 해결방식이다. 우리 데모의 뿌리는 참 깊은데 근본적인 문제 해결책은 되지 못한다.

그 의식이 지금까지 이어져 내려오는 것일까. 문제를 이성적으로 해결하려는 태도가 아니다. 소리(외침)의 힘으로 제압하려는 것이다. 결정적인 순간에 활용할 수도 있겠지만 그 항상화는 민주적은 아니다. 집단행동이 갑론을박으로 더 합리적이고, 더 타당하고, 더 논리적인 것을 찾아 중론을 모아가는 것이면 바람직하고, 민주적이라고 할 수 있지만, 다수의 힘으로 일방적인 주장을 관철시키려는 것이면 민주적이라고 할 수 없다. 의논, 협의, 토론하다가 아무리 해도 안 되면 최후의 수단으로 집단행동을 택해야 할 것이다.

기본 개념이 안 서

건축물은 기초가 튼튼해야 오래 간다. 학문도 기초가 확립돼야 단단히 선다. 정치가 혼미를 거듭함은 역시 그 기초(민주주의)가 확고하지 않기 때문일 것이다. 70여년 민주주의를 해왔음에도 여전히 '민주화', '민주 수호', '민주 회복'을 외침은 일종의 프로파간다 같다. 도대체 '민주화'를 어떻게 이해하고 있는지조차 의심스럽다.

민주주의의 기초는 무엇인가. 우선 '민주'의 개념에 대한 이해다. 그 기본 요소인 자유와 평등, 박애에 대한 이해가 정확한가. 사람마다 그에 대한 이해가 다르면 공감하는 논(論)을 세우기가 어렵다. 또 비판자들은 100점이 아닌 민주주의는 안 된다는 투인데 사실은 100점짜리 민주주의는 무엇인가에 대한 개념도 정확지 않다. 특히 박애에 대해선 논의도 없다.

전통문화로 민주주의를 이해하기는 그렇게 어려운 일이 아닐 것이다. 맹자의 민본사상은 백성을 중심으로 보는 사상이다. 나아가 백성을 위하고(爲民), 백성과 함께 즐기는(與民同樂) 단계로까지 나아간다. 그런 개념의 유사성에서 민주주의를 이해하려 했다면 훨씬 쉬웠을 것이다. 백성이 주인이 되는 민주나 백성이 근본이 되는 민본이나 별 차이가 없다. 그것을 구체화하는 제도가 다를 뿐이다. 우리는 왕정으로, 저들은 공화정으로.

그러나 우리는 절차적 타당성을 찾는 노력이 부족하다. 다수결원칙도 확립하지 못했다. 아니 거꾸로 가고 있다. 다수의 뜻을 찾는 노력이 부족한 것이다. 그보다 나의 뜻을 관철하는 것, 나의 자유만을 극대화하는 것을 민주주의라고 하는 것이다. 나의 자유 극대화를 향해 내달리면 충돌하게 마련이다. 우리 의정이 정쟁만 일삼고, 국회가 싸움판이 되며, 보통사람들도 많이 다투는 이유다.

그 원인은 서양의 제도를 그대로 수입, '민주화' 깃발부터 들고 나왔기 때문이다. 그 정신을 이해하고, 그 메커니즘에 익숙해지는데 소홀했던 것이다. 대화와 토론 부족은 민주주의, 자유와 평등의식의 미숙에 기인한다. 나의 자유만 중요하고 타인의 자유는 외면하고, 나의 뜻만 관철하려 하고. 타인의 뜻은 헤아리지 않고, 나의 뜻을 수단방법 안 가리고 관철하려니 거짓, 폭언, 폭행, 사기의 자유까지 누리려 한다. 서로 또 다른 '나'인 '너'가 용인할 수 있는 한계를 넘는 것이다. 그 지경에 이르면 서로 충돌하게 되고, 싸움은 격렬해진다. 그것은 자기중심주의의 산물이다. 자기중심주의는 민주주의의 적이다.

평등도 자기중심에 빠지면 '나' 지상(至上)에 함몰되어, '나'의 권리와 똑같은 '너'의 권리는 인정하지 않는다. 기회균등보다 결과(분배)평등에 매달린다. 내가 쳐지면 같이 가자 하고, 쳐진 다른 사람이 따라오려 하면 외면한다. 분배평등의 사상은 오래됐는데 그 위에서 현대적 평등분배를 이해하려 하지 않는다. 전통적인 분배평등 사상은 균로(均勞)를 전제로 한다. 단순한 과실의 균분(均分)이 아니라 일을 같이하는 것을 전제로 하는 것이다. 그런데 일은 똑같이 하고, 성과 배분(均配)엔 큰 폭의 차등을 두려고 해서 정규직 비정규직 사이에는 건너지 못할 강이 가로놓인다. 정규직 비정규직문제 해소는 정규직 사람들이 제일 난관이다. 일한 만큼, 거둔 과실을 나누는 성과급 제도도 자기중심으론 공정한 시행이 어렵다.

극도의 자기중심주의는 자기우월주의, 자기우선주의, 이기주의로 발전해 자유 평등의 개념을 왜곡시킨다. 개념이 왜곡되면 동문서답하게 되어 원만한 토론이 안 된다. 토론의 중요성을 아는 사람들이 '토론 공화국'을 만들려 했지만 그 방법이 적절치 않아서 목적을 달성하지 못하고, 오히려 싸움만 격화시켰다. 그들의 토론은 너와 나가 만나서 서로의 생각을 교환해서 제삼의 길을 찾지 못한 것이다. 언론이나 의

정단상에서조차 그렇다. 그들의 토론은 찬반의 공방을 벌이는 것이었지 둘의 세계를 플러스하는 것이 아니었다.

학교교육에서도 민주제도 설명에만 치중하고 민주의식화, 민주생활화를 찾는 노력을 제대로 안 했다. 심하면 거꾸로 갔다. 그들은 너와 나의 대등한 만남이 아니라 배타적 민주주의를 한 것이다. 민주문화가 아니라 전통문화가 이긴 것이다. 궤변을 농하고, 공평의 원칙을 준수하지 않는다. 민주문화로의 전환이 제대로 안 된 것이다. '누가 누가 잘하나 어디 한 번 해보자'처럼 건전한 경쟁이니 공정경쟁으로 이어진다면 민주의식화에 도움이 될 것이었다. 그러나 실제는 '너는 안 돼'였다. 민주주의의 하드웨어에만 매달리고 소프트웨어는 등한한 결과다. 제도는 도입하고, 민주주의 운용방법은 배우지 않은 것이다. 우리 민주화는 타협과 조화가 아니라 승패를 겨룬다.

선진국이 '친구하자'

사리를 따져 문제를 해결하지 못한다면 문화국가의 희망이 없다. 우리 정치인들, 지도자(?)들이 내세우는 목표가 선진국인데, 선진국에 대한 개념 자체가 의심스럽다. 선진국을 어떻게 이해하나. 그들은 GDP로 기준을 삼는다. 1인당 3만 달러, 혹은 4만 달러. 그러나 4만 달러를 넘는 자원부국을 선진국이라고 하지 않는다. 우리는 민주화를 해서 그들과는 다르지만 문화 측면에서는 명철한 이성이 작동하지 않으면 선진국이라고 안 한다.

선진국들은 꾸준히 이성의 지평을 넓혀온 나라들이다. 자유와 평등에 대한 합리성, 타당성, 도덕성이 문제해결의 열쇠가 되는 나라가 선진국이다. 인식이 과학화돼야 하고, 논리적인 판단을 할 수 있어야 한다. 논리적이라는 것은 합목적이어야 한다. 그리고 무엇보다 중요한, 인간미가 있는 가치지향. 원칙이 서지 않거나 흔들리고, 이현령비현령(耳懸鈴鼻懸鈴)이 횡행하며, 편의주의적이고, 자기중심적이라서 보편타당성을 담보하지 못하며, 전략이 목적에 우선하는 나라는 선진국이라고 할 수 없다. 문화선진국이 진짜 선진국이다.

집단행동을 문제해결의 최고 수단으로, 집단시위를 지상의 권리, 지상의 가치로 아는 나라를 선진국이라고 할 수 있을까. 물론 선진국도 집단행동을 한다. 특히 프랑스는 심하다. 일본도 한때는 춘투(春鬪)가 맹위를 떨쳤다. 문제해결을 어떤 방법으로 하느냐가 선진국이냐 아니냐를 재는 하나의 기준이 될 수 있을 것이다. 힘으로 해결하는 나라는 선진국이 아니다.

남북한은 비슷한 점이 많다. 지금 우리는 일반 국민뿐 아니라 지도층(?) 속에도 검은 것을 검게 보지 않고, 흰 것을 희게 보지 않는 인지(認知) 성향을 가진 사람들이 상당수다. 인식능력이 병든 것이다. 그들이 이끄는 나라가 어떻게 선진국이 될 수 있을 것인가. 그들이 선진국 사람과 만나면 옛날 문명국 사람이 야만국 사람을 만나던 것과 무엇이 다를 것인가. 도포 입고 갓 쓰고 서양 사람을 만나던 우리 선조들과 무엇이 달라졌을까. 외양이 문제는 아니다. 도포를 입고 갓을 써도 정신이 신사도에 충실하면 신사다. 도포 입은 사람, 갓 쓴 사람도 행동이 신사적이면 신사다. 인도(仁道) 서도(恕道)가 투철하면 휴매니스트다.

지금의 우리는 선진국 사람들에게 어떤 인상을 줄 것인가. 그들이 우리 보고 '우리 친구하자' 할까, 아니면 외면할까. 우리가 선진국이 되는가의 기준은 선진국 사람들이 '그래 우리 친구하자' 하는 데 이르는 것이다. 청맹(靑盲) 같은 인지능력으로는 선진국 되기가 어려울 것이다. 우리 보고 친구하자 하지 않을 것이다. 그런 관점에서 보면 우리는 선진국이 되려는 노력을 엉뚱한 곳에서 하고 있다. 가장 기초가 되는 것은 인지(認知)와 인식(認識), 합목적적 가치 추구, 과학적 판단과 합리적 논리의 전개능력을 키우는 것인데 교육은 엉뚱한 곳에서 헤맨다. 수학 공식 잘 풀고, 영어단어 많이 외고, 학자 예술가 많이 알고… 하는 식의 학생을 길러내는 일이 교육의 다인가. 공영방송에선 그런 만물박사를 겨루는 프로를 방영한다. 창조력을 키우는 지적훈련이 아니다.

길거리에 데모가 그치지 않는 나라, 데모가 나라의 운명을 좌우하는 나라, 대의사(국회의원)들이 데모의 담론을 국회로 끌어들여 소화하지 못하고 역으로 데모 현장에 나가 앞장서는 나라, 사시사철 야외투쟁에 골몰하는 나라…. 이런 나라는 민주국가도 아니고, 문화국가도 아니고, 선진국이 될 수도 없다. 데모는 권리이지만 항상화는 제삼자에게 걸림돌이 된다. 우리는 일본의 춘투를 모방해서 청출어람(靑出於藍)인가, 하투(夏鬪)까지 한단다.

선진국이 되려면 사물인식 교육부터 다시 시작해야 할 것 같다. 검은 것을 검게 보고, 가치의 공감대를 이루고, 타인을 존중하는 사람으로 키우는 교육을. 그래야 선진국 사람들이 어깨를 나란히 하고 '우리 친구 하자' 할 것이다.

보편칙(普遍則)을 상실한 대중시대

사이버광장의 시민

SNS세상은 사이버광장의 여론 기능을 한층 높여준다. 정치권력을 흔드는 여론정치의 위력을 보인다. 사이버광장은 여론의 용광로구실을 한다. 젊은 주인공들은 다양하다. 정의감에 불타기도 하고, 이념에 불타기도 하고, 채색되지 않은 순수함을 보이기도 한다. 공감대가 형성되기도 하고, 극명하게 대립되기도 한다. 불합리한 일, 공익에 반하는 일에는 벌떼처럼 일어나 융단폭격을 해서 바로 잡기도 한다. 특히 대외관계에서는 상당한 전문지식을 가진 사람들이 위력을 발휘하기도 한다. 다양한 사람들이 전문 지식을 올려 지식을 공유하고, 오류를 바로잡기도 한다. 사이버광장의 순기능이다.

사이버광장은 고질적인 편가름에서 벗어날 수 있는 기제를 제공한다. 사람 중심으로 보지 않고 문제 중심으로 보기 때문이다. 편론(偏論)

은 내 편은 무엇이든 정의고 선하다고 강변하는데 사이버광장에선 그럴 필요가 없다. 사안별로 찬(贊)반(反), 호(好)불호(不好)가 갈리니까 고정 편이나 파가 생길 수 없다. 그러나 역시 한국인이다. 사이버 정치광장도 편으로 갈라지고, 팬이 생긴다. 사이버광장은 특히 팬이 활동하기 좋다. 다양한 팬이 생긴다. 팬이 편으로 갈리기도 한다. 반대로 편이 팬을 가장하기도 한다.

또 사이버광장은 특성상 종래의 인간관계나 도덕성이 통하지 않아서 새로운 세계를 연다. 전통윤리는 면대 면을 전제로 만들어진 것인데 사이버광장에선 장유(長幼), 남녀, 친구 사이의 윤리를 따질 수 없다. 잘하면 얼굴 없는 친구, 먼 거리에서 동지가 생기기도 하지만, 잘못하면 노인과 젊은이가 적이 되기도 한다. 갈등이 생기면 면대 면의 인간관계로 풀지 못하고 더 외곬으로 감정이 더 악화될 수 있다.

사이버광장에서는 안면이 몰수되기 때문에 한국인의 민낯이 그대로 드러난다. 한국인은 정직한가 부정직한가, 한국인은 당당한가 비겁한가, 한국인은 선한가, 한국인은 잔인한가 등을 재볼 수 있다. 일도양단할 수는 없고, 어느 편인가 하는 경향은 알 수 있다. 한국인은 선량한 사람이 많다. 사이버광장에 쏟아지는 온정이 증명한다.

역기능도 많다. 대표적인 것이 익명성으로 인한 것이다. 뒤에 숨어서 사실을 외면하고 관념으로 산다. 특정한 것이 아니면 책임이 따르지 않기 때문에 가볍게 움직인다. 경망스러워지는 것이다. 선입견, 풍문, 편견, 거짓과 궤변이 난무한다. 사실을 사실대로 인식하는 눈이 부족하다. 깊이 통찰하지도 못한다. 결론을 내려놓고 사실을 꿰맞추려고 한다. 음모와 계략, 말의 테러가 통한다. 선동에 잘 넘어간다. 도덕성이 무시된다. 쉽게 달아오르고, 쉽게 망각한다. 심모원려의 안목이 부족하다. 자기 판단이 약해 부화뇌동을 잘한다. 부작용도 열거할 수 없을 정도로 많다. 어떤 것은 심각한 수준이다.

그러나 사이버광장은 통제가 불가능하다. 익명을 보장해주느냐로 논란을 벌였지만 단안을 내리지 못했다. 그것은 당국 자신이 비겁하기 때문일 것이다. 확고한 원칙과 기준이 없어 판단을 내리지 못한다. 반대여론에 쫓겨서 그냥 흘러간다.

정치집단이 이 광장을 지나칠 리 없다. 그들은 네티즌들의 여론에 촉각을 곤두세우고, 이를 이용하려고 한다. '알바'를 전사로 투입해 홍보전을 편다는 주장이 끊이지 않는다. 특히 이들은 공격성을 띤다. 네티즌여론은 그 신속성 과민성 직설성으로 인해 여론의 최전방이 됐다. 사이버광장이 정치광장으로 됐다. 사이버광장은 사발통문이 빠르게 전달되고, 즉시 회람이 가능하여 신속성을 요하는 정치활동에 적합하다. 정치에 오염되면 악용될 소지가 많다. 사이버광장의 역기능은 정치 오염 때문이 크다. 역으로 사이버광장 때문에 정치가 더 오염된다고도 볼 수 있다. 역사적으로 우리 정치는 간지(奸智)가 승리해왔다. 사이버세상은 새로운 간지가 탄생할 소지가 크다.

특히 정치는 여론이 승패를 좌우하는데 한때 네티즌여론조사도 행해졌으나 정기적으로는 오프라인 여론조사만 행해진다. 여론조사는 오프라인도 모바일이나 일반전화를 활용해서 옛날의 대면조사는 거의 없어졌다. 샘플의 부작위성, 응답률의 저조, 기타 기술적 오류 때문에 신뢰도가 의심을 받는다. 일부는 조작의혹까지 받는다.

그러나 여론형성에는 사이버광장, 특히 SNS가 큰 영향을 미친다. 기존 언론에 대한 불신이 높아가면서 다양한 인터넷 매체가 등장하여 다양한 정보를 제공한다. 정보는 풍족해지는 장점이 있는데 독자로선 정보과잉으로 선택에 어려움도 생긴다.

사이버광장이 순기능을 많이 하느냐, 역기능을 많이 하느냐는 한국인의 선의(善意)와 정직성에 달렸다. 사이버광장이 사랑과 배려를 나누는 지혜의 광장이 된다면 민주문화와 전통문화가 조화를 이루는 새로운 차원의 문화가 꽃필 수 있을 터이다. 문제는 옛날 같은 교지(狡智)가 틈입하지 못하게 하는 것이다.

'우리'의 범위

유교의 궁극적 이상사회인 대동(大同)은 편이나 파 같은 것이 없다. 공동체 전체다. 그 안에서 작은 '우리'가 형성된다. 집단은 '우리'의 범위에 따라 규모가 결정된다. 나라를 생각하는 사람은 '큰 우리'를 생각하고, 편당(偏黨)에 빠진 사람은 '작은 우리'에 빠진다. '우리'는 파나 편을 형성하는 범위가 된다. 정당에서도 당을 생각하는 사람은 '큰 우리'를 생각하고, 계파를 우선하는 사람은 '작은 우리'에 함몰된다. 대인은 나라와 국민, 공동체 전체를 생각하지만 소인은 '작은 우리'만 생각한다.

근래엔 '큰 우리'는 점점 약해지고, '작은 우리'가 점점 세지는 경향이다. 나라보다 당, 당보다 계파, 계파보다 분파를 먼저 생각한다. 지도자라는 정치인들 중에 '큰 우리'를 생각하는 사람이 얼마나 되는지 의

심스럽다. '작은 우리'만 생각하는 사람들이 대세를 좌지우지하는 것 같다. 그 결과로 공동체의 최대공약수는 찾지 못하고 최소공배수에만 매달린다. 2016년 총선에서도 여당은 당보다 파당을 우선해서 사단이 벌어졌다. 배신자로 낙인찍혀 축출된 사람은 당을 사랑한다고 하면서도 그 당을 찍지 말라고 했다. 뒤죽박죽이다. 분파가 적었던 야당이 승리했다. 정치공학으로는 당연한 귀결이다. 새 여당도 비슷한 추세로 간다. 다른 당도 마찬가지다. 한국인이 그런 것이다.

우리는 예부터 당파싸움이 고질병이었는데 옛날에도 파당(派黨)을 깨는 파당(破黨) 노력을 한 사람이 있기는 했다. 탕평책을 쓴 영조 때, 좌의정 조현명(趙顯命)이 상소했다. "신의 평생 소신은 '파당(破黨)' 두 글자였는데, 이제 짐짓 없는 일을 만들어 당파를 격동시켜 중신들에게 근심을 끼치는 바가 되어 마음과 말이 다르고 두뇌가 크게 어그러졌으니, 살아서는 밝은 조정에서 얼굴을 들 수 없고, 죽어서는 신의 형을 저승에서 볼 낯이 없습니다. 마음이 아프고 얼굴이 부끄러우니 더 무슨 말을 하겠습니까?"(1749.1.4)

사람의 크기는 마음의 크기로 결정된다. 예부터 '바다같이 넓은 마음', '국량이 큰 사람', '도량이 넓은 사람'은 큰 사람이었다. 큰 우리를 생각하는 사람은 대인이고, 작은 우리를 생각하는 사람은 소인이다. 대인은 대의를 우선하고, 소인은 사익에 매달린다. 대인이 많은 나라는 대국의 웅대한 꿈을 좇고, 소인이 많은 나라는 탐욕의 간계로 내분이 일어 소국이 된다. 조선조 시대엔 음모와 간지가 넘쳤다. 세조의 쿠데타 이후 역사는 간계의 경연이라고 해야 할 것이다. 간지로 득세하는 사람이 주류를 이뤘다. 정의, 공의(公義), 정도(正道), 정론이 설 수 없게 됐다. 대의의 나라가 아니었다. 간당(奸黨)이 득세하는 소인의 나라였다. 소인배의 간계에 목숨까지 잃은 현인 대장부들이 얼마나 많았는가. 소국이 될 수밖에 없었다.

그에는 까닭이 있다. 서구에서 종족 간의 싸움은 종족 전체가 죽느냐 사느냐 하는 문제였다. 성경(구약) 속에도 종족 전체를 절멸시키는 이야기가 많다. 그러니 그들은 종족 전체가 '우리'가 돼서 단결할 수밖에 없었을 것이다. 방법상의 차이를 극복하고 한 덩어리가 돼서 외적과 싸웠을 것이다. 서부영화를 보아도 인디언과 싸우는 백인들은 하나로 뭉친다. 전투 전략엔 이론이 있지만, 투표를 통해 지도자가 결정되면 하나로 뭉쳐 그를 따른다.

우리는 사정이 다르다. 고구려나 백제나 신라나 조선이나 망할 때 백성 전체가 살고 죽는 것이 아니라 개인의 선택에 따라 살기도 하고 죽기도 했다. 배반도 하고, 배신도 한다. 전체 문제지만 개인문제가 되는 것이다. 이견이 받아들여지지 않으면 받아들여진 의견에 따르는 것이 아니라 아예 갈라선다. 자기중심성향 때문인 것이다. 자기중심은 '나'가 주인이 되지 않으면 안 된다. '너'에 숙이거나 받아들이지 않는다. 각개 약진한다. 전체는 와해되고 각자도생하게 된다. 집단을 전체에서 몇 사람이 다시 모이면 작은 우리가 된다. 계파다. 전체는 약화된다. 양다리도 생겨 문제를 한층 복잡하게 만든다. 계파끼리는 항상 다툰다. 그리고 계파는 계속 분열한다. 세포분열이다. 외부의 적은 멀리 보이고, 안의 경쟁자는 가까이 있는 단견 때문도 있다. 시각의 초점을 어디에 맞추느냐이다. 근시는 가까이 보고, 원시는 멀리 본다. 이때 원시 근시는 육안의 문제가 아니라 심안(心眼)의 문제다.

민족 전체의 큰 우리가 형성될 때도 있긴 하다. 국제운동경기에서 결선에 오른 우리 선수에게 보내는 국민의 열광이 대표적인 예다. 그들은 축구나 야구, 골프, 수영선수의 승리를 '나의 승리'로 받아들여 열광한다. 민족이 하나가 되는 것이다. 그러나 일회성의 이벤트다.

현실문제에서 편이 갈리면 종파끼리 싸우고, 노동자끼리도 싸운다. 자유와 평등의 민주원칙에 따라 합법화된 복수노조는 한 조직 안에서 각기 다른 길을 간다. 그들 사이에서 다른 목소리가 나온다. 그러면 전체는 무력하게 되고, 작은 우리(계파)만 기세를 올리게 된다. 당파싸움에서 무수히 보는 예다.

우리는 나라 대 나라, 민족 대 민족의 문제가 되면 찢어진다. 적이 대국이면 영락없이 둘로 갈라진다. 한 편에선 의병이나 독립군, 안중근 같은 애국자도 나오고, 다른 편에선 이완용, 송병준 같은 매국노도 나온다. 하나는 저항 투쟁하는 측이고, 다른 하나는 순종 아첨하는 파다. 주화파, 주전파 다 있게 마련이다. 그 대립이 이견으로 끝나지 않고 적전분열로 발전한다. 삼국시대부터 그런 양상을 보였다. 백제의 탄생도 그렇고, 고구려가 망한 것, 고려가 망한 것도 그렇다. 조선도 그랬다. 큰 우리가 깨지면 작은 우리도 설 자리가 없어진다.

중국 일본 미국을 대하는 태도가 항상 그랬다. 친(親)과 반(反)으로 나뉘어 사생결단식으로 싸운다. 친(親), 반(反), 용(用), 극(克) 등 여러 가지 태도가 있는데 반 용 극은 줏대가 있어 보이고, 친은 줏대가 없어 보인다. 친도 국리(國利)의 수단으로서 인 경우도 있다. 민족의 운명이 걸린 문제이지만 개인적인 호불호가 개재되면 한층 복잡해진다. 겉으로는 반(反)하면서 속으로 친(親)하는 이중성도 보인다. 호불호와 손익에 따라 친도 됐다 반도 됐다 한다. 같은 사람이 그렇게 표변하기도 한다. 그러나 그 나라와 친한 것이 아니라 유리한 나라에 아첨하는 사면발니일 뿐이다. 대표적인 사람이 이완용. 그는 현란하게 왕실과 소련과 일본을 넘나들며 친과 반의 줄타기 곡예를 했다.

참 복잡한 양상이 벌어진다. 안중근은 총을 들고 동학도들을 소탕했는데 지금은 동학란이 동학혁명이 됐다. 우리는 이 둘을 어떻게 대해야 하는가. 또 동학도들은 혁명이 실패한 후 친일단체 일진회에 많이 들어갔단다. 개혁의 목적을 달성하기 위해서란다. 그 맥(脈)이 지금은 어떻게 돼 있는가. 동학의 친일과 동학의 반일을 어떻게 보아야 하는가. 물론 백범은 안중근의 애국거사를 추앙한다. 그러나 일진회(송병준, 이용구등)는 한일합방 전 합방청원서를 이완 내각에 제출하기도 했다. 그게 조선백성의 시민운동이었다. 또 찬—반운동이 일어나고 세상은 시끄러워졌다. 그러나 합병 후 총독부는 그들을 해산했다. 그들이 얻은 것은 무엇인가. 조선백성은 갈피를 잡기 어려웠다.

지금은 이념도 작용한다. 친미 반미, 친일 반일, 친중 반중이 그들이다. 그들의 친과 반은 민족, 큰 우리를 전제로 해서 생긴 것이 있고, 사익 때문에 생긴 것도 있다. 우리가 '작은 우리'에 매몰됨은 시야가 좁은 탓일까, 배포가 작은 탓일까. 비겁하기 때문일까. 전체 때문에 소수가 소외돼서도 안 되겠지만 잘 단결된 소수가 전체 백성의 뜻을 밀어내서도 안 될 것이다. 강하게 단결하는 이념의 소수는 단결하지 못하는 불특정 다수보다 힘이 세다. 그들이 빗나가면 나라의 운명이 잘못될 수 있다. 나라가 점점 작아진 원인의 하나일 것이다.

민주주의의 영향으로 다양한 대중이 만들어지는데 이들은 민주주의의 요체인 중의(衆意)를 모으는 절차를 왜곡시키기도 한다. 민주주의는 그 자유의 남발로 해서 심대한 도전을 받는다. 전체를 어우르는 중의를 모으지 못한다. 우리는 단결한 소수의 힘이 너무 커져서 민주주의를 왜곡시키기도 한다. 민주주의가 꽃피기도 전에 꺾여버릴 위험이 있는 것이다. 이런 현상은 전통문화의 나쁜 면과 민주문화의 나쁜 면이 만나는 최악의 조합 때문 같다.

그런데 '작은 우리'는 그들만의 이익을 전제로 해서 전체적인 균형이나 평등은 외면한다. 노동자들의 임금이 대표적이다. 그들은 다른 기업, 하청기업이나 계열기업과의 임금균형을 생각지 않는다. 그들의 임금협상에서 다른 노동자의 눈치를 보지 않는 것이다. 그러면서 그들은 '민주화'를 외친다. 그들의 민주화엔 평등이 없다.

횡적(橫的)사회와 종적(縱的)사회

해방 무렵만 해도 '자식은 또 낳으면 되지만 부모는 이 세상에 오직 한 분밖에 안 계신다'고 했었다. 부모냐 자식이냐 하는 절체절명(絕體絕命)의 선택을 해야 한다면 자식을 버리고 부모를 택하겠다는 의사표시였다. 그런 이들은 '효자'로 칭송받았었다. 지금 그런 소리를 한다면 어떻게 될 것인가? 또 지체 있는 양갓집 규수는 외간남자에게 버선코도 보이지 않으려고 했다(물론 그 때도 하층민 부인들은 가슴을 드러내놓고 아이에게 젖을 먹이곤 했다). 그러나 지금은 '말만한 처녀'들이 긴 다리를 내놓고 거리를 활보한다. 또 당시는 군인행렬이 멀리서 오면 물동이를 인 여자들이 '남자의 길'을 가로지르지 못하여 그 행렬이 지나가기를 기다리곤 했다.

옛날과 지금은 그렇게 달라지고 있다. 1950년대, '가치관의 전도(顚倒)'라는 말이 유행했는데 우리의 가치관이 코페르니쿠스적 변화를 하고 있다는 단적인 표현이었다.

옛날에는 가치관이 위아래(上下, 縱)였다. 아버지, 할아버지, 조상, 선조, 선배, 선대(先代), 선생님, 직장상사…. 명령하고 복종하고. 할아버지의 뜻이 무엇이며, 가풍(家風)을 어떻게 이어야 되고, 전통을 어떻게 전승해야 되고…. 오륜의 군신유의(君臣有義), 부자유친(父子有親), 장유유서(長幼有序)는 종적(縱的) 가치관이다.

반면 지금은 관심이 주로 옆으로(橫) 쏠린다. 동료, 경쟁자, 정보의 공유, 협력자 등. 붕우유신(朋友有信), 부부유별(夫婦有別)은 횡적사회의 가치관이다. 반세기 동안에 우리의 관심사항이 종적에서 횡적으로 바뀐 것이라고 할 수 있겠다. 종적사회에서는 같은 방향에서 확장, 보충하면 되지만 횡적사회에서는 정반대로 방향전환을 하기도 한다. 집단(集團)사고(思考)다.

문제는 그런 변화를 한다면 어떤 준비를 해야 하느냐는 논의가 적었던 것이다. 예를 들면, 우리는 해방 후 민주주의가 들어와 국시(國是)가 됐다. 그러나 민주주의가 무엇이고, 민주주의를 하려면 우리가 어떻게 달라져야 한다는 것은 별로 가르치지 않았다. 정치인들은 한 번도 우리가 해보지 않은 '민주주의'의 '회복'만을 소리 높이 외쳐댔다. 알지도 못하는데 무엇을 회복한단 말인가. 우리가 어리둥절하고 혼란에 빠지는 것은 당연하다. 무엇을 어찌해야 된단 말인가. 민주주의를 제대로 배우지 않으면 민주주의가 제대로 될 리 없다.

요즘 또 비슷한 현상이 빚어진다. 과거 우리는 '더불어', '함께' 살면서 경쟁과 대결은 피해왔다. 그런데 갑자기 '시장경제'가 국시로 됐다. '시장경제'를 하려면 경쟁도 해야 되고, '함께'보다는 '나'가 중요해진다. 그러나 그 달라지는 것을 역시 가르치지 않는다. '시장경제'가 기업을 퇴출시키는 구실로 사용되기도 한다. 지금까지는 이런 변화 속에서 눈치껏 시류에 좇아서 재빨리 변신한 사람은 앞서가고, 옛날을 고집하던 사람들은 자연히 뒤처졌다. 재빨리 변신한 사람은 성공하고, 그렇지 못한 사람들은 패배자가 됐다.

횡적사회의 한 특징은 집단행동이다. 집단행동은 '우리'가 단결돼야 가능하다. 상하의 단결은 외적을 상대할 때 필요하다. 대표의 리더십이 출중하면 가능하다. 그러나 횡적 단결은 또래의 단결로 내부용인 경우가 많다. 또래의 단결은 상하관계에서 주로 나타난다. 그 힘으로 집단행동이 가능하게 된다. 개인으론 윗사람에게 대들 수 없다. 그러나 집단이 되면 가능하다. 집단행동은 약자의 생존술이다.

그런데 〈유유상종(類類相從)〉은 횡적사회이지만 꼭 그렇지만은 않다. 동료끼리가 많지만 세대를 뛰어넘는 동류도 많다. '같은 xx출신'을 찾는 것이다. 유유상종은 끈끈했다. 그래 목숨을 거는 민란도 그렇게 자주 일어날 수 있었던 것 같다.

횡적 사회는 단결을 잘한다. '동무', '동지'로 끈끈한 단결력을 과시한다. 그래 성공 가능성이 높다. 앞으로 횡적 유대는 좀 더 응고될 것 같다. 그런데 횡적 단결이 더 강화되면 세대 간 단절의 시대가 될지도 모른다. 그 약자가 단결해서 성공하면 다시 강자로 변신해서 똑같은 갑질을 한다.

경영자 단결

단결은 노동자만 하는 것이 아니다. 사실은 경영자들이 단체를 만들어 더 큰 영향력을 행사한다. 그들은 노동자 단결보다 앞섰다. 물론 노조는 일제 강점기부터 있던 단체다. 상공회의소도 있었다. 당시 기업주들도 상공인회 등의 명칭으로 단체를 설립했다. 그러나 산업화시대로 접어들면서는 노조가 명목만 유지하는데 비해 경영자들은 영향력 있는 단체를 탄생시킨 것이다. 대기업단체다. 노동자단체가 지리멸렬할 때, 그들은 이 단체를 만들었다. 정부도 개별기업 상대보다 모개로 의사를 전달할 수 있고, 기업을 묶어서 활용할 때 편리한 점이 있어 이를 조장했다.

사용자단체 경영자단체는 전문가들을 동원해 그들의 논리와 명분을 개발, 언론을 통해 광보함으로서 그들의 희망사항을 관철했다. 특히 조세금융 특혜를 이끌어내는데 유용했다. 정부와의 밀월관계를 유지하는데 효과적이었다. 그들은 여론시장과 법률시장을 우군으로 만드는 데도 유리했다. 법적 보호도 유리하게 받았다. 그들의 영향력은 노조를 크게 압도했다. 그런데 그들은 두 얼굴이다. 그들이 유리하면 자유시장경제 원칙을 들고나오고, 어려움에 처하면 산업견인 명분을 내세워 특혜지원을 요구한다. 진입장벽을 쳐달라고 기득권 보호도 요구하고, 자유롭게 활동할 수 있도록 규제를 풀어달라고 개혁도 요구한다.

그들이 위력을 발휘한 두 가지 사례. 당시 노조는 3층 구조였다. 단위(사업장)노조와 산업별(산별)노조, 그리고 전국 노조(노총). 그런데 당시 그들은 노조의 조직 확대에 열중할 뿐 이론적으로 경영자단체와 맞서지 못했다. 그들은 사용자와의 투쟁에만 집중했는데 특히 산별노조는 노조 결성을 공작하는 것이 주 업무였다. 노조는 국민적 지지와 호감을 살 수 있는 방향의 노력을 하지 못했다. 그것이 재벌과 대결할 수 있는 방법이지만, 실제로는 눈앞의 이익을 탐했다. 재벌이나 마찬가지로 그들만의 이익을 극대화시키는데 주력했다. 그래서 국민으로부터는 외면을 당하고 재벌에는 밀렸다.

경제단체는 노조 때문에 경영이 어렵다는 하소연을 정부에 했다. 정부는 그 소청을 받아들여 단위노조와 노총은 유지하고, 산별노조는 없앴다. 그 앙금으로 노사 간 증오심은 표면 아래로 숨으며 더 악화됐다. 노조는 경영자단체를 그들의 파트너로 인정하지 않았다. 노사관계는 상당기간 파행을 면치 못했다. 그 산별노조는 민주화 이후 부활했다. 전의 산별노조보다 훨씬 더 강력한 투쟁노조가 됐다. 강력한 힘으로 정치문제 사회문제에까지 관여하기 시작했다.

또 주주총회(주총)에서의 총회꾼들. 총회꾼이란 주식을 조금 가지고 있으면서 주총(株主總會)에서 조그만 하자라도 찾아 물고 늘어지는 소액주주를 말한다. 그들은 주총 회장에서 경영자를 집요하게 물고 늘어져 시간을 지연시켜 주총이 하루에 끝나지 못하고 다음 날까지 연장되기도 했다. 군사정부 아래서도 그랬다. 이면에서 은밀하게 경영자를 압박해서 사익을 취하기도 했다. 경영자들 사이에서는 총회꾼 때문에 경영을 못하겠다는 하소연이 터져 나오고, 정부는 그들의 소청을 받아들여 총회꾼을 몰아냈다. 강하게 나가다가 부러진 것이다.

민주화로 자유의 폭이 넓어지자 시민단체도 생겨났다. 그들은 집단시위 등 강경투쟁을 택했다. 노조는 사회문제, 정치문제까지 거론하고, 투쟁방법도 불법 파업 등 비민주적이고 강경투쟁으로 나갔다. 정부와의 공식적인 협의마저 거절했다. 종전에 보이던 사용자 기피의 맥을 이어간 것이다.

그런데 당국도 그런 집단시위의 실력행사라야 문제해결에 나섰다. 이익주체들이 문제제기에서부터 해결에까지 집단행동화한 것이다. 실력행사(집단행동)부터 벌이도록 촉구하는 것이나 마찬가지다. 토론을 제도화해서 주요 정책을 만들려면 공청회를 거치게 했지만 그들은 공청회 자체를 실력행사(폭력)로 무산시키기도 했다. 민주화로 촉발된 집단행동이 비민주적인 방법으로 진행돼서 문제를 풀기 어렵게 만드는 것이다.

산업전사가 귀족노조로?

산업화시대엔 노동자들이 '산업전사'라는 명예를 받았다. 근면성실의 표상이었다. 국가를 위해서 일한다기보다는 그 자신을 위해서 일하지만 열심히 일할 수 있는 일거리기 있음에 감사하고, 그것이 큰 성과로 나타날 때 보람과 긍지, 자부심을 느낀 것도 사실일 것이다. 그 자신의 일과 국가의 일이 하나라는 사실에 큰 감동과 감격도 느꼈을 것이다. 그래 시간도 모르고 불철주야 열심히 일했을 것이다. 고속도로를 만들고, 공장을 세우고, 다리를 놓고, 외국의 지하 탄광에서 석탄을 캐고, 열사의 땅에서 땀을 쏟고 할 때 그들은 다른 생각을 하지 않았을 것이다.

그러나 노동자가 기계는 아니다. 인간은 조건이 있다. 일에도 조건이 있다. 문제는 사용자나 국가가 그에 대한 배려를 얼마나 했는가이다. 사람의 의식은 쉽게 변하지 않는다. 사농공상(士農工商)의 신분제 의식은 최근까지도 잠재해 있던 것으로 인정된다. 그런데 산업화는 그 구조에 변화를 가져왔다. 공상(工商)계급이 사(士)계급과 동등해지거나 오히려 위에 서게 되는 것이다. 말하자면 상것이 양반의 자리에 올라섬인데, 이때 그의 태도가 어떻게 나타났는가. 공상 때의 억울하고 비인간적인 대우를 생각해서 노동자들을 인간적으로 평등하게 대해주었느냐, 아니면 나는 새 계급이 됐다. 꿈에 그리던 양반보다 더 높은 자리에 서게 됐으니 양반의 자세를 한번 해 보자 하는 것이었는지. 옛 양반은 후에 타락했지만 원래는 군자의 정신을 가져야 한다. 양반은 양반의 금도(襟度)와 자세를 익혀야 한다.

그러나 그들은 그런 과정을 거치지 못했다. 말하자면 벼락치기 양반이다. 그들이 어떤 마음을 갖게 됐는가. 상대를 대할 때 존중은 몰라도 최소한 배려의 마음은 있어야 했다. 그러나 거의가 그렇게 하지 않은 것 같다. 최상으로는 앞에서 설명한 공자의 인자(仁者)의 마음을 배워서 내가 돈이 벌고 싶으면 다른 사람도 돈을 벌게 하고, 출세하고 싶으면 다른 사람도 출세하게 해준다는 마음이지만 상대에 대한 응분의 대우를 생각했는가. 그렇게 하지 못했음으로 해서 분열과 갈등의 단초가 열린 것 아닌가.

그런데 노동권이 보장되자 나타난 강경투쟁 노조는 다른 모습이었다. 산업전사가 노동투사가 됐는가, 그들이 그들인가. 열사의 나라에서 피와 땀을 흘리던 산업전사가 자기중심의 탐욕스런 귀족노조로 변했는가. 그들과 저들은 다른 사람인가, 같은 사람인가. 간특한 세력의 충동질에 산업전사가 노동투사로 넘어갔는가. 같은 사람들이 태도를 표변했는가. 그렇다면 왜인가? 누구 탓인가. 그들 자신의 변화인가, 그들 자신의 각성과 탐욕 때문인가. 억울함에 대한 자동적 반발인가. 결국 산업전사의 길과 노동귀족의 길은 같은가, 다른가.

결국은 그가 그 아닌가. 산업전사가 귀족노조이고, 귀족노조가 산업전사. 더 중요한 사실은 사용자와도 동질이라는 사실이다. 같이 자기중심적이고, 같이 탐욕스럽고, 같이 억지…. 결국은 그들이 사용자고, 사용자가 그들인 것이다. 같은 한국인인 것이다. 같은 한국인의 특질을 보이는 것이다. 귀족노조는 열악한 조건의 노동자, 동료 노동자에 대한 배려를 얼마나 했는가. 귀족노조도 타인(사용자와 다른 노동자)에 대한 배려는 전연 하지 않고 있는 것 같다.

노사문제는 그 노사 동질성을 인정하고 문제를 푸는 데서 해결의 실마리를 찾아야 할 것이다. 노조가 정치집단화 하는 것은 별개의 문제다. 노동자들도 정치를 할 수 있을 것이다. 그들 중에는 정치인으로 성공하여 사용자를 닦달하는 사람들도 있다. 그러나 노조 자체가 정치단체화 하는 것은 문제다. 정치를 하려면 정치의 장으로 가야 할 것이다.

문제는 정치집단이 노조를 우군으로 만들기 위해 연합하는 것이다. 그것은 노사의 균형을 깨서 문제를 풀기 어렵게 할 것이다.

편(偏)·패(牌)에는 정의가 없다

무리는 맹목이 된다

붕당(朋黨)은 부정적 의미로 사용된다. 우리 정치에서 붕당정치라고 하면 패거리들이 무리를 지어 편을 갈라서 다른 당과 싸우는 정치를 뜻한다. 전통적으로 파당 혹은 당파는 '주의, 주장, 이해를 같이하는 사람들이 뭉쳐 이룬 단체나 모임'이다. 패당(牌黨)은 좀 격이 낮아서 주의 주장 없이 '같이 어울려 다니는 사람의 무리'다. '패거리'로 비하된다.

최악으로 치닫는 우리 정쟁은 패당(牌黨), 편당(偏黨), 파당(派黨), 팬에 매몰돼서 지도그룹으로서의 제 역할과 기능을 못 하고 있기 때문이다. 국회의원 개개인은 우수하고 지성이 뛰어난 사람이 많은데 집단지성은 살지 못한단다. 개개 지성이 이중성을 가졌거나 시스템이 잘못됐기 때문일 것이다. 패, 편, 파가 정책으로 짜지지 않고, 사욕으로 짜지는 데도 원인이 있을 것이다. 근원은 철학이 있는 대인(大人)의 지도자가 없기 때문이다. 우리 정치는 소인의 잔치마당이 돼버렸다.

조선에서도 붕당은 나쁘다는 것이 중론이었다. 《실록》에 〈파당 94〉, 〈패당 32〉, 〈편당 601〉, 〈당파 48〉 등 여러 가지 이름으로 올라 있는데 〈붕당(朋黨) 1,299〉의 폐해를 가장 우려했던 것 같다. 정종 때부터 붕당의 폐해가 거론되기 시작, 붕당이 점점 노골화되면서 그 억제도 강해지는 상황이 전개됐는데, 성종, 연산군, 중종, 명종 모두 금하도록 했다.

성종 때, 동부승지(同副承旨) 김계창(金季昌)이 간했다, "당(唐)나라 문종(文宗)의 말에, '하북(河北)의 도둑을 물리치기는 쉬워도 조정의 붕당(朋黨)을 물리치기는 어렵'고 하였습니다. 붕당의 근심은 예로부터 있었던 일로서 근래 우리나라에도 붕당의 조짐이 약간 있으니, 청컨대 엄하게 법을 세워서 금하도록 하소서."(1478.7.18)

처음엔 붕(朋)과 당(黨)의 의미가 달랐다. 옛날엔 군자의 집단을 붕(朋)이라 하고, 소인의 무리를 당(黨)이라고 구분했다. 붕당이 원래는 부정적 의미가 아니었다. 11세기 중국 송나라의 문인 정치가 구양수(歐陽脩)와 성리학의 비조 주자(朱子)는 붕당 긍정론을 폈다. 군자는 도의를 지키고 충신(忠信)을 행한다. 수신할 때에는 동도(同道)로 서로 돕고, 국사에는 동심으로 함께한다. 이것이 군자의 붕(朋)이다. 이에 비하여 소인은 이록(利祿)을 좋아하고, 재화를 탐하여 이(利)가 같을 때 잠시 서로 끌어들여 당을 이루나 이(利)를 보면 먼저 차지하려 다투고, 이가 다하면 멀어져 서로 해치기도 한다. 형제 친척이라도 서로 도울 수 없기 때문에 소인에게는 붕이 없다. 군자의 붕은 진붕(眞朋)이고, 소인의 붕은 위붕(僞朋)이다. 군자붕(君子朋), 소인당(小人黨)이라 한다. 붕은 군자의 정치집단화를 정당화하는데 쓰였다. 퇴계의 제자 조목(趙穆)은 붕당이라 함은 잘못이라고 한다. 유성룡(柳成龍)도 붕(朋)은 공적인 동류를 말하는 것으로 군자의 집단을 의미하고, 당은 사적으로 상조익비(相助匿非. 서로 도와 비행을 숨겨줌)를 의미하기 때문에 소인의 집단을 뜻한다고 설명한다.

그러나 후에는 붕당의 의미가 변질됐다. 250여 년 전 이익(李瀷, 1685~1763)은 《붕당론》에서, '붕당은 쟁투에서 일어나고, 쟁투는 이해관계에서 일어나는 것'이라고 했다. '이해가 절실하면 그 당의 뿌리가 깊고, 이해가 오래 계속되면 견고하게 된다. 세 때문이다. 이(利)가 하나이고 사람이 둘이면 두 당이 생기고, 이가 하나인데 사람이 넷이면 네 당이 생기게 마련이다. 이는 고정되어 변함이 없는데 사람만 더욱 늘어나면 십붕팔당(十朋八黨)으로 분열되지 않을 수 없다'고 당시 양반사회와 관료제도의 모순을 지적했다. 양반들은 생업에 종사하지 않고 관작 얻기만 목표로 삼으니, 관리가 되면 부가 따르게 마련이다. 양반은 관리되기에만 열중한다. 요즘은 그 말이 쓰이지 않지만 붕당의식은 살아 있어서 행태는 옛날과 똑같다. 파당으로 벼슬을 나누고, 이권을 오로지 한다. 부정부패가 따르기 마련이다.

한편 선조는 붕당에 우물쭈물하는 태도를 취하는데 드디어 심의겸(沈義謙)의 붕당이 수면위로 올라온다. 그때도 선조는 애매한 태도를 취한다. 이후 붕당 간의 싸움은 나라가 망할 정도로 치열해지는데 임진왜란 병자호란에도 멈추지 않았다. 이후 악명 높은 피의 사화(士禍)가 반복, 조선 조정을 삼켜버리는데 조선사는 당쟁사라고 해도 과언이 아니다.

그 후 숙종 때, 대사헌 이현석(李玄錫 1690)이 상소했다. "붕당이 서로 원수가 돼 화(禍)가 상대를 죽이는 데까지 이르고, 승패가 반복돼 일이 적국 사이와 같아졌습니다. 우리나라는 인재가 본래 드문데 또 그 사이에서 색목(色目)이 갈라져, 이들이 등용되면 저들이 물러가고, 갑이 성장하면 을이 소멸하여, 모두 시세에 따라 서로 돌아가며 끝내 모일 기대가 없으니, 지사가 개탄하는 것은 예전과 마찬가지입니다." (1690.2.25)

영조가 탕평책을 쓰면서 적극 억제했으나 근절되지 않고 조선이 망할 때까지 계속된다. 조선의 당쟁은 여러 가지 요인이 있으나 궁극적으로는 문화다. 통치이념이나 사고방식, 가치관, 생활방식 등이 어우러져 만들어내는 정치관행, 작태다. 자기중심의 작은 우리, 소아병적 근시, 소인, 졸장부의 심성이 어우러져 빚어내는 정치상인 것이다. 원대한 웅지를 품은 대장부 대인의 행보가 되지 못하고 소인배의 짜잔한 행보인 것이다.

여기서 일제의 식민사관(植民史觀)을 짚어볼 필요가 있다. 식민사관은 한국을 그들의 식민지화하기 위해 음흉한 의도로 한국사를 왜곡해 쓴 역사풀이다. 주목되는 한 대목은, 조선은 당쟁과 사화(士禍, 史禍)라는 내부 분열로 서로 싸우느라 나라까지 망쳐먹었다는 지적이다. 당쟁은 사실이다. 문제는 그 사실(史實)을 조선 합병의 정당성으로 결론짓는 것이다. 이제는 그 사실을 미화하거나 왜곡하는 것은 의미가 없다. 중요한 것은 그 이론의 정당성을 따져 교훈을 얻는 것이다.

그런데 정당이 제도화한 민주정치에서 정치인들이 보여주는 정치행
태는 붕당사대로 돌아간 듯한 것이다. 숱한 이합집산, 배신과 야합, 계
략과 음모…. 화려한 간지(奸智)의 경연에 나라도, 국민도 없는 것이다.
치졸한 선거기술자들이 구역질 나는 선거공학을 업고 춤출 뿐이다. 정
녕 피는 못 속이는가.

파쟁(派爭)과 편론(偏論)

우리 언론은 공자의 춘추필법(春秋筆法)을 정통으로 신봉하는 전통을 이
어왔다. 역사적 사실을 객관적으로 대의명분에 맞춰 기록하는데 권선
징악(懲惡而勸善)을 목적으로 한다. 그 정신으로 무장한 조선의 언관 간
관들은 하늘을 찌르는 의기(義氣)로 왕의 잘못도 과감하게 지적했다. 불
편부당 시시비비의 정론으로 대의명분을 밝히는 직필이었다.

그런데 특히 당쟁이 심해지고는 왜곡됐다. 이중환(李重煥)은《택리지
(擇里志)》에서 개탄한다. '편론(偏論)이 처음에는 사대부에서 생겼지만 끝
편의 폐단은 사람들로 하여금 서로 용납할 수 없는 데까지 이르렀다.'
당쟁은 논리의 전쟁이다. 정적을 논리적으로 설득하는 것이다. 그런데
당쟁이 심해지자 언관 간관들이 정파의 전위대 공격조가 돼서 정적 공
격의 제일선에 섰다. 대의명분을 주장하지만 정론(正論)일 수 없다. 타
당성을 잃는다. 편론이고, 궤변이 된다.

현재도 마찬가지다. 어느 결엔가 언론이 정계로 진출하는 디딤돌이
되더니 언론은 편론으로 기울어 정론(政論)을 정당화 노골화한다. 문제

는 정론(政論)을 정론(正論)으로 위장하는 것이다. 정직하지 않다. 왜곡이 판을 친다.

언론인 중엔 정계에 진출하는 사람이 많다. 더러는 직필(直筆) 탁론(卓論)으로 인기를 모으던 사람들인데 정치인이 되면 다른 사람이 된다. 의기를 살리려 하면 긍정적 효과를 낼 터인데 실제는 정론(政論)에 함몰된 투사로 투쟁의 전위대가 되기도 한다. 언론인 때의 그의 담론이 순수했을까 의심도 된다. 그는 단순한 출세족으로 보이는 것이다. 이성적인 인간도 아니다.

전반적으로 지적활동에서 보편타당성, 보편적 진리를 추구하는 이성의 작동이 미흡해 보인다. 끝없는 논리적 탐구를 하지 않는다. 우리의 사고(思考)는 논리적, 사변적이 아니다. 사유(思惟)가 안 된다. 어느 편인가 하면 편벽, 고착형이다. 가치의 변화를 따라가지 못하고 사람을 따라간다. 내용을 따지지 않고, 말한 사람을 따진다. 진리는 추상인데 이들은 사람을 따라 옳고 그름을 정한다. '우리대장'의 말은 절대 옳다. 이론(異論)을 달지 못한다. 진리를 따지지 않는다. 이론(異論)을 사문난적(斯文亂賊)처럼 배척하는 데서는 보편타당성이 보이지 않는다. 절대자를 상정해 놓으면 논리가 굳어지고 만다.

우리의 지적활동은 구조적으로 편향돼 있다. '팔은 안으로 굽는다'는 속담에 잘 나타난다. 정치선동술로 유명해진 '우리가 남이가'도 그런 기류를 탔다. 원천적으로 '내집단 편향(In-group bias)'이 강하단다. 자신이 속한 집단은 실제보다 더 긍정적으로 평가하고 상대적으로 남은 깎아내리는 이중 잣대다. 최근의 '내로남불'도 그런 예다. 소집단으로서의 '우리'에 응집력이 강하고, 상대적으로 배타성이 강하다. '작은 우리'에 매몰돼 있으면서 '큰 우리'를 사칭하기도 한다. 그들은 보편타당성을 상실한다.

편 가르기는 정파의 여야, 보혁, 좌우로, 종교도 무수한 종파로 나뉘고, 불편부당 공정해야 할 법관들도 파가 갈리고, 정론을 펴야 할 언론인들도 색깔을 띠게 된다. 문제는 이들이 발전적 경쟁을 하는 것이 아니라 적대적 투쟁을 하는 것이다. 공론이 서지 못하고, 공존관계가 적대관계로 된다. 내 편이 아니면 적이다, 적은 멸해야 한다는 단순 논리가 지배한다. 적에는 공명정대보다 이기는 방법이 중요하게 된다.

우리 언론은 정론 불편부당 시시비비 추구로 민주화 투쟁에서 큰 기여를 한 것이 사실이다. 그러나 민주화 후엔 신문이건 방송이건 정론(政論)으로 분화됐다. 정론(政論)은 편론(偏論)이다. '우리만 옳다'가 되는 것이다. '너도 옳을 수 있다'를 인정 안 하니까 토론이 안 되고 싸움뿐이다. 민주주의의 평등의식이 자라지 않기 때문이다.

정당의 당론은 원래 편론이다. 국회의원은 각자가 헌법기관이지만 우리 정당은 자유로운 지적활동으로 중지를 모으는 시스템이 아니라 원만하게 국정을 이끈다는 명분으로 당이 방향(당론)을 정한다. 형식상 중론인데 중지로 모으는 논리가 아니라 한계가 있다. 이념에 맞추라는 지침으로 명분을 찾는다. 가끔 크로스보팅으로 그것을 깨는 용감한 사람들이 나와 다행이다.

편론은 사실을 객관적으로 파악하고 결론을 내리는 것이 아니라 결론을 내놓고 증거를 꿰맞추려 한다. 왜곡, 오독(誤讀), 가식이 따르게 된다. 논리에 맞는 결론이 아니다. 우격다짐을 하는 것이다. 그래 편론을 따르다 보면 최악의 편을 들고 차악(次惡)을 매도하기도 한다. 대중 선동에 앞장설 때 그런 예가 생긴다. 특히 새 시대의 매체로 등장한 인터넷 언론이 한편의 투사가 돼서 투론(鬪論)을 전개할 때 그런 예가 많다. 언론의 자유, 표현의 자유, 선택의 자유가 편론을 정당화시키고, 정론(正論)을 훼손하는 사례가 많이 생긴다. 게다가 옛날의 '무관의 제왕'의식이 남아서 무치(無恥)의 태도로 내달으면 문제다. 국론이 방론(放論)에 흔들리면 혼란이 커진다. 단순히 민주화 도정의 성장통으로 보아 넘기기 어렵다. 그러나 순수와 왜곡, 정론(正論)과 정론(政論)을 정확히 구분하기는 사실상 어렵다.

정치권역은 동일한 문제를 놓고 문제(사실)인식과 해결방향이 정반대로 갈리기도 한다. 강력한 권위가 작동할 때다. 맹주가 사라져 권역도 없어지는가 싶었는데 그들은 건재하다. 그들은 인식능력도 가치체계도 사변(思辨)능력도 의심스럽다. 편과 파에는 편론이 있을 뿐이다. 공론(公論)은 공론(空論)이 돼 공허해진다. 진영논리만 존재한다. 진영논리는 제삼자에겐 공론(空論)이 되기 쉽다. 그들은 반성도 하지 않는다. 민주주의의 길은 멀다.

정계는 선거 때면 몇 개의 당이 합종연횡을 모색한다. 성공도 하고 실패도 한다. 보수는 실패하고, 진보는 성공하는 예가 많다. 여야 모두 분당 합당을 수시로 반복해서 정체성을 살리지 못한다. 정책을 표방하지만 표를 좇아 합치고 헤어진다. 가장 진보적인 지도자(?)가 가장 보수적인 세력과 손잡기도 주저하지 않는다. 그게 성공의 길이다. 포용력으로 미화되기도 한다. 이런 구도 속에서는 정론과 공론(公論)을 살리기가 어렵다. 민주화 이후의 정치는 민주주의 행태로 다가가는 것 같지도 않고, 아름다운 전통이 지켜지는 것 같지도 않다. 오히려 전통문화의 추악한 면이 민주주의를 맞아 수면 위로 드러나기도 한다. 정치판은 논(論)이 안 서니까 중지도 모아지지 않고, 현인도 찾지 않는다. 검투사들이 자웅을 겨루는데 당당한 대결이 아니라 음흉한 저격을 한다. 싸움은 비열해진다. 자리는 그들끼리 나누기도 모자라서 세포 분열, 자중지란이 일어나고, 배신이 벌어진다. 옛날부터 그랬다. 정치판은 항상 싸움판이 된다. 그들은 상대를 나와 동위(同位)로 놓고 국정을 협의하는 자세가 아니다.

다중(多衆)의 선택

다중은 현명하기도 하고, 어리석기도 하다. 정치 역시 소인도 있고, 대인도 있다. 대인이 우중(愚衆)을 이끌거나 현중(賢衆)이 소인을 이끌면 문제가 없으나, 소인이 우중을 이끌거나 우중이 소인을 이끌면 문제다. 우리의 경우 옛날엔 소인이 우중을 이끌었으나, 근래엔 우중이 소인을 이끄는 것 같다. 그 다리 역할을 언론이 하는데 약아빠진 것도 같고 멍청한 것도 같다. 이 3자가 어떤 춤을 추는가. 그것은 춤이다. 도깨비춤도 됐다가, 우아한 궁중무도 됐다가, 무당춤도 됐다가 한다. 춤은 여러 가지다. 지금 우리는 어떤 춤을 추고 있는가.

언론이 소인배들을 집중 부각시키면 정치는 도깨비춤판이 될 것이고, 신사들을 부각시키면 우아한 궁중무가 될 것이다. 언론이 어떤 자세를 취할 것인가. 그게 민주주의의 향방을 결정짓는 키다. 그러나 정치인이 먼저냐 언론이 먼저냐는 닭이 먼저냐 달걀이 먼저냐 처럼 가리기가 어려워 누가 주도한다 할 수 없다. 모두 함께 어울려 돌아가는 군중무일 뿐이다. 언론은 정치 플랫폼에 스타덤을 만들어놓고 그 주인공을 올리는데 한번 올리면 거기 토박이 주인공이 되는 사람들이 있다. 일탈자들이 많다. 이상하니까 관심을 모으지만 식상한다. 그들의 관점이나 논점은 국민이 참고할만한 본이 되지 못한다. 그러나 그들 중에서 장관도 나오고, 국회의원도 나온다.

정치현상도 시대에 따라 변하는데 현대정치의 제일감은 포퓰리즘이다. 헌법의 '민주공화국'이 역할을 톡톡히 하고 있음이다. 백성이 주인 노릇을 제대로 하고 있음이다. 민본(民本), 민주(民主), 위민(爲民), 여민(與民)의 단계를 다 거쳐 명실상부하게 주인 노릇을 한다. 그런데 그 국민이 두 편으로 나뉘어 있다. 이념을 기준으로 좌파 우파, 성격상 보수 진보로 나뉘어 편싸움을 벌인다. 심각한 수준이다. 정당이 다른 것은 당연하지만 국민까지 그럴 필요가 있는가. 그때그때의 정당노선을 보고 선택을 하면 될 터인데.

그 거대한 분열구조는 한 나라 속의 두 국민을 만든다. 한 민족이라지만 이민족(異民族)보다도 더 이질화되어 간다. 처음 이념 때문에 편이 갈렸지만 일단 편에 속하면 맹목이 된다. 자기편은 선하고 정의롭고 상대는 악하고 불의다. 자기편은 합리적이고, 상대는 불합리하다. 사안별로 옳고 그름을 따지지 않는다. 자기편의 것은 무조건 모두 옳고 선하다. 상대는 그 반대고. 그게 편(파)의 논리다. 개선도 전진도 진화도 어렵다. 새 방안도 나오지 못한다. 우리는 지금 그런 편 가르기의 함정에 빠져 있다.

언론의 편론(偏論)은 오래됐다. 그 줏대가 명확하지 않다. 논리가 명확하지 않으면 정의를 실현하기가 어렵다. 과거 정권들은 모두 개혁을 내세웠다. '사회정의'라고도 하고, '정의사회'라고도 한다. 사업은 공평으로 혁신하려 한다. 개혁은 법 정의에 중점을 두고 옳지 않은 것을 고치려 했다. 공명정대를 추구해서 그 폭이 넓다. 문제는 무엇이 정의냐 하는 것이다. 모든 편이나 파에 공통으로 적용될 수 있는 보편타당한 것이면 문제가 없지만 대개는 이편에서의 정의라 하면 저편에선 아니라 한다.

사회정의나 개혁운동이 권력의 편에 서면 사정(司正)의 칼로 변해서 공포의 대상이 되곤 한다. 정적을 쳐내는 칼로 악용되기 때문이다. 그런 개혁은 광풍 같아서 성공하지 못한다. 바람은 지나가면 그만이다. 편(진영)정치, 파벌정치가 맹위를 떨치는 판에서는 보편타당한 정의의 개혁이 이뤄지지 않는다. 공명정대가 안 된다. 개혁은 그 가장 가까운 곳에서부터 실천이 안 된다. 해서 자기 옥모에 걸리는 예가 많다.

개혁이 성공하지 못하는 또 하나의 요인은 개념의 애매성이다. 정의와 개혁은 동의어로 쓰이기도 하지만 같은 것도 있고, 다른 것도 있다. 개혁은 낡은 것을 버리고 새로운 것을 추구함을 의미하기도 하고, 잘못된 것을 옳고 바른 것으로 고침을 뜻하기도 한다. 전자의 경우는 죄가 문제되지 않지만 후자는 법에 관련되는 것이라서 칼바람을 일으킨다.

가장 큰 걸림돌은 인사다. 챙겨주지 않으면 돌아서는 공신들 때문에 공명정대할 수가 없다. 전리품 나누는 식의 정실인사, 코드인사로는 정의를 세울 수 없다. 정권마다 비슷하다. 누구에게나 같은 잣대를 세우지 못하는 개혁은 실패한다. 그래 옛날 성공한 군주는 공신들도 잘못하면 가차 없이 쳐냈다. 아니 잘못된 자기편을 가차 없이 쳐낸 군주는 성공한 것이다.

근래 정치지도자마다 동어반복으로 개혁을 외치고 있지만 공염불이 되고 마는 것은 그런 단호함이 없기 때문이다. 편 가름은 블랙홀처럼 정의를 빨아들인다. 해법은 국민이 현명해져서 그들에게 놀아나지 않는 것인데 실제로는 그들의 하수인, 신민(臣民)이 되려는 사람들이 많다. '당신의 국민이 되고 싶습니다.' 이런 풍토에서는 정의의 나라, 정직한 나라, 공명정대한 민주국가를 만들 수 없다. 편에 속하지 않는 국민이 나라의 운명을 가르게 되면 좋을 것이다.

시간 때문인가, 기질 때문인가, 개혁은 조급해진다. 단기간에 이루려 한다. 조광조 김옥균 독립협회 모두 급하게 추진하다 실패했지만 참고하지 않는다. 정도전의 개혁은 성공했지만 그 자신은 비명에 죽었으니 예외랄 수 없다. 구한말 국운이 쇠하자 크고 적은 개혁운동이 많이 일어났지만 모두 실패했다. 섣부르고 조급한 개혁운동 때문에 나라가 망한 것인지, 국운이 다해 나라를 구하려는 개혁운동도 실패했는지는 판단하기 어렵다. 작용이 크면 반작용도 크다.

이런 편 가름은 언제부터 잉태됐을까. 아주 오래다. 그것은 역사적

산물이지 돌발한 것이 아니다. 특정인 때문만도 아니다. 이게 민주주의를 맞아서는 어떻게 발전해갈 것인가. 민주주의가 그것을 치유할 수 있을까. 더 악화시킬 것인가. 민주주의 시대라도 국민의 생각이 바로 서지 않으면 방법이 없다. 그래도 그 치유는 민주화라야 할 수 있을 것이다.

문화훈련이 필요하다

되돌아보니 다시 지적 공황기를 맞는 두려움이 엄습한다. 망한 나라는 망한 원인이 있고, 흥한 나라는 흥한 원인이 있다. 대국은 대국이 된 이유가 있고, 소국은 소국에 머문 이유가 있다. 조선이 망한 것은 무어니 무어니 해도 궁극적으로는 지적 열세 때문이었다. 근대산업이나 무력을 갖추지 못했음도 그 때문이었다. 멀리 또 넓게 보지 못하고, 깊이 생각도 못 하며, 편협과 폐쇄의 옹고집으로 초지일관하다가 망했다.

지금 상황도 비슷하게 돌아간다. 한 세기 전에 불어 닥친 서세동점(西勢東漸)이 이제는 대륙문화와 해양문화가 충돌하는 양상으로 바뀌어 우리는 또 새우 등 터지는 꼴이 됐다. 우리의 대응자세도 똑같다. 중구난방으로 갈려 한 방향을 찾지 못한다. 해방은 외래문화의 승리자적 상륙이었다. 우리는 그것을 자신의 이상으로 수용, 추구하면서 자유

민주화의 길로 매진, 기적적 산업화에 성공했다. 선진국 문턱에 다다랐는데 문화적으로는 새 민주문화와 전통문화의 대립이 끈질겼다. 선진국 정상에는 이르지도 못했는데 다시 병적 내분에 휩싸여 다시 해방 후의 상황으로 되돌아가는 징후가 농후하다.

산업화와 동시에 민주화를 추구하여 제도적 민주화는 이루었지만 속으로는 전통의식과 갈등을 계속하여, 전통문화와 민주문화는 창조적 용융(熔融)을 하지 못하고 오접(誤接), 파열음이 점점 높아진다. 자유민주화는 모래성처럼 무너지는 양상이 벌어진다. 전통의식과 자유민주화와 사회주의가 충돌하면서 국민 간 증오와 갈등, 반목과 분열이 심각해져 상대편을 절멸시키려 한다. 한 나라, 같은 민족이라고 할 수 없는 지경에 이르렀다.

문화적으로는 과거에도 유교국가였지만 공맹의 가르침을 뼛속까지 체화하지 못하여 허울뿐인 유교국가가 돼서 신문화(서구)에 맥없이 무너지고 말았는데, 민주화 역시 그 정수(精髓)를 체득하지 못하여 환란을 부른다. 상대존중의 평등과 자유정신의 민주화가 활착하지 못하여 원초적 탐욕이 넘실대는 '자연상태'(홉스)에 빠져든다. '만인의 만인을 향한 투쟁'이 벌어지는 양상이 초래되고 있다. 우리는 도의국가를 국시로 했던 과거에도 간지(奸智)가 승(勝)한 역사였는데, 민주화를 맞아서도 자기중심적 자유화에 매몰되면서 공의(公義)와 예의(禮義)는 허물어지고, 정직 신의 공정 자유 진리 같은 보편적 가치는 실종됐다. 《레비아탄》의 무질서한 세상에 빠져들며, 잔인 비열 천박한 양태로 흘러간다. 품격 있는 문명국이 아니다.

변혁의 시대, 겉으로는 민주주의의 서구화를 표방하지만 의식은 전통 고수였다. '민족'의 외침은 높았지만 공동체로서의 민족은 없었다. 동족을 노예로 삼던 전통의 잠재의식이 이어짐인가, 내부 질시와 부정(否定), 반(反)·전도(顚倒)의 저항정신이 뿌리 깊다. 사회 혼돈은 깊고, 공동체로서의 역사 주체가 없으며, '주체'를 빙자한 독재가 독버섯처럼 자랐다.

근대화길목에서 일본은 화혼양재(和魂洋才)와 탈아입구(脱亜入欧), 존왕양이(尊王攘夷)란 모순된 구호로 서양문화를 수용하여 성공, 선진국이 됐다. 중국 역시 부청멸양(扶清滅洋), 중체서용(中體西用)의 길을 가다가 주춤거리더니 도광양회(韜光養晦) 전략으로 어느 정도 성공하자 중화(中華)의 복고를 노린다. 그러나 문명으로 순치되지 못해 야수 같은 위험한 존재가 된다. 조선은 동도서기(東道西器)란 어설픈 깃발을 들었으나 아직도 방황은 계속된다.

지금 한국은 작은 성공에 도취되어 오만해졌다. 성공의 동인은 알려 하지도 않고 천방지축, 방향을 못 잡는다. 왜인가. 지적 열세 때문이다. 지력(知力)은 높아도 지력(智力)이 낮은 것이다. 고질병적인 근시와 단견으로 유아적 육감에 취해 방방 뛴다. 지도세력은 출세욕에 찌들어 방향을 잃는다. 명지(明智)를 잃은 언론은 초라하고, 사욕을 좇는 지성은 천박하고, 이성을 잃은 법조(法曹)는 추하다.

세계적으로도 문명의 싸움은 집요하다. 우리도 마찬가지 행로다. 북한이 왕조로 돌아간 것은 오래됐는데 이제 우리도 그 길로 간다? 해방 후 서구화하던 문화가 왕조시대로 돌아가는 듯하다. 정치는 전통적 독선, 독단, 독점, 독주의 길로 가서 국민 전체의 공감대를 형성하지 못한다. 민족의 최대공약수를 찾지 못하고 '작은 우리'의 최소공배수를 찾아 축소 투쟁으로 날이 샌다. 제왕적 대통령은 그 단적인 표현이다.

전통문화의 일차 승리는 음력설 회복이었다. 사회생활은 양력, 사생활은 음력의 불편한 동거다. 1987년의 민주화는 직접선거라는 민주제도의 옷을 입었지만, 전통문화의 중구삭금(衆口鑠金)이 작용하는 떼창문화가 꽃피게 하는 길을 터주었다. 떼창문화는 신라 성덕왕 때의 바다 거북사건을 효시로 보면 1천3백여 년을 넘는다. 다중(多衆)의 부화뇌동이 승리하는 것이다.

사농공상의 제도는 철퇴됐는데 의식은 온존한다. '산업화', '민주화'로 과거 괄시받던 상(商)계급의 지위가 상승되니까 과거 양반들이 자세하던 이상으로 갑질을 한다. 노동자들도 노조로 힘이 생기니까 마찬가지의 행태를 보인다. '노동자 세상'은 새 계급을 탄생시켰다. 갑질은 우리 민족의 고유 DNA인가? 그 근저엔 자기중심적 사고(思考)가 있다. 커뮤니케이션은 왜곡되고, 객관적 인식은 성립되지 못한다. 그래 조선 말 횡행했던 괴담의 맥이 창궐하고, 편견이 횡행한다. 공동체의식이 없고, 공준(公準)이 서지 못한다. 법에 의한 통치가 아니라 인치(人治)로 빠져든다. 자유 찬가가 '제멋대로'로 변주된다.

이 나라가 어디로 갈 것인가. 영웅은 질투의 칼날에 지고, 현인은 찾지도 않는다. 열 명의 의인이라도 있는가. 있을 것이다, 광야의 선지자처럼 고고하게 외치는 지자(智者)도 있고, 광란의 파도에 맞서는 용자(勇

者)도 있다. 전체를 위해 자기 몸을 불사를 의인도 있고, 선을 위해 자기 몸을 바칠 인자(仁者)도 있다. 그러나 그들을 따르지도 받들지도 않는다.

문제는 문화다. 백범이 그렇게 간절하게 희원한 '문화국가 건설'. 그는 문화로 동족이 하나 되고, 격이 높아져 세계에 우뚝 서는 나라를 소원한 것 같다. 그가 이념투쟁은 혈통의 바다에 일어나는 일시 풍파라고 했음은 높고 높은 문화선진국을 내다보았음 같다. 그를 한 편의 수장으로 격하시킴은 그를 왜곡하고, 모독함이다. 이념은 족쇄다. 진실로 자유로운 사람은 이념의 올무에 얽히지 않는다. 이념을 방패로 모두 네 탓에 빠져 싸움은 어리석은 짓이다.

자신을 돌아보고 부족함을 깨달아야 한다. 뉘우침이 일고 밝은 이성(明理)의 작동으로 세계를 넓게 또 멀리 보고, 바르게 인식하며, 아름다운 가치관과 확고한 원칙을 세움이 필요하다. 150여 년 전 영국의 지성인들이 벌이던 점진적 사회개량운동(Fabianism), 일본이 메이지유신(明治維新)으로 벌인 시민교육이 부럽게 보인다. 우리 선각자들도 '민족개조(民族改造)'운동을 벌였으나 초기에 꺾였음이 아쉽다. 우리에게 도움이 된다면 악마에게서도 배워야 한다.

이념, 좌우, 보혁 싸움을 멈추고, 거짓과 불의, 사기와 모함, 비열, 천박, 잔인과 싸움이 필요하다. 그것은 문화전쟁(Cultural Evolution)이다. 특히 간지의 음모에서 벗어나야 한다. 모사꾼 승리의 역사를 반복해서는 안 된다. 이것은 정권교체의 문제가 아니다. 그것은 사람 간의 싸움이 아니라 인간의 행태, 사로(思路), 의식(意識)과 싸우는 것이다. 문화전쟁이다. 그것은 인간사랑이 전제돼야 한다. 특정집단의 문제가 아니다. 경제가 어려워지고 정치싸움이 가열되자 드러나는 한국인의 민낯은 처참하다. 문화훈련이 필요하다.